T4-AVA-935

# МАРШ ТУРЕЦКОГО

Фридрих
НЕЗНАНСКИЙ

# *Умная пуля*

МОСКВА
2004

УДК 821.161.1-312.4
ББК 84(2Рос=Рус)6-44
Н44

Серия основана в 1995 году

*Эта книга от начала до конца придумана автором. Конечно, в ней использованы некоторые подлинные материалы как из собственной практики автора, бывшего российского следователя и адвоката, так и из практики других российских юристов. Однако события, место действия и персонажи безусловно вымышлены. Совпадения имен и названий с именами и названиями реально существующих лиц и мест могут быть только случайными.*



Подписано в печать с готовых диапозитивов 13.11.03.
Формат 84×108 1/32. Гарнитура «Таймс». Бумага типографская.
Печать высокая с ФПФ. Усл. печ. л. 18,48.
Тираж 20 000 экз. Заказ 2476.
Общероссийский классификатор продукции ОК-005-93, том 2;
953000 — книги, брошюры
Санитарно-эпидемиологическое заключение № 77.99.02.953.Д.008286.12.02
от 09.12.2002

**ISBN 5-17-021910-5 (ООО «Издательство АСТ»)**
**ISBN 5-7390-1310-0 (ООО «Агентство «КРПА Олимп»)**

# Часть первая

## Глава 1
## МЫШКА И «НАРУЖКА»

Если к окну не прикасаться несколько лет, а затем хорошенько вымыть, то это, оказывается, может сильно испортить настроение. Едва пропускавшее свет стекло неуловимо гармонировало с обшарпанными стенами, серым потолком, протертым до дыр линолеумом, темно-коричневым подобием мебели и сгорбленной фигурой профессора, поросшего мхами и лишайниками. И было большой ошибкой стирать грань между мирами. Теперь через окно в полуподвальный кабинет врывались зеленые деревья, весело бегающие дети, яркие пятна майского солнца, мелькали влюбленные парочки.

Маша, постукивая двумя пальчиками по заедавшей древней клавиатуре, пребывала в состоянии недоумения: что она делает здесь и сейчас? Она бросала тоскливые взгляды на улицу. Там кипела жизнь. Там был другой мир, в котором все счастливы. Даже лежащий третий день у стены напротив хиппи. Она уже начала к нему привыкать. Чем он жил, непонятно. Не ел, не пил, не отлучался по нужде. Только курил.

На столе перед девушкой лежала кипа исписанных от руки листов. Ей приходилось прилагать неимоверные усилия для превращения их в читабельные. Вчерашний тусняк закончился в четыре утра. Поэтому корявый почерк профессора действовал как сильнейшее снотворное. Даже пришла идея украсть пару страничек монографии для мужа. Тот постоянно пребывал в двух состояниях: либо беспробудно спал, либо страдал от приступов бессонницы.

Материальное положение совсем не обязывало ее трудиться. Супруг, довольно раскрученный архитектор, без заказов не сидел и мог обеспечивать вполне безбедное существование. Но Маша, справедливо считая, что обременять себя детьми в двадцать лет рановато, начала дома откровенно скучать. А тут подружка, часто и прикольно рассказывавшая о своей работе с чокнутым профессором, ушла в декрет. Она и предложила поработать. Нескольких дней Маше вполне хватило для вывода: она просто бесилась с жиру. Каждодневное убийство времени в компании выжившего из ума исследователя становилось невыносимым. Все мысли профессора были поглощены штаммами бактерий и вирусов. Он даже улыбался, только прильнув к окулярам микроскопа. Оставалось придумать достойный повод для подачи заявления об уходе. Но потом. Сейчас не думалось совершенно ни о чем.

Тишину нарушил посторонний шорох. Затем громкий хруст.

— Крыса! — вскрикнула Маша, поджимая коленки к подбородку.

Профессор Волобуев оторвал близорукие глаза от бумаг и прислушался. Со скрипом поднялся. Причем понять, что скрипит: стул или ученый — было невозможно. Отодвинул мусорное ведро. Возле плинтуса сидела белая мышка. Профессор со вздохом присел. Надев очки, принялся внимательно рассматривать гостя. Затем взял животное за хвостик и аккуратно положил на стол. Он любил грызунов. Может, потому, что привык иметь дело с ними чаще, чем с людьми. Для них у него всегда было с собой угощение. Вот и сейчас полез в карман и насыпал горстку семечек. Мышка, сев перед неожиданно возникшей горой счастья, принялась передними лапками брать семечки и грызть.

— Ой, какая прелесть. Она ручная? — радостно воскликнула девушка, подбегая к зверьку.

— Видишь, спинка беленькая. Ты ее можешь взять, покормить, погладить. Но если полоска желтая или коричневая, то это от йода. Значит, мышке привили какую-нибудь заразу. Лучше такой сторониться.

Маша резко отдернула руку, потянувшуюся было к зверьку. В этот момент решение расстаться с карьерой и посвятить себя семье созрело окончательно. Ей даже захотелось ребенка или двух.

— В нашем институте других мышей, кроме белых, и не водится, — продолжал профессор, — вивария своего нет. Он в филиале, на «Калужской». Зрелище, скажу, грандиозное! Это надо видеть. А к нам завозят. Естественно, во время опытов мышки сбегают.

Маша, резко потеряв интерес к грызуну, развернулась. Ее взгляд вновь оказался прикован к окну. Оно словно гипнотизировало. Девушка тоскливо посмотрела на улицу и произнесла:

— Семен Наумович, какая красота за окном. Вам действительно никогда не хотелось послать эти вирусы куда подальше? Поехать путешествовать, открывать для себя новые страны? Это же невозможно, из года в год вылавливать нужного микроба ЕО 764. Он, кстати, чем-то отличается от ЕО 765?

— Вот посмотри. — Волобуев жестом подозвал Машу к микроскопу. Наклонился к сейфу, открыл его.

Достав предметное стеклышко, посмотрел на свет. — Штамм бактерии СН 300.

Маша, обрадовавшись возможности немного отвлечься, подошла и заглянула, представив на миг, что профессор — сексуальный маньяк. Сейчас воспользуется случаем и набросится сзади! Но он, если и был одержим, то только своими бациллами.

— Видишь палочки? — нежно прошепелявил Семен Наумович.

— Да. Все одинаковые, — ответила Маша.

— Это на первый взгляд так кажется. А вот представь, прилетела ты, допустим, с Марса. И где-нибудь на высокой орбите разглядываешь людей в телескоп. Все одинаковые, бегают, суетятся. Снижаешься. Ба, да тут попадаются черненькие, и беленькие, и желтенькие. Да и среди них тоже отличия: одни низкорослые, другие голубоглазые, третьи горбоносые. А перед тобой стоит задача: найти Шварценеггера и похитить для улучшения своего марсианского генофонда. Как это сделать? Очень просто. Устраиваешь им небольшой катаклизм: наводнение, землетрясение, химическую атаку, ядерную войну, голодовку, Варфоломеевскую ночь или Бухенвальд. Выживший и будет тем Ноем, от которого пойдет новый род. А мы обзовем его СН 300. Просто потому, что среди пятисот пробирок повезло трехсотой.

— Увлекательно. А насколько выгодно быть микробогом? — задала она провокационный вопрос.

Семен Наумович замолк. Да, сейчас только этот вопрос интересует симпатичных безделушек. А ведь когда-то была совсем другая — нищая, голодная, но интересная жизнь. Радоваться могли не только деньгам, хотя и им, конечно. Он познал счастье первых открытий, публикаций, защиты диссертации, получения степени. Научная жизнь бурлила интригами, спорами школ, попытками протектората антинаучных идей.

А в современном мире хапуг и стяжателей все ценности свелись к доллару. Большинство талантливых ученых подалось в торгаши. Институт медицинских и биологических препаратов имени Марасевича на Сивцевом Вражке сильно потерял свой вес в мировой табели о рангах. Финансирование урезали, работы свернули. Уже предпринимались попытки банкротства. Не последнее место играло его элитное месторасположение. Слишком лакомым казался кусок. Но пока держался.

Волобуев не любил вспоминать, но не мог забыть один неприглядный поступок. Как-то, изучив несколько величайших открытий в области микробиологии, юный младший научный сотрудник пришел к ошеломляющему выводу. Все открытия сделаны случайно. Просто вдруг некий ученый решил посмотреть в микроскоп на какую-нибудь дрянь.

Волобуев понял, что все рассмотреть невозможно. Микроскопов не хватит. Значит, простор для исследований открывается необъятный. И он, несмотря на насмешки коллег, принялся изучать все, что попадалось под руку.

Однажды он узнал, что поступившее по разнорядке чудо немецкой оптики, темнопольный микроскоп «Лабовал», решено отдать лаборатории, возглавляемой его приятелем Ароном Гуком. Волобуеву этот микроскоп нужен был как воздух, как вода, как возможность мыслить. Он снился ночами в цветных снах. Волобуев им бредил наяву. Он был готов просиживать над окулярами день и ночь. Ему жизненно необходимо было проверить практикой сотни гипотез.

Волобуев находился в состоянии, близком к помешательству, когда вдруг обнаружил на лестничной клетке, где разрешалось курить, партбилет Арона. Поначалу он обрадовался случаю оказать услугу и получить за нее доступ к микроскопу. А вдруг Гук окажется просто неблагодарной скотиной? Для очистки совести он пообщался с Ароном на предмет пользования прибором в нерабочее время. Однако тот только посмеялся над страстью исследователя. У Волобуева не осталось иного выхода, как унести домой документ и дрожащими руками развести в туалете огонь.

Пропажа обнаружилась при очередной оплате партвзносов. Билет дается один раз в жизни. И если не сумел его сберечь, то в партии делать нечего. Гука исключили, и, как показала жизнь, правильно. Он покатился по диссидентской дорожке и вскоре эмигрировал. А микроскоп достался Волобуеву. Обладание им открывало новые, недоступные коллегам возможности. Исследователь попытался найти компромисс со своей совестью, основываясь на следующем постулате: «В основе всех великих дел лежит предательство».

Как-то, рассматривая каплю крови, которая ранее считалась стерильной, он сделал неожиданное открытие. Оказалось что в плазме обитают микроорганизмы. Множество бактерий сновали в межклеточном пространстве между цепочками эритроцитов, лейкоцитами и тромбоцитами.

Потом выяснилось, что это открытие было открытием для него лично. А на Западе уже были публикации. С жадностью первопроходца он набросился на флору, живущую в плазме. Синтезировав однажды супербактерию, упорно трудился. Денег на исследования катастрофически не хватало. На питательные среды ему приходилось выкраивать из сэкономленных денег, а то и покупать на кровные. И вот результат: выращен устойчивый штамм. Обладает свойствами сансибилизатора, т. е. скапливаться в районе новообразований, а если их нет — щитовидки. При облучении электромагнитными волнами сам начинает генерировать сигналы.

Такого еще не достигал никто. Открывались широкие возможности использования в медицине. Теперь можно проводить диагностику без использования рентгена с точностью радиоизотопной, но без облучения. Один шаг до лечения тяжелейших недугов. Желающие получить готовенькое отыщутся. Можно будет поторговаться.

Но Волобуев несколько опростоволосился, думая, что никому нет дела до его исследований. Не прошло и трех дней, как подтвердилась положительная реакция, а уже дважды выходили на контакт купцы. Но профессор, набивая цену, довольно резко всех отшивал. Наконец вчера появился покупатель. Его привезли в огромном джипе в сопровождении охраны с золотыми цепями на мощных шеях. Бизнесмен предложил за результаты сумасшедшие деньги — сорок тысяч долларов. И дал два дня подумать.

У профессора, не спавшего всю ночь, кружилась голова. Его не терзали сомнения: соглашаться или нет? Проблема была в другом: на что потратить деньги. Конечно, хороший санаторий, не слишком утомительное путешествие, люминесцентный микроскоп. Но что еще, что стоит денег? Чего он хотел и не мог позволить? И вдруг его взгляд скользнул по стройным ногам Маши. Неожиданно озарило. Волобуев, оказывается, всегда любил женщин и машины. Ведь именно ради этого в расцвете сил двадцать лет назад ринулся он в погоню за научным открытием.

Семен Наумович покрылся потом, осознав, что это, или подобное, молоденькое создание из категории немыслимого перешло в разряд доступного.

Одновременно не имевший водительских прав Волобуев пришел к выводу, что автомобиль с личным шофером — не роскошь, а жизненная необходимость. Он поднял глаза и задумчиво спросил:

— Машенька, а сколько сейчас стоит девушка?

— Что? — изумилась помощница.

— Я хотел узнать, почем нынче машина? — повторил, краснея, Волобуев.

— Извините, послышалось. Смотря какая: импортная? Отечественная? — уточнила Маша.

— Ну не знаю, — растерялся профессор, нервно потирая кончики пальцев, — скажем, из наших, но что-нибудь посовременнее.

— Можете не париться. Они выпускаются уже устаревшими. Вообще, штук за шесть баксов можно подобрать, — ответила Маша.

— Да? — удивленно протянул ученый.

— Вы собираетесь покупать автомобиль?

— Надоело, понимаешь, в метро, — ответил профессор, словно речь шла о проездном билете.

Опять повисла неловкая тишина. Лишь только мышь шуршала в бумагах. Однако лицо профессора приняло такое выражение, что Маша легко представила, что эти звуки издают тяжело ворочающиеся мысли ученого. Наконец Волобуев произнес:

— А сколько стоит на такси доехать до Ясенева?

— Ну, рублей сто пятьдесят.

Он ненадолго погрузился в вычисления. Оказалось, поездка на работу и обратно станет в десять долларов. За шесть тысяч он сможет два года ездить на работу, как человек, на такси. И не надо платить наемному шоферу, беспокоиться о возможных авариях, тратиться на бензин, ремонт, да еще экономия за метро и автобус.

Маша вдруг увидела еще одну мышку, которая быстро забралась в портфель профессора. Она открыла рот, однако ничего сказать не успела. Одновременно с коротким стуком дверь распахнулась. Бесцеремонно ввалился неизвестный субъект в белоснежном костюме и зеркальных очках. Встал посреди дверного проема и замер в театральной позе, скрестив ноги и облокотившись на косяк. Незнакомец распространял заграничный аромат, от которого у Маши затрепетали ноздри. На нашего сколько ни вылей «Франции», такого запаха не добьешься. Для этого надо там жить.

Пришедший медленно снял очки и, освоившись в полумраке помещения, интерес к профессору потерял. Выглядел он лет на сорок. Слегка загорелое вытянутое лицо с крупными белоснежными зубами не имело ни одной морщины.

Пауза слишком затягивалась. Однако незнакомец ее первым нарушать явно не собирался. Тогда профессор не нашел лучшего, чем произнести глупую старорежимную фразу:

— Чем, собственно, могу служить, сударь?

— Да, за последние пару десятков лет народилось совершенно удивительное поколение. В наши годы таких не было. Правда, Козимир?

Козимиром Волобуева прозвали, когда из отпуска после защиты кандидатской он вернулся с козлиной бородкой. Отрастить же ее поклялся, как Герцен и Огарев на Ленинских горах перед поступлением в университет. Это сейчас смешно, а тогда ее носили все ученые. Посмотрим лет через сорок, что будут говорить про старушек со сморщенными татуировками!

— Чингачгук? — полуспросил, полуответил Волобуев.

Так они окрестили Арона Семеновича Гука, когда стало известно, что тот собирается в Лос-Анджелес, упорно называя его не иначе как своей исторической родиной. Арон осмотрелся и произнес:

— У тебя что, нет отдельного кабинета? Это весь твой офис? — удивленно догадался Арон. — Хочется поговорить, побередить раны. К чему мучить хорошенькую девочку воспоминаниями двух выживших из ума старых козлов?

«Ну относительно двух он явно перегнул», — подумала девушка.

— Машенька, на сегодня объявляется сокращенный рабочий день, — торжественно объявил начальник.

Маше, конечно, было страшно интересно послушать воспоминания. Но здесь ей не рады, а дома ждет возможность рухнуть в свежайшие простыни а-ля Матисс. А вечером — стадо молодых козликов. Она шустро собрала сумочку и попрощалась. Иностранец подарил ей зажигалку «зиппо», авторучку «паркер» и свою визитку, произнеся:

— Будете в Штатах, звоните. Организую незабываемую программу, причем совершенно бесплатно.

Девушка выскочила за ворота. Знакомый хиппи оживленно вел разговор по сотовому телефону. Она еще раз бросила взгляд на окно. В полумраке белый костюм, жестикулируя, что-то показывал. На стекло снаружи уже успели прилепить комок жевательной резинки. И стоило целый день тратить на приведение его в божеский вид!

Хиппи мотнул головой, словно получил команду. Поднявшись, подошел к серебристому «лексусу». Возле него случайно уронил пачку сигарет. Наклонился, лениво подобрал. Медленно отошел. Снизу на бампере появился незаметный нарост.

Но этого Маша уже не видела. Она заворачивала за угол в арку...

— Ну как дела? Чем занимаешься? — спросил профессор.

— От науки далек. Впрочем, как ты помнишь, близко к ней я никогда и не подбирался, но деньги неплохие. Работаю на ЦРУ.

— Как всегда шутишь? Ну да, все наши там — агенты КГБ. А здесь — ЦРУ.

— Отнюдь. Вполне серьезно. Просто зачем скрывать от старого друга? Ты же не побежишь закладывать? — задал провокационный вопрос Гук, глядя прямо в прозрачные глаза, словно догадываясь о давней вине перед ним Волобуева.

— Да я и не знаю куда.

— А если бы знал? — продолжал допытываться американец, словно для него было важным, действительно ли существует жизнь по моральным принципам, отличным от тех, по которым он жил последние десятилетия. А может, это лишь юношеские заблуждения?

— Конечно нет.

— Вот видишь, в этом и вся разница. Хочешь, расскажу один случай? Приехал я с женой в гости к хорошему другу. Знаю его сто лет. Мужик просто душа-человек. Надо денег, всегда одолжит, и без нотариального оформления, просто под рукописную расписку и под мизерные проценты. А это в Америке, поверь мне, явление неординарное. Так вот, приняли нас как положено. Стол просто супер. Ну я выпил пару рюмашек. Он говорит: «Может, хватит? Тебе же в дорогу». А что для русского двести — триста граммов? «Да, ладно, — говорю. — Не суетись, Билл. Прорвемся. И не в таком состоянии выезжали».

А расстояние ну километров шесть, не больше. Ехать минут пятнадцать. Короче, попрощались. Сердечно расцеловались. Ушли в состоянии эйфории. Не успели сесть в автомобиль, как Билл бросился звонить в полицию. И на подъезде к дому меня поджидала засада. Забрали права, присудили дикий штраф. Я порвал с ним всяческие отношения. Билл позвонил и поинтересовался: почему я пропал и не желаю ли чего? Я объяснил, что горю единственным желанием: набить ему морду. Он очень удивился моей реакции. Оказывается, таким образом он беспокоился за дорожную обстановку в целом по стране и за меня, в частности. Короче, он ничего не понял. А я никак не могу привыкнуть к тому, что люди делают друг другу подлости, но при этом продолжают улыбаться, даже не подозревая, как низко пали.

— Чем же все закончилось? — заинтересованно спросил профессор.

— Естественно, анекдотом. Он подал иск в суд на угрозу насилия. Я нанял неплохого адвоката, доказавшего, что игра слов не может считаться насилием. Однако его адвокат сумел все же доказать, что у меня не было повода рвать отношения. И меня приговорили к насильственным посещениям дома Билла. Он всегда искренне мне рад и готовит прекрасный ужин. Я махнул рукой и дважды в месяц отбываю двухчасовое наказание, пытаясь получить при этом удовольствие.

— Тебя послушать, так бежать из этого рая хочется.

— Бежать хочется. Но не можется. Платят хорошо. Могу позволить все, что захочу. Жаль только, с годами эти желания убавляются.

— А я все там же. Копаюсь в своем микромире, — рассеянно произнес ученый.

— Ну не скромничай. У нас все научные журналы выходят в переводе с опозданием в две недели. Твое имя в определенных кругах вызывает интерес.

— Имя? «Что в имени тебе моем?» Это у вас имя немедленно превращается в деньги, — произнес профессор.

— Давай поразмыслим как разумные существа. Почему я здесь, а не на Гавайях? Может, соскучился по старому другу? Нет. Или приступ ностальгии? Вряд ли. Просто впал в маразм? Опять неверно. Правильный ответ звучит так: калифорнийскому университету срочно понадобился твой последний штамм. — Арон пристально посмотрел на профессора. — Не делай удивленное лицо. Тебе не идет. Ты же не молоденькая девушка так раскрывать глаза? Вообще, когда мужчина удивляется, в любом возрасте это выглядит глупо.

— Мне кажется, ты уклоняешься в сторону.

— Ах да. О деньгах. Ты думаешь, зря я рассказывал о пользе сдерживания эмоций? Я тебя готовил. Они предлагают купить материалы за сорок тысяч плюс американское гражданство, особняк на берегу океана, номинация на Нобелевскую, лаборатория со всем необходимым оборудованием и персоналом, оклад в двести тысяч в год, естественно, американских долларов. Такое выпадает один раз в жизни и называется счастливым билетом.

Волобуев в оцепенении откинулся на спинку стула. Удовлетворенный произведенным эффектом, посетитель добавил:

— Вот какой толковый ученик попался. Обошлось без обмороков, рыданий, лобызаний туфель, истерических бросаний на грудь. Не люблю костюм сдавать в химчистку.

Профессор покинул институт. На окружавшее пространство он смотрел уже совершенно по-другому. Он никогда еще так не шел по Арбату. Прохожие сторонились, словно чувствовали его превосходство.

Спустился в метро. Волобуева вдруг стали раздражать вечные обитатели подземки. Профессор не мог отделаться от ощущения, что одни и те же люди постоянно ездят в одних и тех же вагонах. Он встал, по привычке зажав ногами, чтобы не украли, старенький потрепанный портфель.

Напротив сидели пятнадцатилетние подростки и нагло смотрели в лицо пожилому человеку. Они даже не догадывались, что можно предложить ему сесть. Волобуев вдруг ясно понял, что здесь он едет в последний раз.

Добрался до дома. У подъезда, сидя на спинке лавочки, скучали юные подонки. Профессор кипел. Однажды он испачкал выходные летние брюки, сев на эту скамейку. Ничего святого. Но он достаточно здраво мыслил, чтобы не конфликтовать с бандой.

Вошел в загаженный подъезд. Перешагнул мерзко пахнущую лужу перед ступеньками. Что характерно, эта гадость регулярно обновляется. Клаустрофобия у кого-то перед лифтом начинается? Попалась бы хоть раз эта тварь с поличным. Утопил бы на месте. Профессор любил на досуге покидать пудовую гирьку, поэтому сомнений в своей силе не испытывал. Ну кто из этих малолетних доходяг с гнилыми легкими попробует посостязаться с шестидесятилетним?

Вошел в лифт. Брезгливо оглядев, вынул серый платочек для протирки очков. Намотал на палец и нажал на кнопку «17». Подумал: «Куда мы тянемся за Западом? Только поменяли лифт, уже хуже туалета. Нет, надо срочно собирать чемоданы. Вот раньше и страна работала, и достижения были мировые, и в подъездах чистота, порядок. Упустили где-то новое поколение. Сталина на них не хватает».

Когда двери начали смыкаться, быстро втиснулся лопоухий пацан. Профессор смотрел мимо него. Подросток спокойно вытащил сигарету. Зажег и закурил. Волобуев отлично помнил те времена, когда был мальчишкой в сером форменном костюме с латунной бляшкой и алым галстуком. Встречая на улице старшего, обязательно снимал фуражку и, здороваясь, наклонял бритую голову. Помнил, как отец, застав сестру с папиросой, бил по губам.

— Затуши! — произнес Волобуев тоном, не терпящим возражений. Хотя обычно он вежливо об этом просил, ссылаясь на астму.

— Пошел на ..., козел старый, — произнес пацан, нагло выпуская дым в лицо пожилому человеку.

Такого оскорбления профессор вынести не мог. Мощной жилистой рукой он вырвал изо рта сигарету.

Бросил на пол и растоптал. Затем схватил пацана за ухо и слегка повернул, тот заорал как бешеный. Но вместо извинений послышались оскорбления и угрозы. Волобуев понял, что этого гаденыша надо учить. Он должен помнить, что всегда может найтись сила, способная дать отпор.

Профессор не мог видеть, как пацан, корчась от боли, полез за пазуху и вытащил пистолет Макарова с кустарным глушителем. Попытался нажать на спуск. Преодолеть пружину курка не хватило сил. Тогда он передернул затвор и надавил. Раздался выстрел.

Волобуев почувствовал тупой удар в левую ногу. Он не успел осознать происходящего и вложил все силы в поворот уха. Послышалось еще несколько хлопков.

Профессор удивленно опустился на колени и, получив две пули в грудь, дернулся и упал. Лифт еще поднимался. Малорослый убийца с окровавленным ухом подобрал потрепанный портфель и, выхватив бумаги, засунул их под толстовку в штаны. Перевернул, потряс. Из него высыпалось много разного хлама. Неожиданно выпала и маленькая белая мышка. Она вскарабкалась на плечо Волобуева и стала умываться, глядя умными глазками. Пацан присел, держась за окровавленное ухо. Улыбнулся сквозь боль. Взял живую игрушку и посадил в карман.

Лифт остановился. Заклинив дверь ногой жертвы, киллер выскочил и понесся вниз по лестничным пролетам. На спинке у мышки была свежая желтая полоска...

## Глава 2
## ДВОЙНОЙ КУЛЬБИТ

Александр Борисович Турецкий, несмотря на образ жизни, назвать который здоровым можно было с достаточной долей иронии, выглядел значительно моложе своих сорока пяти. Он легко взлетел на второй этаж аэропорта Шереметьево-2 и уверенно направился в торец левого крыла. Не доходя нескольких метров до цели, замедлил ход, неожиданно испытав странное чувство. Обозвать это страхом невозможно, хотя бы по той причине, что у людей его профессии оно патологически атрофировано. За двадцать лет службы он насмотрелся такого... Но странное дело, как развращает хорошее. Тот самый Турецкий, что несколько лет назад, задыхаясь, практически ослепнув от рези в глазах, с рваными ранами плыл среди крыс, использованных презервативов и фекальных отходов по канализационным лабиринтам, всего только две недели проведя в тихом городишке Гармиш-Партенкирхене, на юге инфантильной Баварии, сейчас вдруг испытал ужас, приближаясь к общественному туалету международного аэропорта. Он усмехнулся, подумав, что метод контрастов в следственной работе далеко еще не исчерпан.

Он автоматически, между прочим, сканировал окружающее пространство, задерживаясь чуть дольше на красивых девушках. Как их много в Шереметьеве-2! Летят ласточки на прикормку. Но что делать? На Западе с генофондом даже не проблема — катастрофа.

«А вот и наш клиент», — подумал Турецкий, надевая зеркальные очки. Здоровенный детина с фигурой бритого белого медведя остервенело терзал «однорукого бандита», поставив себе целью если не внезапное обогащение, то уж овладение рукояткой наверняка. Похоже, это были его не первые попытки получить все и сразу. Полосатая, под тельник, майка «гуляла», обнажая дракона с тремя головами. Причем головы существенно различались по авторскому стилю и яркости изображения. Особенно поражала одна, словно нарисованная неумелой рукой пятилетнего ребенка.

Раньше было проще. Все тупо кололи купола. А теперь что в голову взбредет. И что с такими делать? Чудовищный результат акселерации, радиации и пьяного зачатия. Молодые, лет по восемнадцать — двадцать, а уже по несколько ходок.

Турецкий улыбнулся, вспомнив вечно изумленное потное лицо огромного шумного старины Питера Редвея. Проголодавшийся руководитель Антитеррористического центра тогда затащил его в «Макдоналдс». Вообще, его желудку было не важно, где питаться. Однако, испытывая время от времени приступы патриотизма, американец шел тратить евро в закусочные, контролируемые соотечественниками.

Войдя, он радостно увидел диванчик на троих посетителей и занял собой практически весь. Затем громко по-английски подозвал гарсона. В закусочной их, естественно, не держали.

— Алекс, вот ты все критикуешь нашу законодательную систему, — произнес он безо всякого повода, заглатывая биг-мак целиком.

— Какую систему? Когда американцы научатся называть вещи своими именами? Власть доллара — вот и вся ваша законодательная система. У вас на одной чаше весов Фемиды преступление, а на другой — стоимость залога и гонорар адвоката. Решетка — удел нищих и жадных.

— И это очень правильно. Совершать преступления — слишком дорогое удовольствие. А законы экономики гласят: «Убыточный бизнес обречен на вымирание». Вчера ты показывал ориентировку на Зубова Ивана Ивановича, тридцать лет, пять судимостей, убийства, грабежи, изнасилования. С какого возраста в России наступает уголовная ответственность?

— Вообще с шестнадцати, но по целой куче статей,

со сто пятой — убийство по сто шестьдесят первую — грабеж, с четырнадцати.

— А этот ваш Зубов? — вставил Реддвей между проглатыванием пятого и шестого сандвичей.

— В пятнадцать взяли за убийство матери своей подруги.

— Бедная девушка, — констатировал Питер, разворачивая восьмой бутерброд.

— Она мамашу и заказала. За шубку ценой около двухсот долларов, — уточнил Турецкий, заранее зная, что преступлений, способных вызвать истинное негодование, сопереживание, желание отдать свою кровь и последние деньги, для собеседника просто не существует.

— Тебе не кажется, что если бы он получил пожизненное за первое преступление, не имея, конечно, на счету десяти лишних миллионов долларов США, то остальные уже не совершил бы? Я начинаю понимать, почему у вас такой высокий уровень преступности.

— Что делать. Издержки, извини, демократии, — произнес Александр Борисович, пытаясь переложить часть ответственности за творившийся в стране бардак на представителей державы, в большей мере ответственной за это.

К детинушке подвалила девка. Боже мой! Лет пятнадцать, а уже с профессией. Уселась на колено и обняла. Начала что-то нашептывать.

«Да, Нинке послезавтра тринадцать. Сколько у меня в запасе? Два года, год? Потом приведет вот такого», — невольно обожгла мысль.

Из туалета вышел, заправляя рубаху в тренировочные штаны китайского производства, почти близнец игрока. Подошел к автомату. Схватил девку за шкирку и словно котенка отшвырнул метра на три. Она выдала не блещущий разнообразием набор ругательств и, прихрамывая, исчезла.

Турецкий выдохнул. Уверенно направился к двери, несколько огибая по дуге братков. Этим он убивал двух зайцев: удлинял время и не менял расстояние до источника звуков. В этом случае слух способен воспринимать информацию даже на очень далеких расстояниях.

— Как верзушник[1]? — спросил татуированный игрок.

— Контора пишет, — ответил в тон ему вышедший из туалета.

— На том же месте?

— В четвертой. Берем на ханок[2]?

— На характер[3], — прозвучал ответ.

Турецкий вошел. Огляделся. Две кабины из семи были заняты. Он зашел в ближнюю к выходу. Решил пока постоять. Грязь, вонь, ползающие микроорганизмы. В дальней кабине раздавались утробные звуки. Кого-то сильно рвало. Неожиданно раздался участливый голос:

— Что, мужик, хреново?

— Ой хреново... у-эээ... бу-эээ...

— Перепил? — опять уточнил голос неизвестного.

— Вообще-то пью я много, но... бэээ...

— Не пьянею никогда, — зачем-то машинально добавил Турецкий, вспомнив любимую поговорку стажера Володьки Поремского. Он тогда был на пару лет старше своих однокурсников и с ходу попытался взять темп Грязнова и Турецкого со товарищи. Результат был плачевен.

Дверь раскрылась. Вошли «гриндеры». «Сапоги-убийцы», окрестил он их, едва эта обувь появилась у

---

[1] Человек, страдающий расстройством желудка (*жарг.*).

[2] Вырвать что-либо из рук (*жарг.*).

[3] Запугать (*жарг.*).

его нежного создания — дочки Нины. Всегда ценивший удобство и практичность, следователь Турецкий полжизни пробегал в простых кедах. Теперь же оказался безнадежно отставшим только потому, что не мог понять радости добровольного заключения тонюсеньких ножек в полуторакилограммовые колодки.

Сапоги остановились у двери. Кроссовки подошли к кабинке участливого мужика. Послышался резкий звон упавшего шпингалета.

— Ну что, козел? Мы тебя предупреждали?

— Ребята, не надо, — попытался попросить о чем-то мужчина, однако уверенности в голосе не присутствовало.

Послышалась легкая возня. Затем чавкающий звук удара по челюсти. Непривычный мужской плач. Надо было начинать действовать. Неожиданно раздался другой голос:

— Мужик, ты не прав. Надо вернуть.

Турецкий в помощнике не нуждался. Но раз так получилось... Он резко распахнул дверцу и рассчитанным движением, схватив правой за ремень, а левой за майку, забросил стокилограммовую тушу в промежуток между стеной и унитазом. Выбор был не случаен. Кроме того, что попасть туда было гораздо легче, чем выбраться, это был еще и самый загаженный угол туалета.

Краем глаза успел отметить, что второй брателло совершает также акробатический кульбит, поэтому он не спеша сделал свое дело. Спустил воду. А уж затем спокойно вышел и растянул рот в улыбке. В дальнем углу между стенкой и унитазом брюхом кверху, задрав ноги вверх по стеночке, лежал второй бритоголовый, а напротив стоял, светясь синими глазами, отливая соломенными волосами, Владимир Поремский. В руках он держал, судя по диагонали штуки на три, ноутбук «Ровер».

— Александр Борисович! — воскликнул он, бросаясь навстречу.

— Володька! Ты какими судьбами? — направляясь к парню, воскликнул Турецкий.

Проскакивая мимо кабинки с жертвой преступления, Поремский сунул в его дрожащие руки компьютер.

— Возвращаюсь из очередного отпуска, — произнес он, стиснув Турецкого.

— Так, Володя, временем располагаешь?

— Сегодня прилетел. Завтра вечером поезд, — зачем-то посмотрел на часы Владимир.

— Отлично, поступаешь в мое распоряжение. Ты как себя чувствуешь? — спросил Турецкий.

— Готов к новым подвигам! Я ведь вашу стажировочку на всю жизнь запомнил, — ответил Поремский. Затем его взгляд скользнул по полу. — Что с этими?

— Проверь. Если стволов нет, хрен с ними. Пусть живут.

Володя сунул руку, попыхтел и вскоре выудил кобуру с торчащей рукояткой «макарова». Турецкий чувствовал, как ему на сердце капает бальзам, когда смотрел на работу. Ни одной ошибки. Все профессионально, со знанием дела. Вот и тридцатисантиметровый ножичек из ботинка второго извлек, уже завернутый в платочек. Он понял, насколько ему дорога оперативная работа. Но, как говаривал судмедэксперт Зюзькин, «получены ранения, с жизнью несовместимые». Так и его обязанности помощника генерального прокурора были с жизнью следователя несовместимы. И тут родилась крамольная мысль: «А мы совместим!»

Громилы были сданы в отделение. Очухавшийся потерпевший оказался журналистом желтой газеты «Соль жизни» Белобокиным, просто зашедшим в туалет и подвергшимся нападению. Узнав о том, что напавшим уже грозит срок за хранение оружия, предпочел от заявления отказаться. Турецкий, махнув рукой на небольшое происшествие, набросился на Поремского:

— Пошли на стоянку. Посмотрим, сможешь ли по некоторым вторичным признакам найти мой автомобиль?

— Ну, слухи о моих способностях сильно преувеличены. Вот Рюрик Елагин, да — криминалист от Бога. Он определил бы минимум по десятку признаков, что вон та черная «Волга» с мигалкой...

— Молодец! Колись.

— Версия личного автотранспорта отпадает по причине... — он немного втянул носом воздух, — «Хенесси»?

— Молодец. А я вот различаю только основные запахи, — похвалил Турецкий.

— Ну, я тоже не дегустатор. Но относительно спиртного... Представляете, раскручивал одно дело в институте аллергологии и прошел, пользуясь служебным положением, обследование. Знаете, что выяснилось? Мой организм совершенно не переносит никаких токсинов. Мне никогда не стать алкоголиком, наркоманом, курильщиком. Я могу принимать отраву, но после наступает синдром полнейшей очистки организма. Рвет до вывода всяческой гадости.

— А с Сашкой Курбатовым связь поддерживаешь? — задал вопрос Турецкий, вспоминая, как обучал птенцов премудростям следствия.

— Еще бы! — радостно ответил Поремский.

— Ну и как он?

— Карьерист. Уже зам прокурора области по следствию.

— Ух ты! — искренне изумился Турецкий.

— Правда, Сахалинской, — ответил Владимир. —

У них население как один московский микрорайон, тысяч пятьсот. И почти все живут на южном побережье.

— Как же его, рафинированного москвича, занесло в такую глушь?

— Сам напросился. Это его программа избавления от комплексов, привитых детством. Представляете, у него была нянечка, манная кашка с ложечки, репетиторы. До тринадцати лет носил колготки под шортиками, такую конусовидную тюбетейку, не мог выйти во двор без сопровождающего. Кем он был в глазах пацанов со двора? И кем в своих? Поэтому, едва вырвавшись из узд навязчивой опеки, принялся избавляться и от груза прошлого. Чтобы доказать себе, что чего-то стоит, в одиночку с ружьишком за плечами и вещмешком пробежал по тайге от Хабаровска до Благовещенска.

— Сколько же там будет? — спросил Турецкий.

— Тыща верст! — ответил Поремский, словно прикидывая по воображаемой карте.

— Безумству храбрых поем мы песню. А по времени?

— Почти за месяц.

— Я не удивлюсь, если узнаю, что он и похудел этак килограмм на двадцать? — засмеялся Александр Борисович.

— Вот как раз избыточный вес он недостатком не считает. Поэтому бороться предпочитает с преступностью, — прозвучал неожиданный ответ.

— Да, с вами не соскучишься. А преступность, значит, комплекс?

— Еще какой! Он же, как Будда, жил себе до семнадцати лет в своем мире фильмов, музыки, книг, тщательно прошедших цензуру, и вдруг был выброшен в пространство, совершенно отличное от идеального. Где правят грязные деньги, где честные, порядочные люди унижены и оскорблены. Где на каждом углу творится несправедливость. Где зло безнаказанно и нагло. А законность продажна. И он решил посвятить жизнь пусть не наведению порядка, но хотя бы частичному торжеству справедливости. Зло ведь должно быть наказано.

— А Рюрик Елагин?

— В Екатеринбурге. Тоже «важняк». И такой же мечтатель, — ответил Поремский.

— Мечтатель? — переспросил Турецкий.

— Да. Интересуется тем, чего нет и, может быть, не было никогда. По крайней мере, нам этого узнать не дано — история государства Российского есть величайшая из тайн.

— Но существуют же летописи, рукописи... — начал было возражать Турецкий.

— Александр Борисович, мы живем в информационный век. Сколько раз на ваших глазах переписывалась история, современником которой и даже где-то непосредственным творцом были вы сами?

— Лучше не спрашивай, — задумчиво произнес Турецкий. Он и сам не раз задумывался над тем, кто же все-таки и зачем искажает изложение событий.

— А теперь представьте раннее Средневековье. Неграмотный царь, сотня бояр и крестьяне, ведущие скотское существование. История — достояние кучки заинтересованных лиц. Знаете, с чем американцы столкнулись в Ираке? С недоумением. Большинство населения свято считало, что в той «Буре в пустыне» великий Саддам разбил американские войска и освободил страну. Поэтому увлечение историей сродни увлечению научной фантастикой, с той только разницей, что фантастика находит воплощение в реальной жизни гораздо чаще.

— Знаешь, — ответил умудренный опытом старший товарищ, — наше время отличается от древнего значительно меньше, чем кажется. Мы живем во власти такого количества информации, что истина в потоке заблуждений, измышлений, фантазий попросту теряется.

— Как говорил китайский мудрец Лао-цзы: «Если хочешь спрятать дерево, прячь его в лесу», — блеснул цитатой Поремский.

— А если хочешь, чтобы не услышали правду, расскажи о ней по радио, напечатай в газете, покажи по телевидению, — печально констатировал Александр Борисович.

Турецкий подъехал к зданию Генеральной прокуратуры на Большой Дмитровке. Равнодушно прошел мимо лифта на лестничную клетку. Тренированный организм требовал физических нагрузок, а времени на хождение по спортивным залам катастрофически не хватало. Вот он и использовал каждую возможность. В прошлом году, когда министр МЧС решил взлететь по лестнице на двенадцатый этаж здания мэрии, из всей многочисленной «свиты» только представитель Генеральной прокуратуры Турецкий достойно выдержал темп.

Для очистки совести убедился, что в приемной заместителя генерального прокурора посетителей не убавилось. Затем спустился на этаж. Зашел в свой кабинет и, сев на угол стола, набрал внутренний номер.

— Приемная, — сухо прозвучал знакомый голос.

— Клавдия Сергеевна, уж не вы ли это? Как я соскучился по вашему неподражаемому тембру. Только что прилетел из Германии. Вы не представляете, таких женщин там нет. Чем сегодня заняты?

— Сейчас доложу Константину Дмитриевичу, — ответила секретарша строгим голосом. — А вам перезвоню.

Клавдия Сергеевна могла бы и полюбезничать, но не в присутствии же посетителей. Она положила трубку. Взяла папку и вошла в кабинет начальника. Через минуту, не скрывая удовлетворения, вернулась. Набрала трехзначный номер.

— Турецкий, слушаю.

— Вас срочно вызывает Константин Дмитриевич, — произнесла женщина тоном, требующим немедленного выполнения приказа.

Александр Борисович вошел в приемную. Томная полная женщина немедленно преобразилась. Она вскочила со своего места и на ходу бросила:

— Одну минуту. Доложу.

Исчезла за дверями кабинета Меркулова. Турецкий незаметно опустил в висевшую на спинке стула сумочку пузырек и встал у входа в кабинет. Это были духи. Правда, не совсем обычные. Он их приобрел в одной «Лавочке приколов» во Франкфурте. Что ему особенно понравилось, магазин был разделен на две половины: слева располагались аксессуары для жестоких розыгрышей, справа — для добрых. Духи назывались: «Дживанши — облик будущего», с нечувствительной для обоняния человека добавкой экстракта мартовской кошки. В результате, когда женщина шла, благоухая горьковатой свежестью, к ней со всех сторон сбегались коты с горящими сумасшествием глазами.

Появилась секретарша. Закрыла дверь кабинета начальника и развернулась. Неожиданно они оказались очень близко. Турецкий вопросительно посмотрел ей в глаза. Женщина внезапно порозовела и, обдавая жарким дыханием, произнесла:

— Александр Борисович, пройдите. Константин Дмитриевич вас ждет.

Турецкий вошел в кабинет. Весь налет официальности мгновенно исчез.

— Здравствуй, Костя. Скоро к тебе прорваться можно будет только с небольшим отрядом ОМОНа.

— Рад тебя видеть, Саня, — ответил сидевший за столом. — Ну, пока у меня стоит на страже Клавдия, я думаю, ты найдешь способ прорваться.

— Если до этого дойдет, никакого здоровья не хватит, — засмеялся Турецкий.

— Как съездил?

— Нормально. Есть кое-что.

— Как старина Питер? Такой же? Встречал небось в аэропорту, словно ты один и прилетел, а кроме него встречающих не существует в природе?

— Американская непосредственность, — ответил Турецкий. — Иногда кажется, что у них вообще не бывает комплексов. Типа, находятся среди обезьян или как в Древнем Риме, там же не было принято стесняться рабов.

— У меня такое ощущение, что общение с ним пошло тебе на пользу. Похоже, ты прибавил немного? — оглядывая из-под очков фигуру собеседника, произнес Меркулов.

— Я? — удивился Турецкий, делая попытку втянуть живот. — Костя, ты давно не видел Реддвея. Вот он увеличивается с нездоровой быстротой. Помнишь его «форд», изготовленный по спецзаказу? Уже не помещается. Теперь ему из Японии «лексус» прислали. Оказывается, их производят специально для борцов сумо. Представляешь, автомобиль открывается как чемодан!

— Ладно, потом расскажешь, как погуляли, — перебил его начальник. — Что по делу?

— Как мы и предполагали, информацию по чеченским боевикам, как и всему криминалу, они все же собирают. Конечно, подключить нас к своим базам данных, как бы это сказать, не имеют возможности. Однако была достигнута договоренность. По конкретным личностям вся имеющаяся информация будет скачиваться немедленно, при условии визирования запроса лично заместителем начальника Антитеррористического центра доктором Турецким.

— Ну, молодец! — похвалил Меркулов. — Кстати, с каких это пор ты заделался доктором?

— А у них нет понятия кандидат наук. Я даже не смог объяснить смысл такого звания. Синоним слова кандидат — претендент. Претендент юридических наук? Идиотизм! Как я понял, в стародавние времена имелся в виду кандидат в доктора наук. Короче, поступил честно. Сказал, что защитил научную диссертацию по юриспруденции, а они меня немедленно возвели в ранг доктора права.

— Но, знаешь, я думаю, что все равно твое докторское звание нам обмывать придется, — улыбнулся Меркулов. — Ну и что им надо взамен?

— Ты же знаешь эту нацию торговцев. Ничего бескорыстно не хотят делать. Кое-что пришлось пообещать взамен. Очень их беспокоит наш развал в оборонке. Раньше весь госзаказ поступал из одного ведомства. Все знали, кто и что должен произвести. Сейчас же появились многочисленные фирмы и частные конструкторские бюро, непонятно на чьи деньги проводящие исследования и разрабатывающие новейшие виды вооружения. Их очень волнует тот факт, что один гений может разработать устройство, над которым годами бьется целый научный город. Вот, к примеру, по их данным, Научно-исследовательский институт автоматики и приборостроения, что в Мытищах, раньше занимался разработкой устаревшей измерительной аппаратуры, попутно создавая суперсовременные системы наведения тактических ракет. Сейчас же ими испытано новейшее высокоточное оружие, которое даже не было заказано в разработку Министерством обороны. Их беспокоят, в частности, и поставки гуманитарных грузов этого института на Ближний Восток. В частности, в Ирак. Я пообещал взять на контроль информацию и придержать отправку последнего рейса.

— Ладно, хорошо. Саня, у меня для тебя тоже две новости.

— Начинай с той, что касается меня лично, — попросил Турецкий.

— Пока ты там пил с Питером Реддвеем коньяк, у тебя появилась новая должность. Отныне ты — помощник генерального прокурора Российской Федерации.

— Значит, все-таки удалось? — Турецкий сокрушенно вздохнул. — А я уж думал, удастся еще немного побегать, как гончему псу.

— Все. Можешь свои знаменитые кеды покрыть лаком и сдать в музей. Тяжеловато стало тянуть воз. Так иногда хочется послать все к чертовой матери, уехать куда-нибудь, чтоб никто не достал, на Украину, к морю. Но у меня должность, с которой уходят только в одном направлении. Вот я и поставил генерального в неприличное положение. Написал рапорт с просьбой об уходе на заслуженный пенсион. Он предложил поискать компромисс. Короче, я сказал, что нужен своего рода костыль. Старший помощник, который мог бы выполнять часть моих функций, кроме того, осуществлять контроль за расследованием сверхважных дел. И в качестве такого помощника я вижу только одного человека. То есть тебя. Подчиняться будешь, отныне и присно и во веки веков, напрямую мне.

— Костя, я, как известно, манией величия не страдаю.

— Ну, после доктора Турецкого, не знаю! — засмеялся Меркулов.

— Представляешь, какая брешь образуется в нашем следственном управлении? На кого повесить воз дел, которые я тянул исключительно благодаря опыту, знаниям и природной одаренности? — добавил Турецкий.

— Знаешь, Саня, если гордыня — это осознание своего превосходства, то тщеславие — желание привить эту точку зрения окружающим. Поздравляю, ты этого добился. Три дня назад генеральный произнес твои слова одно в одно. А еще он поставил передо мной главную проблему: найти «важняка», не уступающего тебе, великому!

— Хочешь, догадаюсь, кто будет решать эту проблему? — тяжело вздохнув, произнес Турецкий.

— Александр, ты же умный человек. Ищи, называй, предлагай.

— Хорошо. Во сколько человек меня оценивает начальство?

— Этот вопрос также поднимался в нашей беседе. Можешь в свою команду взять троих. И главное условие. Они должны быть не из Генеральной прокуратуры.

— Может, мне пройтись по продюсерам телеканалов? Пойми, мне нужны трое даже не талантов, а гениев. Посмотри вокруг. Где идущая на смену молодежь? Сплошь неудавшиеся адвокаты да генеральские сынки, не пошедшие по дипломатической линии из-за патологической неспособности к иностранным языкам.

— Саня, не паникуй. Россия велика. Наши людские резервы неисчерпаемы.

— Допустим, присмотрю я кое-кого в провинции. А как же с жильем? — задал животрепещущий вопрос Турецкий.

— Ты сам знаешь, сейчас с этим проблемы, — печально произнес Меркулов. Он помнил времена, когда квартирный вопрос для Генеральной прокуратуры рассматривался в двух проекциях: сколько комнат и в каком районе.

— Ну сколько стоит квартира в Москве? — начал

рассуждать Турецкий. — Допустим, пятьдесят «штук». Хороший следователь вернет в казну их с одного раскрытого дела, а плохой в лучшем случае будет штаны протирать до пенсии, в худшем войдет в сговор с преступниками, дабы наскрести на ту же квартиру.

— Ладно, постараюсь твою математику привести в беседе с нашим мэром. Есть у нас небольшой жилищный фонд, но только с его личного согласия...

Турецкий, покинув кабинет Меркулова, уловил новый аромат. Клавдия Сергеевна смотрела на него влажными влюбленными глазами. Он наклонился и произнес:

— До вечера?

— До вечера.

И он и она знали, что вечером, скорей всего, ничего не будет. Турецкий обязательно унесется по делам, назвав их неотложными, а Клавдия, так и не дождавшись, когда шеф закончит свой бесконечный рабочий день, поедет на метро до Орехова. Но это был даже и не обман. Просто одинокой женщине жизненно необходимо время от времени назначать свидания. На душе у нее тогда становится светлее.

## Глава 3
## АКАДЕМИКИ ТОЖЕ УМИРАЮТ ПО ПЯТНИЦАМ

День не предвещал ничего плохого. Была обычная пятница, тринадцатое мая. Академик Жбановский любил последний рабочий день недели после обеда. В это время резко снижалась деловая активность посетителей и просителей. Их мысли перестраивались на планы относительно предстоящих выходных, и он мог немного вздохнуть.

Хотя Жбановский уже третий десяток лет руководил научно-исследовательским институтом, и руководил довольно успешно, административная работа тяготила. Все-таки прежде всего он был исследователем. Да, иметь в руках мощный инструмент, дающий возможность разбить неосуществимый проект на несколько локальных, а затем собрать результаты воедино, все равно что виртуозу обладать скрипкой Страдивари. Но возможность «поиграть» выпадала урывками.

Он буквально тонул в нескончаемом потоке раздутых до вселенского масштаба мелочных жалоб, просьб о прибавке зарплаты, склок типа: «он получает больше, а делает меньше», требований: «верните моим детям мужа», нескончаемых счетов, прорывов сантехники, больничных листов, всевозможных отпусков. Время от времени он пытался заставить помощников и заместителей решать мелочные проблемы без своего участия. Однако из этого никогда ничего хорошего не получалось. Люди, не способные разрешить пару самых мелких вопросов, внезапно принимали стратегические решения в делах, к которым их и близко подпускать было нельзя.

А чего стоят юбилеи, дни рождения, обмывания званий и степеней? Если не прилагать неимоверных усилий, то спиться можно за год. Тем более что в молодости лейтенант Жбановский лично сопровождал ядерные боеголовки на Кубу и обратно. Два месяца в трюме, при сильнейшем радиоактивном облучении, не прошли даром. Однажды под душем все волосы смылись и никогда больше не выросли. Жбановскому для вывода радионуклидов требовалась ежедневная доза спиртного. Незаметно алкоголь стал разновидностью питания. Академик нашел в себе силы побороть и этот соблазн.

Жбановский протер платочком вспотевшую голову. Достал бутылочку кагора. Нацедил половину стакана. Выпил. Прислушался, как приятное тепло разливается по телу. Вино ему поставлялось по спецзаказу с Кубани. Стоит в небольшом городке Ейске крошечный заводик и производит вина, которые тут же грузятся на суда и уходят по миру. А у нас качественный продукт конкуренции с бормотухой не выдерживает.

Разложил на столе чертежи и покрытые формулами и таблицами листы. Теоретически все было просчитано, но проверки практикой расчеты не выдержали. Теперь предстояло подвести под результаты испытаний научную базу.

«Пуля влетела в окно, повернула на двадцать градусов с радиусом разворота тридцать три миллиметра. Через тринадцать микросекунд по дуге вошла в цель. Однако на конечном участке коэффициент рысканья оказался больше расчетного на три десятых процента». Это было недопустимо много. В результате угол атаки изменился на острый. Убойная сила, соответственно, упала на двадцать процентов.

Жбановский чувствовал, что ответ на поверхности. Мало того, не оставляло чувство, что он подсознательно знает. Несколько раз подступало: вот оно! Но всякий раз наступал срыв. Раньше хорошо думалось ночами, но теперь он был не в том возрасте, чтобы насиловать организм. Академику жизненно необходимо были две вещи. Полнейшее погружение в проблему, когда кроме нее ничего на свете не существует. И затем переход в состояние полного покоя, когда голова абсолютно свободна от мыслей. Тогда находит озарение. Из полнейшей абстракции вдруг вырисовывается идея. Жбановский предпринял очередную попытку вникнуть в суть проблемы.

Обитая звуконепроницаемым материалом дверь бесшумно отворилась. Из-за нее выглянула белокурая женская головка. Секретарша пару секунд рассматривала шефа. Она достаточно хорошо успела изучить своенравного академика. Беспокоить его в такие моменты не следовало. Так же тихо прикрыла дверь.

Ломая руки, прошлась по приемной. У девушки в сумочке лежал билет на самолет до аэропорта Адлер на девятнадцать часов. Оставалось всего четыре. Можно сказать, она уже опаздывала. Неделю назад Жбановский обещал пораньше отпустить, но она не могла бросить все и сбежать. Каждый день, уходя домой, девушка вынуждена была предупреждать об этом начальника.

Она на секунду задумалась и, поняв, что нерешительность может сильно испортить отпуск, схватила дверную ручку.

Жбановский вздрогнул. Не дав ему опомниться, секретарша, делая большие глаза и беспрестанно улыбаясь, выпалила:

— Марк Борисович, извините, но я опаздываю на самолет. Вы обещали отпустить сегодня пораньше.

— Да? — Академик недовольно приподнял нарисованные черным стеклографом брови.

Сегодня он разместил их слишком высоко, поэтому выглядел смешным и трогательным, как бы ни пытался рассердиться. Почувствовав, что девушка всерьез его ворчание воспринимать не собирается, сменил гнев на милость.

— Ладно. В курс дела Лену ввела?

— Конечно!

— Не люблю я это. Все придется делать самому. Обычно секретарь уходит в отпуск с руководителем одновременно.

— И отдыхают вместе где-нибудь на островах! — радостно дополнила она мысль. — Я согласна. Однако, Марк Борисович, я молода и не могу без отпуска три года.

— Неужели я три года не был в отпуске? Вот закончим с этой пулей, тоже поеду отдохнуть, — мечтательно произнес Жбановский.

Его близорукий взгляд скользнул по открытому животику. Там нечто блеснуло. Приподнявшись, академик вытянулся вперед и спросил:

— А что это у вас?

— Пирсинг, — ответила секретарша и, поняв, что это слово в лексиконе шефа отсутствует, разъяснила: — Просто проколола пупок. Это сейчас модно.

— Черт знает что! — взорвался Жбановский. — Вы в этом ходили весь день? Умная, образованная, молодая женщина. Красавица. Мать двоих детей! И вдруг такая легкомысленность! Вы же лицо института! Ко мне приходят солидные люди: министры, депутаты, генеральные директора, выдающиеся деятели науки и культуры. И что их встречает? То драные джинсы, то полнейший разврат. Что подумают уважаемые люди, увидев ваши лохмотья?

— Какая зарплата, такая и одежда! — с ходу парировала девушка, нервно поглядывая на висевшие напротив двери часы. Во время разговора стрелки ускорили свой бег по циферблату.

— Ладно, беги, — смилостивился Жбановский. — Но чтобы больше этого безобразия я не видел!

Помощница выпорхнула. Академик ухмыльнулся. Любил он эту девушку, хотя частенько ругал. Нравилось ему в ней то, что, справедливо принимая критику, она никогда не испытывала чувства вины. У нее это было врожденным. Жбановскому, для того чтобы прийти к такому же мироощущению, потребовалась вся жизнь.

Он встал из-за стола. Потянулся, закинув руки за спину. Прислушался к звукам, сопровождающим физические упражнения. Подошел к двери и запер на ключ. С обратной стороны теперь могли стучать руками, ногами, хоть головой. В кабинете нарушить тишину было невозможно. Отключил все телефоны, кроме «кремлевского» — без номеронаборника, соединявшего напрямую с заместителем министра обороны по вооружению. И вернувшись, занял свое место за столом.

Едва собрался с мыслями, зазвонил «кремлевский». Академик чертыхнулся и поднял трубу. На проводе, как ни странно, оказался его заместитель, профессор Чабанов. Впрочем, профессором он был таким, что члены научного совета иначе как «чабаном профессоровым» его не называли.

— Марк Борисович, разрешите на прием. Возникла срочная производственная проблема, — прозвучал уверенный голос.

— Виталий Игоревич, вы каким образом оказались на этой линии? — удивился академик.

— Испытываю новейшую разработку телефонного сканера, — доложил заместитель.

— Интересно, интересно. Занесите материалы и образец, — произнес Жбановский, обожавший новые проекты.

Встал, перевернув бумаги и чертежи. Академик не то чтобы не доверял своему заместителю, а просто опыт показывал: чем меньше людей посвящены в проект, тем успешнее он проходит. Даже если не ставились палки в колеса, разработку могли элементарно сглазить.

Подошел к двери и отворил. Перед ним стоял сияющий розовыми щечками Чабанов. В руке он держал папку. Из кармана выглядывала отвертка.

— Ну, показывайте, — произнес руководитель.

— Вот здесь надо подписать, — качнув головой с черным зализанным на аккуратный пробор чубом произнес Чабанов и подсунул папку.

— А где сканер? — рассеянно беря бумаги, уточнил академик.

— Пожалуйста, — произнес профессор и протянул

отвертку. — У нас все телефонные коробки выведены в коридор. Любой может, встав на стремянку и подключившись обыкновенной трубкой, прослушивать все разговоры. Причем есть доказательства, что не только прослушивают, но и сами звонят по межгороду. Я устал оплачивать счета на ваш, мой и номер начальника отдела кадров. У остальных восьмерка закрыта.

— Да? — поразился Жбановский. — Немедленно принять меры по предотвращению несанкционированных включений. Подготовьте приказ. Я подпишу. Что еще?

— По рыбкам. Проект договора о поставке в Ирак, — произнес, переворачивая стопку отпечатанных листов, Чабанов.

— Им что, нечего больше делать? Оставьте. Я посмотрю.

— Сроки поджимают. Таможня и все такое. Поставьте печать и подпись на последнем листе. А окончательный вариант потом согласуем, — продолжал настаивать профессор.

— Ладно, — согласился Жбановский, подписываясь и ставя печать. Он уже проходил подобную процедуру с поставками в другие страны. — Еще вопросы?

— Небольшая просьба. Двести долларов до понедельника, — потупившись, произнес Чабанов.

— Возьмите, — проворчал академик, открывая сейф, — и советую больше не шутить с этим аппаратом.

Заместитель вышел. Жбановский раскрыл настольный блокнот — «поминальник» и записал: «13.05.Чабанов взял 200 S». Взгляд академика скользнул по договору. Рабочее настроение пропало. Ох уж эти рыбки...

В начале перестройки на институт был спущен план по выпуску конверсионной техники и товаров повседневного спроса. Как человек, занятый глобальными проблемами, Жбановский не мог позволить себе роскоши размениваться на всяческие утюги-чайники. На совещание в Министерство приборостроения он послал своего заместителя, предупредив, что все проблемы с заказом: планирование, производство и реализация — полностью ложатся на него. Когда счастливый Чабанов вернулся и коротко, часа на полтора, доложил, в какие интриги был втянут, Жбановский даже порадовался, что не поехал сам. Профессор сумел добыть самый интересный заказ, сулящий значительную прибыль. Торжественно раскрыл папку с технической документацией. Академика впервые в жизни начал трясти нервный тремор. Если бы он умел, то разрыдался бы.

Научно-исследовательскому институту автоматики и приборостроения, каждая разработка которого отслеживалась лично шефом ЦРУ, предстояло выпускать магнитную игрушку «Рыбки» для детей от трех до пяти и ее разновидность — для страдающих синдромом Дауна.

Жбановскому стало стыдно перед потенциальным противником. Чабанов подошел к делу с размахом. Однако, едва он наладил массовое производство, как госзаказ сняли и предложили взять реализацию на себя. К этому институт был совершенно не готов. Теперь значительная часть производственных помещений и складов была заполнена этим хламом. Генеральный директор был вынужден прикрыть производство, пока не будет распродано то, что уже выпущено.

Впрочем, деловая смекалка у Чабанова все же была. Он нашел партнеров на Ближнем Востоке и уже отправил пару партий игрушек в Сирию и Иран. Теперь вот на очереди Ирак...

Академик снова погрузился в размышления. Но ничего в голову не шло. Тогда он аккуратно сложил чертежи и научные выкладки в черный чемоданчик. Вынул из шкафа рукопись очередной монографии, посвященной проблемам турбулентности при полетах малых конусообразных тел, и принялся покрывать листки письменами и формулами. В голове давно сформировались новые идеи, складывавшиеся в неплохую теорию, и держать столько информации в мозгу было невыносимо. Она требовала выплеска. А времени катастрофически не хватало.

Когда поставил точку, уже стемнело. Академик принял решение спрятаться на даче и поработать в тиши два дня. Он машинально набрал номер. Телефон молчал. Жбановский чертыхнулся и включил тумблер. Еще раз покрутил диск. Из трубки долетел голос:

— Проходная.

— Это Жбановский. Передайте Кокушкину, что я выхожу через пятнадцать минут.

Своего персонального водителя Жбановский выбирал по принципу: «Тише едешь — дальше будешь». Все претенденты, едва он успевал захлопнуть дверцу, давили педаль в пол до отказа и мчались со скрежетом тормозов на поворотах. А степенный Павел Кокушкин, прежде чем сесть за руль, открыл капот. Провел осмотр двигателя, проверил уровень масла, тосола, натяжение ремней, качнул зад, перед, убедился в работе ручника, поворотников и стоп-сигналов. Затем повернул ключ зажигания, послушал, как работает движок, оценил цвет дыма из выхлопной трубы, подождал, пока двигатель прогреется, и не спеша поехал. Жбановский пришел в полнейший восторг, и вот уже десять лет не мыслил жизнь без своего шофера. Он не знал, что у Кокушкина лавры чемпиона автогонок в стиле экстрим, титановая пластинка под кепкой, имплантант ключицы и нога на искусственном шарнире.

— Домой, — произнес академик.

Автомобиль тронулся и побежал по чистой дороге. Навстречу несся плотный поток дачников. Почему-то Жбановскому в этот вечер не думалось о работе. Проект, над которым он трудился последние три года, подходил к завершению. А никаких принципиально новых идей не возникало. Невольно создавалось ощущение, что дело жизни сделано. «Какой прекрасный день, чтобы умереть», — вспомнилось откуда-то.

Он рассеянно глядел по сторонам. Странно получилось: эти два красивейших проспекта прошли через всю его жизнь, как сквозь тело Москвы с северо-востока на юго-запад. Когда жил на проспекте Мира, работал на Ленинском, и наоборот. Раньше он знал, какое учреждение в каком доме находилось. А теперь все забегало, засуетилось, засветилось и засверкало. Вывески сменяются так часто, что не имеет смысла запоминать. Может, возраст? С годами время стало пролетать такими бешеными темпами. Вот и автомобили несутся с сумасшедшей скоростью. Пытаются обогнать друг друга. Зачем? «Летите, летите, все равно не убежите от судьбы. Все там будем. Но я пока не тороплюсь», — думал человек, не раз подвергавший опасности свою жизнь и здоровье.

После Яузского моста дорога расширялась. Это было единственное место на всем пути, где служебная «Волга» вместо крайнего правого ряда оказывалась посреди дороги. Едва она начала маневр, раздался чудовищной силы удар и автомобиль выбросило на встречную полосу. Реакция водителя была кошачьей. Он промчал, увертываясь от лобовых ударов, словно по гигантскому слалому, и наконец затормозил. Выскочил. Оглянулся на место аварии. Никого не было.

— Красный, по-видимому, джип, — констатировал водитель, присев над сильной вмятиной со следами чужеродной краски.

— Ну молодец, — наконец смог открыть рот академик. — Лихо ты! А это пустяки. Залатаем.

Снова тронулись в путь. Напротив Дома мебели свернули направо. Обычно водитель подъезжал к подъезду. Консьержка, сидевшая перед монитором, знала всех жильцов. Едва академик приближался, дверь открывалась сама. После этого Кокушкин отъезжал. На обратном пути обязательно попадалась возможность подбомбить.

В этот раз дорогу к дому перегородила свежевырытая траншея и болтавшаяся на строительном скотче рукописная табличка: «ПРОЕЗД ЗАКРЫТ».

— Марк Борисович, давайте провожу вас до подъезда, — изъявил желание шофер.

— Перестаньте. Глупости какие! — махнув рукой, сказал академик. — Пройдусь десять метров. Завтра в семь. Поедем на дачу. До свиданья, и еще раз примите мою огромную признательность.

— Счастливо! — пожелал шофер.

Жбановский, сверкая отражениями фонарей на лысине, пошел в сторону дома. Кокушкин начал выруливать. И вдруг в зеркало заднего вида увидел, как из-за угла дома вышли двое мужчин в черных шапочках. Они медленно приблизились к академику. Водитель прекратил маневр и остановился. Он решил убедиться, что тот зайдет в подъезд без приключений. Один что-то спросил. Марк Борисович, задумавшись, привычно закинул несколько назад и влево голову. В этот момент второй резко полоснул чем-то блеснувшим по горлу. Жбановский упал на колени, выронил «дипломат» и схватился руками за шею. Напавшие подобрали чемоданчик и скрылись в темноте между домами. Водитель бросился к академику. Тот уже завалился на асфальт. Судорога перекосила лицо. Захлебываясь потоками крови, он пытался что-то сказать. Но изо рта вырывалось неразборчивое клокотание. Выскочила перепуганная консьержка. Павел закричал ей:

— «Скорую» и милицию вызывай! Срочно!

Он бросился к машине за аптечкой. Разорвал пакет с бинтом и принялся наматывать на горло. Через несколько минут академик Жбановский, потеряв сознание, тихо умер на руках водителя. Выскочили соседи. Кокушкин распрямился. Мрачно произнес:

— Сейчас вернусь.

Медленно подошел к своей «Волге». Плавно открыл дверцу. Неторопливо уселся на водительское кресло. Взревел мотор. Неожиданно резко автомобиль сорвался с места и исчез за поворотом. Времени на принятие решения не оставалось. Он успел все обдумать, пока шел. Теперь оставалось действовать. Вариантов отступления у негодяев было несколько. Но выбирать предстояло между двумя наиболее вероятными: по Ленинскому в сторону МКАД и по Вернадского — к центру. На Кольцевой — сплошные посты. На Ленинском — плотное движение в область. Он вырулил дворами на прямую улицу и помчался в сторону Вернадского.

Выскочив на проспект, Кокушкин полетел по крайней левой полосе со скоростью сто двадцать километров в час, пытаясь разглядывать сквозь стекла пассажиров. Неожиданно на перекрестке перед ним оказался красный джип с вмятиной на правом углу крашеного кенгурятника. Кокушкин сразу понял, что это именно он. Кроме водителя там находилось еще двое, как ему показалось, подростков.

Джип вдруг неожиданно газанул и понесся на красный свет. «Волга» понеслась следом. Теперь карты были открыты. Убегавшие поняли, кто у них на хвосте, и пытались оторваться. Однако на городских трассах сильный двигатель джипа преимущества не давал. Время работало на Кокушкина. Несколько минут таких гонок, и внимания со стороны правоохранительных органов не избежать.

Неожиданно внедорожник, резко затормозив, стал как вкопанный. «Волга» заскрипела колодками. Попыталась уйти в сторону. Но не смогла. Если в движении она еще как-то выдерживала конкуренцию, то процесс торможения шансов не оставлял. Раздался сильнейший удар. «Волга» перевернулась на крышу и перелетела перекресток...

## Глава 4
## ГОСПОДА ОФИЦЕРЫ

Владимир Поремский был из семьи потомственных моряков. Родился на Тихом океане, мотался вместе с родителями по военным городкам. Школу заканчивал в Североморске. Отец — командир подводной лодки. Поэтому вопрос, куда поступать после школы, даже и не поднимался. Были некоторые колебания относительно училища, но склонность к электронике взяла свое. Несмотря на конкурс — шесть человек на место, — на факультет автоматизированных систем управления Высшего военного морского училища радиоэлектроники имени академика Колмогорова он прошел.

Однако романтика новой парадной формы быстро сменилась серыми буднями бесформенной робы, сапогами, бесконечными строевыми занятиями и монотонной греблей на шлюпках. Но что его поразило больше всего: офицеры, сами бывшие курсанты, в упор не хотели видеть в курсантах будущих офицеров, а относились, как к скоту, быдлу. Да и сами курсанты, половина из потомственных военных, другая из интеллигентных семей, почему-то радостно опускались до самого низшего уровня. За доблесть почиталось напиться посвински и облевать себя.

Дедовщины не было, но младшие командиры зверствовали по-черному. Особенно доставал старшина Загранкин. Он, наверное, думал, что с такой фамилией на флот ему прямая дорога. В училище попал прямо из Афгана, прослужив там полгода. Умственные способности оставляли желать лучшего, однако «боевое» прошлое сделало свое. Его приняли вне конкурса. У сокурсников оно поначалу невольно вызывало приступы восхищения.

Кроме военных заслуг Загранкин славился лосиным здоровьем и зычным голосом. На этом таланты кончались. Свое патологическое неумение складывать дроби он с лихвой компенсировал неисчерпаемым запасом армейской дури.

День начинался с того, что дежурный тихо будил командиров взводов за пятнадцать минут до подъема. Они одевались, заправляли кровати и выстраивались наблюдать за действиями своих подразделений. Затем диким голосом давалась команда «подъем».

Голос курсантам старшина ставил сам на занятиях по общевойсковой подготовке. Он прохаживался перед отделением из десяти человек, стоявших по стойке «смирно», и гундосил:

— Сегодня занятие по выработке командного голоса. Если вы сейчас попадете на флот с таким блеянием, то в первом же походе будете опущены. Матрос — как собака, чувствует по голосу, насколько уверен офицер. Чем достигается командный голос? Командный голос достигается тренировкой. Значит, будем тренировать команду «подъем». Этой командой заканчивается ночное бздение и начинаются тяготы и лишения очередного дня. Поэтому она должна навсегда запомниться самым страшным кошмаром. Курсант Поремский!

— Я.

— Команда!

— Подъем!

— Громче!

— Подъем!

— Громче!

— Это мой физический предел, — твердо ответил Поремский.

— Физического предела не бывает. Таким голосом будешь мамочке «спокойной ночи» желать. Голос должен напоминать вопль кота во время кастрации без обезболивания. Курсант Поребриков, курсант Тулянинов.

— Я.

— Я.

— Взять Поремского! — скомандовал старшина. — Уложить на пол!

После небольшой возни Володька оказался на линолеуме. Его держали двое. Загранкин медленно подошел, поставил сапог в промежность и резко надавил. В ужасе Володька заорал:

— А-а! бля...

— Не то, — подавляя зевок, произнес садист.

— Подъем! Суки...

— Видишь? Можешь, если захочешь. Следующий, курсант Мовчан...

Ночью Володя подошел к стенду с фотографиями отличников и командиров, достал ручку и, дорисовав снизу палочку, под портретом Загранкина исправил букву «г» на «с».

Наутро к стенду невозможно было пробиться. Толпа время от времени издавала громкие всплески смеха. Старшина, растолкав курсантов, пролез к фотографиям. Уши у него мгновенно приобрели свекольный цвет. Стенд, естественно, тут же исчез.

Разъяренный Загранкин построил курс. Прохаживаясь вдоль строя, произнес:

— Если в течение минуты сволочь не признается в содеянном, увольнений в выходные не будет.

Уставился на часы. Неожиданно раздался голос Мовчана, шагнувшего вперед:

— Я.

Поремский, твердо решивший признаться в конце минуты, несколько опешил. Но также вышел и произнес:

— Я.

Неожиданно еще несколько человек взяли вину на себя. Старшина радостно наказал всех, за что сам вскоре получил взбучку от замполита училища за запрещенное коллективное наказание. А Поремский в тот день подрался с Мовчаном, но выбить у него признание не смог. Так подвиг и остался на чужом счету.

После подъема в любую погоду мчались по форме номер два, то есть с голым торсом, по аллеям до мемориала. Как раз три километра. Строились. Поджидали отставших. Считались и вновь неслись в казарму. На сто пятьдесят человек — двенадцать умывальников с холодной водой. Прибежавший раньше имел больше шансов умыться, побриться, привести себя в порядок. Поремский, как правило, прибегал в первой десятке. Бывало, оставлял позади и самого старшину, но не мог одного — прийти вперед Вовки Мовчана.

Затем после осмотра, условно съедобного завтрака, бесчисленных разводов, построений и прохождений начинались занятия.

Через некоторое время муштра начала приносить свои результаты. Стал нравиться четкий выверенный распорядок дня. Хороший тонус давали постоянные физические нагрузки. Бег и гребля делали фигуру. Поремскому стало нравиться идти в строю, чувствовать себя частицей коробки десять на десять, которая, повинуясь приказу, становилась единым организмом. Он начал чувствовать комфорт от отсутствия необходимости думать и принимать решения. Ясно теперь понял, как это в царские времена запросто служили солдатами по двадцать пять лет. И только занятия по общеобразовательным дисциплинам не давали полностью погрузиться в радость овощеподобного существования.

Как-то незаметно Володя Поремский сошелся со своей противоположностью — Мовчаном. Худенький, щупленький, ноги в сапогах, как пестики в ступе, весь какой-то синевато-лилового цвета, вел в основном антиобщественный образ жизни, отсыпаясь на лекциях. А по ночам, если не бегал в самоволку, пьянствовал в ленинской комнате или скакал по кроватям второго яруса, за что бывал неоднократно бит, но без особого толку. Что привлекало Поремского в нем, было непонятно. Его странно притягивала беспринципность, окрашенная какой-то лихостью, наплевательским отношением ко всему. В Гражданскую из таких получались исключительно анархисты.

Еще тезка Поремского бегал. Просто уму непостижимо! Десять километров с полной выкладкой. Автомат, три магазина, противогаз, подсумок с четырьмя гранатами, полевая сумка — килограмм пятнадцать наберется, а сам весит чуть больше пятидесяти. Пока бежит, выкурит пачку сигарет, раз десять смотается туда-сюда, шлепнет разгуливающую по аллее девку по заднице, а финиширует все равно первым! Загадка природы.

Но самое прикольное — его самоходы. Дисциплина не оставляла шансов на увольнения. Поэтому Мовчан просто перемахивал через забор и несся к ближайшему магазину. Брал бутылку водки и выпивал ее на пороге из горла. Он вливал пол-литра, не делая никаких глотательных движений. Когда жажда была утолена, наступало время поиска приключений.

Ленинград — город военный: пятнадцать училищ, три академии, сколько частей, никто вообще не знает, а тут еще корабли. Поэтому патрули — такая же визитная карточка города на Неве, как «Аврора». С тем только отличием, что последняя стоит на вечном приколе, в то время как патрули постоянно перемещаются. Главной проблемой нормальных курсантов был поиск антипатрульных троп. Мовчан же ходил на них охотиться.

Без труда находил. После чего начинал радостно подпрыгивать, махать руками, посылать воздушные поцелуи. В общем, делать все для привлечения внимания. Он запросто мог спустить брюки, наклониться и пошлепать себя по голому заду. На приказы подчиниться отвечал всем набором неприличных жестов от похлопывания правой рукой в районе локтевого сгиба левой до вывертывания век наизнанку. Результат был предсказуем — начиналась облава. Он нагло кричал: «Поймайте курсанта Мовчана» — и мчался по трамвайным шпалам, свежевысаженным клумбам, детским садикам. Для него ничего святого не было. Терпеливо дожидался своих преследователей и, видя, что они полностью выдохлись, изошли потом, махнули на него рукой, быстро терял интерес и шел на поиски очередной жертвы.

За одну самоволку загонял таким образом четырепять патрулей. В комендатуре о нем знали и даже проводили специальный инструктаж. Несколько раз пытались организовать настоящую облаву, но безрезультатно.

Иногда Мовчан брал с собой и Поремского. Как-то они попали в милицию, когда решили «накосить» роз для «англичанки» на клумбе перед горкомом. И то благодаря тому, что изменили тактику. Вместо того чтобы убежать, попробовали спрятаться и переждать. Однако вышли сухими. Их забрал сам замполит училища. Вот тогда в кабинете высокого начальства Поремский и услышал слова, которые несколько изменили его идеалистические взгляды на жизнь. Не замечая Поремского, капитан первого ранга Зайковский, раздувая ноздри и производя всем своим видом впечатление разгневанного зверя, кричал:

— Если бы ты был не мой сын, я бы тебя наказал! Все. Иди!

Направляясь в казарму, Володя поинтересовался:

— Он что тебе, вправду отец?

— Да какой там, — нехотя буркнул тот, — так, мать по пьянке трахнул. Она, дура, аборта не захотела.

Володя Поремский, с детства привыкший к романтике отношений родителей, был несколько озадачен. Нескончаемой полярной ночью, под завывание пурги, они с мамой ждали возвращения отца из похода. И не было для нее более священных минут. Она могла бесконечно рассказывать, как ворвался в ее городок, раскинувшийся в бескрайних степях северного Казахстана, лихой лейтенант-морячок. Две недели были знакомы. А потом забежали в ЗАГС, расписались и улетели на Дальний Восток. Родственники, конечно, были шокированы, но она ни дня, ни минуты, ни секунды не жалела об опрометчивом поступке. Ни когда жили в казарме, в углу, отгороженном занавесочкой, ни в Находке, когда ураганом перевернуло жилище и выдуло весь нажитый нехитрый скарб, ни на безымянных островах Ледовитого океана, где, прежде чем сходить в туалет, надо было попросить мужчину поставить его в вертикальное положение. Ночью приходили белые медведи и обязательно переворачивали. Историю своего рождения он знал как самую светлую сказку. Поэтому произнес:

— Ты так говоришь, словно речь идет не о тебе самом.

— Знаешь, у него детей нет, — объяснил Мовчан. — А разводиться должность не позволяет. Ну и зачал на всякий случай наследника. А родись свой, забыл бы в момент. Вот, благодетель, от армии спасает.

Но безнаказанность — плохой советчик. Однажды Мовчан предложил смотаться к бабам, которых, как он признался впоследствии, у него тогда и не было.

Они покинули казарму через окно и побежали по темным аллеям. Неожиданно впереди замаячил комендантский патруль. Володя предложил потихоньку смотаться. Но Мовчан был сумасшедшим. Он подкрался к начальнику патруля, схватив за кобуру капитана, заорал: «Отдай пистолет» — и мгновенно отпрянул. Его бросились ловить. Зачем-то он вывел преследователей на Володьку и сиганул в кусты. Володя принял эстафету. Ему не повезло. Двор оказался непроходным. Поремского поймали, доставили в комендатуру и посадили на гауптвахту на десять суток.

На вторые сутки он узнал о гибели подводной лодки в водах Атлантики. Капитаном лодки был его отец. Ему стало невыносимо плохо. Он был нужен матери, которую мог тоже потерять. Но на просьбы отпустить, перенести наказание, решить как-нибудь вопрос Поремскому неизменно отвечали: «Нет такого закона». Тогда, разбивая от бессилия кулаки в кровь о серые стены каземата, он принял решение навсегда распрощаться с армией, а чтобы не чувствовать себя таким же бесправным и беззащитным всю жизнь, пойти на юридический факультет МГУ.

## Глава 5
## СУЕТА СУЕТ

Официально рабочий день в Генеральной прокуратуре заканчивался в восемнадцать ноль-ноль. Однако, едва большая стрелка настенных часов приблизилась к цифре двенадцать, Турецкий машинально перевел взгляд на местный телефон. Аппарат немедленно разразился веселым звоном. Означать это могло одно: надо поработать. Он поднял трубку.

— Александр Борисович, зайдите! — прозвучал неласковый голос секретарши Меркулова.

Он поднялся на этаж. Первое, что увидел в приемной, — полные укора огромные глаза Клавдии. Затем разглядел расположившихся напротив нее на диване двух молодых людей. Турецкий не считал себя выдающимся физиономистом, но беглого взгляда было достаточно, чтобы составить не очень лестное представление относительно сидевших. Один из них явно не дружил со спортом, другой слишком много для мужчины уделял внимания своей внешности. Блондинистые локоны с мелированным, нарочито небрежно разбросанным чубом, два шрамика на левой мочке, явно от прокола, чуть длиннее общепринятого стандарта баки, ни одного невыбритого волоска, фирменные дорогие сапоги «казаки».

Женщина вздохнула и произнесла:

— Турецкий, клянись, что ты ни при чем!

— Клянусь. Я ни при чем, — произнес он самым честным голосом. И уточнил: — А у кого родился мальчик?

— Какой мальчик? — не поняла секретарша.

— Голубоглазый, умный, спортивного телосложения, в кедах и джинсах.

— Я о другом, — пожаловалась Клавдия Сергеевна — За мной коты бегают.

— Как это бегают? Белые или черные? — удивился Турецкий. — Вы случайно валерианой не злоупотребляли?

В этот момент в проеме приоткрытой двери показался тощий рыжий кот. Мгновение он оценивал обстановку, а затем уверенно направился к секретарше. Клавдия, испуганно сев на стул, попыталась подтянуть к подбородку колени. Турецкий вовремя пришел на помощь, шугнув животное.

— Вот видишь? После твоего подарка. Тех духов, — пояснила она.

— А я разве дарил духи? Мадам, вы запутались в поклонниках.

— Ой! — Женщина прикрыла рукой рот, внезапно о чем-то догадавшись.

Турецкий, незаметно оставив на столе секретарши, под бумагами, шоколадку, вошел в кабинет своего начальника.

— Разрешите? — спросил он, прикрывая дверь.

— Входи, дорогой. Вот какое дело, Саня. Оформить перевод в Москву твоих орлов для генерального не проблема. Хотя, пообщавшись с начальниками ребят, я понял, что в тебе пропадает дар кадровика. Еще ни разу не встречал такого ожесточенного сопротивления. Представляешь, меня трижды за один день обвинили в продажности мафиозным структурам! Самому захотелось их иметь. Но это наше ведомство. Как-нибудь прорвемся. Беда в другом. Мэр ничего и слышать не желает о предоставлении жилья.

— Подожди. Ты так рассуждаешь, словно мэр в нашем государстве хозяин всего жилого фонда. С каких это пор министры на побегушках у чиновников? — начал заводиться Турецкий.

— Не кипятись. Оказывается, все лимиты у него бюджетники уже выбрали на несколько лет вперед. По

Генеральной прокуратуре за этот год господин Казанцев улучшил свои жилищные условия, получила квартиру начальница клуба, одинокая женщина...

— И что теперь делать? — Не дал договорить начальнику уже размечтавшийся, как построит работу, помощник.

— Ну, во-первых, немного подождать. Время от времени мы же выходим на достаточно крупных дельцов, близкие отношения с которыми могут скомпрометировать любого. Да и власть имущим приходится иногда обращаться к нам за помощью, — рассудительно произнес Меркулов.

— А пока не представится удобный случай?

— А на то время к тебе прикомандировываются двое молодых стажеров, — продолжал он в том же спокойном тоне.

— Это случайно не те двое? — Турецкий не мог успокоиться.

— Клавдия Сергеевна, пригласи молодых людей, — произнес Меркулов, нажав кнопку селектора.

Дверь отворилась. Вошли подающие надежды вундеркинды. Турецкий оглядел их, не скрывая своего скептического отношения. Да, в его время таких близко не подпустили бы к следственной работе, даже исходя из внешнего вида.

— Представляю — Ямпишев Леонид Романович, Сухоглинкин Вячеслав Игоревич. Турецкий Александр Борисович. Ваш непосредственный начальник. С сегодняшнего дня поступаете в его распоряжение.

Турецкий оглядел пополнение и произнес:

— Ну пойдемте знакомиться.

Александр Борисович за долгие годы неплохо научился разбираться в людях. Печальный опыт показывал, что людьми легко и просто манипулировать. Сердце женщины не выдерживает примитивнейших комплиментов. А кратчайший способ понять, что из себя представляет мужик, — распить с ним бутылку. Посему, чтобы не терять времени, он забрал помощников и повел их в «Погребок».

Выводы сильно не обнадежили. Пятьдесят на пятьдесят. Сухоглинкин показался парнем покрепче. Пил хорошо. Практически не пьянел. Умел молчать. Ямпишев же после двухсот грамм повысил голос на пол-октавы. Начал нести всяческий бред и, едва сев в вагон метро, заснул. «Не наш человек», — подумал Александр Борисович, ощущая, как полегчал бумажник после расплаты за эксперимент.

Турецкий любил розыгрыши. Умел по достоинству оценить злой, острый прикол. Поэтому люди, понятия не имевшие о чувстве юмора, считали своим долгом подшутить именно над ним.

Как-то сотовый телефон пропал прямо из кабинета. А через пару часов объявился. Все бы ничего, но с тех пор при любых вызовах он играл только «Турецкий марш», и ничего более. Тащиться в сервисный центр просто не было времени, и Александр Борисович махнул на это рукой. Мотив очень быстро приелся. Затем стал выводить из себя. Днем его слушать было еще можно, но бодрые аккорды по ночам вызывали ненависть ко всему творчеству несчастного Моцарта.

Именно этот марш и разбудил Александра Борисовича. Он резко схватил аппарат. Нажал кнопку ответа и помчался в ванную, пока не перебудил весь дом. Жена и дочь также не переносили «Турецкий марш». Часы на дисплее телефона показывали два часа семнадцать минут. Звонил сам Меркулов:

— Привет, Саня, не разбудил?

— Если честно, пока еще нет, — пробормотал Турецкий, подавляя зевок и недовольно разглядывая в зеркале опухшую физиономию.

— Тогда протяни руку и крутани синий кран до упора влево. Сунь под струю голову минуты на три, — последовал совет Меркулова, точно знавшего местонахождение собеседника.

— Я бы знаешь что сунул... — ответил Александр, плеснув холодной воды на лицо. — Ладно, давай к делу. Ты же по пустякам среди ночи дергать не станешь. Что, неизвестное слово в кроссворде попалось?

— Первая буква «Ж». Два часа назад убит академик Жбановский у подъезда своего дома. С виду обыкновенный грабеж. Но смущают два обстоятельства. Похищен чемоданчик, где, возможно, были сверхсекретные материалы, тогда дело действительно наше.

— А второе? — уточнил Турецкий.

— Помнишь, вернувшись из Германии, ты рассказывал о просьбе Питера Реддвея присмотреться к одному научно-исследовательскому институту? — спросил Меркулов.

— Да, конечно, — подтвердил Турецкий.

— Так вот, убиенный был его руководителем.

— Черт возьми! — воскликнул Турецкий, привыкший к тому, что случайно таких совпадений не бывает.

— И еще, — многозначительно добавил заместитель генерального прокурора. — Знаешь, кем он приходился мэру?

— Понятия не имею, — честно признался Александр Борисович.

— Другом, — пояснил Меркулов. — А кто такой друг мэра рассказать?

— Не надо. Я знаю. Когда мэр к нему едет попить чайку, перекрывают движение по всему Ленинскому проспекту, — вспомнив вынужденное ожидание, пока прокатит кортеж, язвительно уточнил Турецкий.

— Это дело надо раскрыть.

— Может, подскажешь, которые раскрывать не следует? С кем я его раскрою? Сам бегать, увы, только на факультативной основе. Исключительно для поддержания тела в норме. «Глория»? Так она уже сколько себе в убыток на нас пашет. Пора бы и совесть знать. А с этими Ямпишевым с Сухоглинкиным можно только в преферанс на деньги играть спокойно.

— Ладно, хватит ворчать. Поезжай, посмотри опытным глазом. Пока следствие в руках ГУВД. Однако, если сочтешь нужным, забирай дело, — приказал Меркулов.

— Знаешь, может, это и противоречит моим моральным принципам, но, заглядывая в будущее, не вижу иного выхода. Ставь мэра раком! — произнес, назначая цену, Турецкий. — Три двухкомнатные!

Он мельком бросил взгляд в зеркало. Провел рукой по подбородку, решая, насколько необходимо бритье, и, поняв, что не до этого, отправился в комнату одеваться.

Ирина, услышав шуршание, приоткрыла один глаз. Турецкий махнул рукой, и жена мгновенно отключилась. За четырнадцать лет жизни с этим человеком она научилась безошибочно определять степень опасности ночного вызова. На этот раз опасаться было нечего. Ну разве вернется навеселе или уставший как собака.

Турецкий, по старой привычке проигнорировав лифт, сбежал по лестнице вниз. Сел в поджидавший его автомобиль. Водитель уже знал маршрут. Поэтому без лишних объяснений служебная «Волга» полетела в сторону Ленинского проспекта.

Предупрежденные о посещении места трагедии помощником генерального прокурора, оперативные работники терпеливо ждали. Через девять минут Турецкий был на месте. Он вышел из автомобиля и, не желая производить лишнего шума среди ночи, бесшумно прикрыл дверцу. Подошел к натянутому строительному скотчу. Поглядел на липкую сторону, уже обработанную криминалистом. Там явно пропечатывались множественные отпечатки. Затем перешагнул канаву и, с ходу вычислив опера, направился к нему.

— Государственный советник юстиции третьего класса Турецкий, — представился он, показывая раскрытое удостоверение.

— Майор Скрипка. Московский уголовный розыск, — отрапортовал сыщик.

— Ну, рассказывайте, что нарыли? — произнес Турецкий, разглядывая очерченный мелом контур на асфальте.

— Теоретически есть два свидетеля. Бабуля, видевшая трагедию по черно-белому монитору. Запись видеонаблюдения, к сожалению, не ведется. И личный водитель академика. Но тот вскоре после трагедии, оказав помощь Жбановскому, исчез.

— В смысле помог умереть? — Турецкий вопросительно поднял брови.

— Виноват. Выразился некорректно. Попытался оказать, перебинтовав горло. Затем вскочил в автомобиль и быстро уехал.

— Ищут?

— Объявлен план «Перехват». К его месту жительства выехал наряд. Пока безрезультатно.

— Что говорит вахтерша? — задал вопрос Турецкий, присаживаясь над бурыми пятнами запекшейся крови.

— Она показала, что подошли двое. Задали вопрос и, когда академик задумался над ответом, нанесли удар ножом, — попытался доходчиво разъяснить картину преступления следователь.

— Оба одновременно нанесли удар? — опять машинально подметил Турецкий неточность изложения мыслей.

— Никак нет. Один полоснул по горлу, другой подхватил чемоданчик. Может быть, еще прошлись бы по карманам, но водитель поднял шум. Криминалист сделал вывод, что удар нанесен острым режущим предметом наподобие скальпеля человеком ниже академика. А Жбановский был метр семьдесят три. Плюс-минус три сантиметра в росте определить на глазок невозможно. Значит, меньше метра семидесяти. Канаву вырыли к вечеру. Тогда же появились ограждения. Утром выясним, проводились ли плановые работы, и, может, коечто прояснится. Собака след потеряла сразу за домом.

— Семья как?

— Жену увезла «неотложка». Дети с ними не живут.

— Еще какие-нибудь странности, неясности есть?

— Судмедэксперт поразился размеру и форме пореза. Для нанесения подобного необходимо голову жертвы запрокинуть практически назад. Подобную практику изучают в спецшколах. Один, нападая со спины, хватает за волосы, другой наносит удар ножом. Но с его черепом это невозможно.

Турецкий покинул место происшествия. Отправился домой. Упал на диван и до половины седьмого проспал завидным сном младенца.

Александр Борисович давно выработал привычку по дороге на службу составлять план действий на первую половину дня. Вторая, как показывал многолетний опыт, планированию не подлежала. Иногда обстоятельства с утра могли вырвать из-за рабочего стола, а бумажный ком продолжал жить по своим законам, разрастаясь и грозя раздавить. И тогда словно ангелы хранители являлись такие же одуревшие сослуживцы и возникала заветная бутылочка. Сквозь узкое горлышко которой проблемы казались не такими глобальными.

Сегодня он даже и не пытался представить, чем будет заниматься. Заскочив в кабинет, обнаружил там одиноко сидящего Ямпишева. Увидев начальство, тот соскочил со стула и бросился навстречу, протягивая руку.

— А где второй? — спросил Турецкий, пожимая ее.

— Не знаю. Он же не мой подчиненный, — как-то слишком радостно ответил стажер.

Даже искренне радостно, словно испытывая удовольствие от того, что доля иметь такого подчиненного выпала не ему. Турецкий прочувствовал ситуацию мгновенно. И задал вопрос:

— С Сухоглинкиным давно знаком?

— Года два, — ответил Ямпишев.

— И сколько обычно времени он выходит из запоя? — задал второй вопрос начальник.

— Две недели, — удивленно ответил стажер. — А как вы узнали?

«Молодец. Вот и вторая подсказка. Значит, никогда не сообщает начальству о своих загулах», — отметил Турецкий про себя, произнеся вслух:

— И насколько же волосата у него лапа?

Ямпишев совсем растерялся. Было видно, что он не знает, как поступить. С одной стороны, ему не хотелось выглядеть в глазах начальства кем-то вроде информатора. С другой — озадачивало владение информацией. Его предупреждали, что Турецкий не просто следователь, а чуть ли не гений сыска. И вопросы просто могли быть проверкой на лояльность. Видя нерешительность, Александр Борисович добавил:

— Да ладно, все выяснить можно за пару часов. Будь любезен, сэкономь мне немного времени и нервов.

— Он приходится младшим братом жене брата Казанского, — выпалил Ямпишев.

— Ого! — изумился Турецкий. — Тогда, если не сопьется, карьеру сделает. Не скучаешь?

— Нет. Я привык, — ответил молодой человек, провожая взглядом летающую по кабинету муху.

— Это где же вырабатывают такие привычки? — Турецкому стало любопытно.

— В ментовке. На дежурстве сидишь сутками. Выспишься, начитаешься, ничего делать не хочется. Я же имею опыт оперативной работы. Кое-что повидал.

— А почему ушел? — заинтересовался помощник генерального прокурора.

— Не нравятся люди. Быстро меняются. Завидуют, ищут, где бы урвать. Пригласил друга в гости. Так тот первым делом обвел взглядом обстановку и произнес: «Интересно, на какие шиши?» И тут же настрочил донос в службу собственной безопасности. А я, может, во внерабочее время бомбил на своем стареньком «мерседесе»!

«Может или бомбил?» — отметил про себя Турецкий.

— Но главное, — продолжал стажер, — масштабность задач. Я чувствую, что перерос дела о том, как забулдыга украл у собутыльника электробритву.

— В самом деле? Это ведь стопроцентный «висяк»! — подзадорил Александр Борисович, желая как можно больше раскрыть собеседника.

— В прошлом году, под октябрьские праздники, у нас в районе один написал заявление. Объяснил, что пьянствовал с тремя такими же. Наутро электробритва исчезла. Я через день их обошел. У двоих щетина, а третий выбрит, как огурчик. Его на пушку и взял. У нас тогда маньяк объявился. О нем только и разговоров было. Ну я и говорю: «Ориентировочка на душегуба поступила. Ты по всем приметам подходишь. И главное: бреется «Харьковом». Посмотрел для театральности на его щеки и подбородок через лупу и заявляю: «Точно. Бритва «Харьков». Тот как взъерепенится:

«Пойдем покажу, чем брил». И предъявляет ворованный «Орск». Я к заявителю. «Моя!» Самое интересное, что бритву-то стырил другой, а продал за стакан третьему.

— Ладно, я к Константину Дмитриевичу. Ты жди. Вернусь, поедешь по делу, — произнес Турецкий, покидая кабинет.

В приемной Меркулова уже сидело человек восемь. Увидев Александра Борисовича, Клавдия Сергеевна немедленно встала. Не удосужив взглядом, молча заскочила в кабинет заместителя генерального прокурора. Турецкий вытащил из-за спины розу. Воткнул ее в пустовавшую вазу. Оглядев посетителей и не встретив среди них знакомых лиц, пояснил:

— Она сегодня стала бабушкой! Только прошу не акцентировать на этом внимание. Все же женщина.

Клавдия тихо вышла и показала жестом, что можно войти. Турецкий проследовал в кабинет. Сел в кресло. Протянув руку, взял со стола сигарету и начал ее вертеть в пальцах. Затем произнес:

— Знаешь, Константин, скажу что думаю. Дело чистый «висяк». Даже если ты меня от всех забот освободишь, не вытяну.

— У тебя два молодых кадра, — Меркулов жестом отсек попытку возражений. — Если грамотно ставить задачу, то даже идиот ее способен выполнить.

— Один, — уточнил Турецкий.

— Ну если будешь продолжать такими же темпами, их совсем не останется.

— Уже? — подняв брови, спросил Турецкий.

— Уже, — подтвердил Меркулов, протягивая лист бумаги.

Турецкий пробежался по нему глазами, не пытаясь

скрыть кривой улыбки, против воли появившейся на лице. В рапорте начальника Следственного управления по расследованию особо важных дел Казанского подробно описывалось, как помощник генерального прокурора занимается целенаправленным спаиванием подчиненного личного состава.

— Что будешь делать? — поинтересовался Турецкий.

— Гнать, — коротко ответил Меркулов. — Ладно, давай что-нибудь конструктивное.

— В общем, так: или дело имеет три — пять шансов из ста быть раскрытым или, при условии, что мне дадут тех ребят, девяносто — девяносто пять.

— А стопроцентную гарантию не даешь? — спросил Меркулов.

— Ты же знаешь, где ее дают. Но нам туда пока рановато, — констатировал Александр.

– Свяжись с МУРом. Что-то часто стали убивать ученых. Пусть сделают выборку и опера толкового выделят.

— Хорошо. Для начала надо водителя разыскать. А ты уж, Костя, постарайся. Сам понимаешь. Нет времени.

— Ладно. Сегодня буду беседовать с мэром. Попробую раскрутить на специальный президентский фонд. А ты давай, все дела в сторону. И пока следы не остыли, пускай по ним хоть того, кто остался.

Турецкий вышел. Стол секретарши оказался завален шоколадом. В вазе кроме розы стояло еще несколько цветков. Клавдия Сергеевна растерянно поглядела на Турецкого. Он в ответ пожал плечами.

Вернувшись к своему кабинету, услышал, как надрывается телефонный аппарат. Заскочив, успел поднять трубку:

— Слушаю. Турецкий.

— Рассылай телеграммы, — раздался бодрый голос Меркулова. — Приказ уже подписан. Но с одним небольшим условием. Раскроешь дело — они получат по квартире. Шантажист хренов!

Ямпишев сидел в той же позе. При этом взгляд его не был мечтательно устремлен вдаль, а поверхностно бегал с предмета на предмет.

— Давно звонит? — кивнул на аппарат Турецкий.

— Как вышли, почти не замолкал, — ответил, встрепенувшись, Ямпишев. — А если надо отвечать, так скажите что.

— Да ладно. Все нормально. Заскочишь в секретариат. Возьмешь справку, что ты стажер Следственного управления Генеральной прокуратуры. Обрати внимание, чтоб там была гербовая печать и подпись Казанского. Затем на Ленинский проспект. Там сейчас работают сыщики с Петровки. Дело это наше. Будешь курировать. Однако пальцы гнуть не надо. Ребята опытные. Поможешь чем сможешь, но и на голову сесть не позволяй.

— Понял.

— Если предложат перетряхнуть мусорный контейнер или сбегать за пивом, что выберешь?

— Засучу рукава и займусь контейнером, — попытался угадать стажер.

— Ответ неверный, — вздохнул Турецкий.

Когда на отдаленных пустырях близ новостроек начиналось массовое строительство гаражей, даже и не предполагалось, что из этого получится. Главные функции, которые ставились: защита автомобиля, покупаемого на всю жизнь, и хранение картофеля — постепенно отступили на второй план. Гаражи послужили аналогом западных, или американских, клубов. Пропахшие горючесмазочными материалами, захламленные разнообразным железом, с вечными разговорами о ремонте и жизни, они внезапно оказались тем заповедником, который женщины невзлюбили всем своим нутром. Гаражи стали единственным убежищем от материальных проблем, семейных неурядиц, квартирного вопроса, так портившего москвичей.

Однако это место имело и обратную сторону. Попав случайно, из них трудно выбраться. Точнее, человек становился обречен.

Начальник следственного управления Казанский своим личным автомобилем пользовался исключительно редко. Служебная «Волга» эксплуатировалась не только им лично, но и всей семьей. Однако такая постановка вопроса имела и некоторые негативные стороны. Он отправил жену на дачу, а у самого неожиданно возникла потребность съездить на другой конец Москвы.

Вернувшись, поставил автомобиль в гараж и, едва захлопнув дверь, обнаружил рядом с собой Петровича.

Петрович давно ушел из дома. Свой гараж он разделил на две половины. Женскую — для старенькой вареной-переваренной «тройки» и мужскую — для себя. Там поместился диванчик, стол с тисками, радиоприемник, чайник, электроплита. Все свободное время он носился по соседям и принимал деятельное участие в ремонтно-восстановительных работах, никогда не отказываясь от последующих возлияний.

— Здорово, — произнес он, словно расстались вчера.

— Здравствуй, Петрович, как дела? — погрустнел Казанский.

— Ну ты как басурманин. Не выпил, не поговорил — уже о делах.

— Говоришь, как будто предлагаешь, — подколол

его Казанский, знавший, что Петровича раскрутить на выпивку просто невозможно.

— Для тебя! — Петрович извлек зеленую бутылку текилы.

— Ого! — искренне изумился Казанский. — Наверняка что-нибудь произошло.

— Пойдем ко мне, — произнес Петрович, пряча сокровище в полиэтиленовый пакет и оглядываясь.

Пока дошли до гаража Петровича, обросли небольшой толпой. Однако старожил не стал делить народ на халявщиков и нужных людей. Быстро соорудил из извлеченной на свет божий столешницы поляну. Моментально появилась немудреная закуска. Начали с текилы. Заканчивали всяческой дрянью. Явно паленой водкой и самогоном из бутылки, старательно заткнутой пробкой из свернутой газеты. Казанский, быстро понявший, что это не для его желудка, спросил:

— Петрович, у тебя, кажется, было ко мне дело?

— Да ладно, не парься, — махнул рукой захмелевший обитатель гаражей. — Ты со мной посидел. Уважил. Больше ничего и не нужно.

— Петрович, у тебя была проблема. Мужик ты правильный. Я хочу тебе помочь, — настаивал Казанский.

— Да фигня. Не стоит из-за нее ломать копья. Как-нибудь переживу. Я же понимаю. Ты занимаешься большими делами, а здесь мелочовка, — заплетающимся языком произнес Петрович.

— Знаешь, надоел ты мне со своими предисловиями! Рассказывай, а то пить не буду, — стукнул кулаком по столу Казанский.

— Ну иду я вчера с рулоном линолеума...

— Да откуда у тебя линолеум? — воскликнул один из собутыльников.

— Ясный хрен, спер, — высказал предположение другой.

— Цыц. — Петрович поднял палец. — А то ничего рассказывать не буду. Иду, значится, с луроном хринолеума. Причем не своим. Попросили. Ну, не важно. Прохожу мимо кафешки «Лола». Знаешь, держит ее азик Саид. У него белая «бешка», в третьем ряду. Смотрю: сидят Иваныч, Кондратич и Жорка. Пивко посасывают. Третий стул свободен, словно меня ждет.

— Если трое сидят, то четвертый стул свободен! — поправил Казанский.

— А это смотря откуда считать. Ну я и подсел. Погудели хорошо. Про рулон утром только вспомнил. Проснулся в холодном поту. Аж обожгло. И вдруг вспомнил. Прибежал к пивнушке. Его нет.

— В милицию обращался? — спросил Казанский.

— Их дело принять заявление и составить протокол. На такую мелочовку пару не хватает. Но самое обидное, что и искать не надо. Только слегка прижучить. Официантка Марьяна знает, стерва, но молчит. Она же после нас закрывала кафе самолично.

— Ладно. Что-нибудь придумаем, — произнес неопределенно Казанский.

— Выручишь, до гроба благодарен буду.

— Да ладно. Маслице поменяешь, и на том спасибо! — похлопал его по плечу раздобревший прокурорский начальник.

Ямпишев, получив в секретариате временное удостоверение стажера, постучал в дверь.

— Войдите, — раздался строгий голос.

Стажер приоткрыл щель и сквозь нее протиснулся. Видя, что Казанский не в настроении, произнес:

— Здравствуйте.

— А, это ты? Заходи. Чего надо?

— Ваша подпись на удостоверении. Без нее печать не ставят.

Казанский ухмыльнулся. Взял документ. Внимательно изучил его. Сверил фотографию с оригиналом. И наконец поставил свою сильно накрученную красивую роспись. Злые языки поговаривали, что это единственное, что он умеет делать хорошо. Возвращая документ, Казанский поманил Ямпишева и произнес:

— Поздравляю. Отныне вы полномочный представитель Генеральной прокуратуры. С честью и достоинством несите это высокое звание. Запомните: прокуратура не занимается чепухой. Если поручается дело, с виду незначительное, оно может быть частью раскрытия серьезного преступления. Короче, в нашем деле мелочей не бывает. Или так: из раскрытия множества таких мелочей и состоит оперативная работа.

— Понял, — кивнул проникшийся торжественностью момента Ямпишев.

— Тогда так. Есть одно задание. Докладывать о нем Турецкому совсем не обязательно. Дуй на Василькова, семнадцать. Кафе «Лола». Держит его некий Саид. Но он, кажется, ни при чем. Позавчера вечером некий гражданин Петрович, фамилию не помню, но там знают его все, в компании пил пиво. После ушел, оставив рулон линолеума. Обслуживала и закрывала кафе официантка Марьяна. Ее надо расколоть. Наверняка знает, кто взял, но молчит.

Ямпишев, обрадовавшись возможности приложить свои способности, собрался и ускакал.

Подъехав к «Лоле», внимательно осмотрелся. Обошел несколько раз, словно изучая возможные пути отступления. На окнах стояли решетки. Оврагов и кустов поблизости не наблюдалось. Стажер толкнул дверь.

За стойкой находилась молодая смуглая женщина с огромными темными глазами. Он подошел и, заказав пива, спросил:

— Девушка, а чем вы занимаетесь вечером?

Ответа не последовало.

— Понимаю. Работаете. А после работы? — продолжил домогательства молодой человек.

Молчание.

— Ну да! Отдыхаете, — догадался он. — А как вас звать? Может, Марьяна? — нервно спросил Ямпишев, которого начало доставать это упорное игнорирование.

После того как не дождался ответа на этот вопрос, он допил пиво. Подошел к стойке и, с трудом раскрыв новенькое хрустящее удостоверение, произнес:

— Генеральная прокуратура. Следователь Ямпишев. Могу я поговорить с гражданкой Марьяной?

— Лейла! — наконец закричала девушка, широко раскрыв глаза и доказывая, что она все же не немая.

В зал воинственно вошла полная восточная женщина с огромным свисающим носом. Она уперлась руками в крутые бедра и надменно спросила:

— Чего надо?

— Он говорить хочет!

— Ты кто? — спросила она, поворачиваясь к следователю.

— А кто, собственно, ты? — вопросом на вопрос ответил стажер.

— Я? Жена хозяина кафе! — прозвучало в ответ, словно жена хозяина кафе — ступень иерархии, следующая за женой императора.

— А я — вот.

Ямпишеву вновь пришлось раскрыть удостоверение. Он протянул его почти к самому носу. Глаза женщины пробежали по буквам. Неожиданно она побледнела и, схватившись за сердце, рухнула на пол. Вторая бросилась к ней. Потом назад. Нацедила стакан воды и принялась вливать в рот. Следователь, вырвав у нее стакан, произнес:

— Ты что, рехнулась? Хочешь, чтобы она захлебнулась?

Теперь уже вторая, схватившись за сердце, прислонилась к стене. Видя, что упавшая в сознание не приходит, Ямпишев произнес:

— Вы не волнуйтесь. Я не по поводу дел вашего мужа.

Неожиданно лежавшая открыла глаза. Посмотрела на Ямпишева и снова закрыла.

— Мне нужна Марьяна! — уточнил он.

— Правда? — встрепенулась Лейла, оживая и приподнимаясь.

— Правда. Мне необходимо задать ей несколько вопросов, и все.

— Тогда спрашивайте. Она — Марьяна, — указала пальцем на замершую девушку жена хозяина.

— Уже спрашивал, — занервничал следователь. — Не отвечает.

— Она языка не понимает. Вы спрашивайте, а я переводить буду, — предложила женщина.

— Извините, а она кто по национальности? — зачем-то полюбопытствовал Ямпишев.

— Молдаванка.

— И вы тоже?

— Нет. Я из Азербайджана, — ответила, пожав плечами, Лейла.

— Так вы знаете молдавский? — догадался следователь.

— Нет, — удивилась Лейла такому бредовому предположению.

— Значит, она знает азербайджанский? — сделал он единственно возможный вывод.

— Да нет же! Я буду переводить с русского на русский, — как маленькому разъяснила женщина.

— Не понял, — произнес Ямпишев.

— Она знает немного слов. А я знаю слова, которые она знает. Например, вы спросите: «Мучит ли вас жажда?» — она не поймет. А я переведу: «Ты хочешь пить?» Понял?

— Дошло, — вздохнул любивший порядок и ясность мыслей сыщик.

— Документы пусть предъявит, — обратился он к азербайджанке.

— Паспорт давай! — перевела она.

Марьяна убежала. Затем вернулась. Ямпишев, привычно бросив взгляд на фотографию, изучил прописку и начал рассматривать мятую бумажку с липовой временной регистрацией. Он уже устал от женских истерик и решил поскорей закончить это дело. Для достижения результата в максимально короткий срок не существует более короткого пути, чем жесткое давление. Впрочем, других методов дознания он все равно не знал. Теряясь, к кому обращаться, произнес, постоянно поворачивая голову:

— Гражданка Далмачану, мы знаем все. Будете отпираться — поговорим в другом месте, другим тоном и с применением спецсредств, но это будет совсем другая статья, где вы из свидетельницы переходите в разряд обвиняемой.

— Колись. Дело шьет, верняк, — произнесла Лейла.

Ямпишев, опешив от такого перевода, с удивлением посмотрел на жену хозяина. Жирная, падающая по пустякам в обморок восточная женщина владела жаргоном. Молдаванка расплакалась и произнесла:

— Да? За какой-то сраный рулон готовы человеку жизнь сломать.

— Ого! — констатировал Ямпишев. — Да у вас словарный запас не такой и маленький.

— Спрашивайте, — сказала восточная женщина.

— Кто взял? — задал вопрос следователь.

— Кто взял? — перевела Лейла.

— Пьянчужка один. Лариком зовут

— И где он сейчас?

— Где он сейчас?

— Ты повторяешься! — крикнул раздраженный попугайским переводом Ямпишев.

— Это тебе кажется, что повторяюсь. А на самом деле я произношу то же самое, но медленно, — объяснила переводчица.

— Не знаю. Он редко появляется, — Марьяна расплакалась.

Ямпишев молча достал листок бумаги и начал каллиграфическим почерком выводить: «Постановление об аресте». Затем придвинул к себе паспорт и стал вписывать данные, между прочим бормоча:

— Теперь тебя осудят. И правильно сделают. За такую мелочь условно. На два года. Вышлют из страны. Внесут в банк данных. В паспорт отметку вляпают. Мало того, на родине, в Молдавии, тоже проставят штампик во все документы. Существует договоренность. И не видать тебе больше до конца дней ни России, ни любой другой страны.

— Колись до конца! — предложила Лейла.

— Там в подсобке стоит. Ларик попросил присмотреть, пока он не найдет, куда толкнуть, — произнесла Марьяна.

— Ну и что теперь с тобой делать? — машинально спросил Ямпишев.

— Трахнуться надо, — неожиданно перевела Лейла и, повернувшись, вышла.

Марьяна, словно обрадовавшись, что так легко отделалась, начала раздеваться...

На следующий день Ямпишев на службу не вышел. Позвонили из приемного отделения Центрального госпиталя МВД и проинформировали, что он с сильнейшей гонореей, сопровождаемой температурой и обильными выделениями, положен в инфекционное отделение.

Марьяна уволилась и исчезла. Однако это не спасло заведение. Оно было закрыто и опечатано. А на следующий день там работала санэпидемстанция.

## Часть вторая

### Глава 1
### МОСКВА СЛЕЗАМ НЕ ВЕРИТ

Едва Турецкий зашел к себе в кабинет, как раздался телефонный звонок. Он снял трубку.

— Турецкий. Слушаю.

— Александр Борисович? — уточнил женский голос.

— Да, — ответил заинтригованный Турецкий.

— Подождите минутку. С вами хочет поговорить Вячеслав Иванович.

Турецкий знал только одного Вячеслава Ивановича, начальника МУРа. Но голос принадлежал явно не секретарше Грязнова. Тем не менее это оказался именно он.

— Алло, Сань, привет.

— Здорово. Слав, у тебя новая наложница? — спросил Турецкий.

— Да нет. Людмила Ивановна в отпуске, — серьезно ответил начальник МУРа. — Зиночка ее замещает.

— Слушай, Слава, у меня накопился ряд вопросиков. Я к тебе заскочу? — произнес Турецкий.

— Лучше встретимся на нейтральной территории, — предложил Грязнов.

— Славка, я же тебя знаю как облупленного. Знаешь, что мне помощница нужна, и боишься, что уведу?

— У тебя одно в голове, — засмеялся Грязнов. — Ты думаешь, зачем я звоню?

— Быть может, хочешь пригласить меня на ужин? — предположил Турецкий.

— Хочу, но не могу. Проблемы со временем, — вздохнул Грязнов. — Так как ты отнесешься тому, чтобы встретиться, скажем, на кладбище?

— Звучит заманчиво. Времени там будет достаточно, — протянул Турецкий. — Надеюсь, это не намек на соседние участки?

— Конечно нет. Даже если тебя похоронят позже и на моем кладбище, то я предусмотрительно оставлю в завещании пункт о перезахоронении.

— Чего так? — слегка обиделся Турецкий.

— Другого способа достижения вечного покоя не вижу, — объяснил Грязнов, добавляя уже серьезным тоном: — Через пятнадцать минут мой «мерин» у подъезда. На Ваганьковское, и через полчаса обратно.

Турецкий посмотрел на часы и начал прибирать бумаги в сейф. Затем спустился к проходной. Точно в назначенное время рядом с ним затормозил черный «мерседес» с голубыми номерами и приоткрылась задняя дверца. Турецкий сел. Автомобиль бесшумно покатил дальше.

Одним из главных достоинств транспортного средства начальника МУРа была возможность позволить владельцу роскошь пунктуальности. Он прибывал в любое место точно в оговоренное время. И никакие пробки не могли стать серьезной помехой. Водитель, отгороженный пластиковой перегородкой, даже не включал мигалку. Шикарные автомобили крайнего левого ряда сами перестраивались вправо, едва увидев в зеркало заднего вида оскаленную морду «мерина» с магическим номером. Лишь изредка ему приходилось пользоваться звуковым сигналом. При этом раздавались утробные низкие звуки, заставлявшие непонятливых быстро менять траекторию.

Турецкий пожал руку Грязнову, произнеся:

— Ну-к, Слава, повернись.

— А что такое? — заинтересовался, поворачивая голову, Грязнов.

— Хочу запечатлеть в памяти апельсиновый цвет твоих волос, — ответил Турецкий. — А то боюсь, когда в следующий раз доведется встретиться, и этой узкой полоски на затылке не останется.

— Слушай, Саня, а ты давно проходил диспансеризацию? — задал вопрос Грязнов, в свою очередь внимательно осмотрев старого приятеля.

— Ну лет десять назад, когда выписывался после этого, — задумчиво произнес Турецкий, проведя пальцем по животу. — А что?

— Сходи к эндокринологу. Не нравится мне твой гормональный фон. Все как люди: стареют, седеют, облетают, а ты законсервировался на тридцати трех.

— Как говорит Конфуций: «Человеку столько лет, на сколько он выглядит. А выглядит на столько, насколько себя чувствует», — процитировал Турецкий.

— Говорил! Конфуций говорил, — уточнил старый оперативник.

— А по этому поводу есть другая цитата: «Все умерли, кроме тех, кто жив, и тех, о ком помнят», — вернулся к теме Александр Борисович. Затем добавил серьезнее: — Ладно, я думаю, мы встретились совсем не для того, чтобы вести беседы на тему классической китайской философии?

Начальник МУРа отодвинулся. Положил на колени «дипломат». Раскрыв его, вынул пачку фотографий и принялся раскладывать на крышке, комментируя:

— Профессор-историк Марат Капустинский, убит в феврале этого года в собственной квартире. Огнестрельное ранение в голову. Раритеты не похищены. О трагедии узнали через две недели благодаря тому, что почтовый ящик, переполнившись под тяжестью корреспонденции, обвалился. Член-корреспондент РАН Антон Мозговой, литературовед. Исчез при невыясненных обстоятельствах в марте. Ректор института квантовой физики Эрнест Карзо выбросился из окна, оставив напечатанную на принтере записку. При том, что, по странной прихоти, ученый принципиально не пользовался компьютером. Это тоже март. Апрель без происшествий. Май. Профессор Волобуев, биохимик, застрелен в лифте собственного дома. И это, заметь, только по текущему году, — констатировал, подняв одну из бесцветных бровей, Грязнов.

— Вчера тебе доложили, что Жбановским занялся Турецкий?

— Именно. Мои ищейки практически ничего нарыть не смогли. Однако если связь имеется, то пища твоему могучему мозгу будет, — произнес Грязнов.

— Да. Чувствую, мне уготована этакая роль паука, сидящего в центре и дергающего ниточки. В общем, Слава, давай все материалы. Еще нужен опер, такой, чтобы я давал задания типа: найти водителя Жбановского и не слышал ответа: «Мало людей, много больниц. Ищу бегаю».

— Ладно. Володя подойдет? Он полностью включиться в дело не сможет, завален своими делами, но все твои желания будет исполнять, словно джинн. Кокушкина уже, кстати, сыскали. Пятьдесят вторая больница. Естественно, травматологическое отделение, — выходя из автомобиля, произнес Грязнов. — А если что, думаю, ты не постесняешься меня потеребить лично. Ну ладно, пойду отдам долг памяти.

— Да, что-то зачастили мы в такие места, — оглядывая стоянку, сказал Турецкий.

— Долго живем, — прозвучал глубокомысленный ответ.

— Кто-нибудь близкий?

— Начальник отдела в министерстве, — сделав неопределенный жест рукой, произнес Грязнов. — Обязанность по протоколу. Минут на двадцать. Где тебя найти?

— Тогда я по своему треугольнику. Встретимся у Александры, — произнес Турецкий.

Бывшая начальница МУРа Александра Ивановна Романова покоилась в дальнем углу этого странного кладбища, давно ставшего своеобразным культурно-развлекательным центром. Турецкий обычно некоторое время стоял у Володи Высоцкого, затем проходил к могиле Есенина и завершал у скромного памятника боевой подруги.

Через полчаса к нему присоединился Грязнов.

— Неудобно как-то без цветов, — произнес Турецкий, заранее зная, что сейчас начальник МУРа выкинет коронный номер, которому научил его один из старых зеков.

И точно. В руках у Грязнова словно из воздуха появились четыре гвоздики. Он положил их и произнес:

— Не стыдно?

— Конечно, нехорошо получилось, — кивнул головой Турецкий, — надо было тормознуть у палатки.

– Я не о том. Признайся, ты ведь никогда не читал Конфуция?

— И даже не знаком с его миропониманием!

Владимир Поремский знал, что Александр Борисович Турецкий способен на многое. И если обещал, то обязательно пробьет все преграды и переведет его в столицу. Он даже начал помаленьку готовиться, отлично понимая, насколько инерционна бюрократическая система. Реально можно было рассчитывать на полгода. Поэтому Владимир слегка опешил, когда его вызвал прокурор области и, недовольно вручив командировочное удостоверение, велел в течение суток прибыть в распоряжение помощника генерального прокурора Турецкого.

Поремский отложил все дела. Быстро собрался и, приехав на вокзал, вскочил в первый попавшийся поезд до Москвы. Состав прибыл на Курский под вечер. Володя со спортивной сумкой на широком плече, отливая соломенными волосами и лучезарно улыбаясь, вышел на привокзальную площадь. Сразу бросились в глаза десятки старушек с плакатами «сдам квартиру», «сдам комнату». Это воодушевило. Значит, в этом городе есть где переночевать.

Обычно он останавливался у старого училищного друга. Но у того в одном месте торчало вечное шило, и его постоянно тянуло на подвиги, которые в мирное время иначе как под статью «мелкое хулиганство» не подходили. Последний раз благое намерение попить пива в «Жигулях» кончилось в пятом отделении милиции на Арбате. Поремский тщетно пытался вызволить своего друга, размахивая корочками. А Мовчан в это время предпринимал неудачные попытки повеситься на своем шарфике.

Сейчас приключения в планы совсем не входили. Володя поехал по гостиницам. Причем не по самым шикарным. Везде предлагалось два варианта: либо мест не было совсем, либо апартаменты за немыслимые деньги. И тут вспомнились старушки на вокзале.

Тогда Поремский не знал, что сдача комнат на ночь — это часть публичного бизнеса. Проститутки, как правило, покупались на Ярославке, Ленинградке, Тверской либо вообще чуть не на Красной площади. Затем, если не было подходящего места, на Курском снималась квартира на ночь.

Владимир, погуляв по ночной Москве, вернулся на Земляной Вал и, подойдя к одной из старушек, спросил:

— Сколько стоит квартира?

— На час, два, ночь? — начала уточнять запросы клиента старушка. — Ночь — пятьсот рублей.

— Пока на сутки, — ответил удивленный молодой человек.

— Тогда подходи через десять минут.

Пройдясь и оценив предложения, он вернулся к прежней бабушке. Рядом с ней толкался не внушающий доверия кавказец.

— Вот. Это к нему, — проскрипела пожилая женщина.

— В центре Москвы. Все удобства. Триста рублей в сутки, — назначил цену горец. — Деньги вперед.

Сели в метро и через три остановки оказались на Арбате. По пути джигит ненавязчиво поинтересовался о цели визита в столицу, роде деятельности, материальном достатке. Поремский, естественно, не стал перед каждым встречным раскрывать карты. А зря. На этот раз стоило бы.

Володя закрыл за кавказцем дверь и огляделся. Эта была обыкновенная обшарпанная однокомнатная квартира в типовой девятиэтажке, затерявшейся в арбатских переулках. Поремский разделся. Принял душ. Вытерся и вышел в комнату. Двуспальная кровать оказалась застелена свежевыстиранными накрахмаленными простынями. Володя с удовольствием растянулся на них, не включая свет, задремал.

Тихо щелкнул замок. В коридор вошли двое и устроили небольшую возню. Володя, решив, что вернулась хозяйка, не желая в таком виде представать перед посторонним человеком, натягивая спортивные брюки, произнес:

— Эй, кто там?

В ответ послышался грохот, испуганный возглас и топот по лестнице. Поремский выскочил. Полки в коридоре были пусты. Исчезла одежда и сумка с самым необходимым. Владимир долго не рассуждал. Он выскочил на лестничную площадку. Сбежал вниз. Выскочил из подъезда.

Сумка в руках у молодого мужчины, мелькнув, скрылась за углом соседнего дома. Володя кинулся наперерез. Вскоре увидел пробегавшего с его вещами человека. Кинулся следом. Несмотря на босые ноги, без труда догнал и сбил. Тот кубарем покатился по дорожке. Стукнув для профилактики пяткой в нос, забрал сумку. Расстегнул. Убедился, что потайной карман с документами и деньгами не тронут.

Неожиданно позади раздался скрип тормозов. Остановились сине-белые «Жигули». Из них выскочили четверо здоровенных парней с автоматами. Водитель остался на месте. Поремский сильно удивился, представив, как они могли там поместиться. Один из них, тыкая в Володю стволом, заорал:

— На землю! Сумку в сторону!

— Слышь, мужик, я ведь голый, — дружелюбно улыбаясь, произнес Поремский. — Грязно. Можно постою?

— Молчать, гнида! Быстро лег! — прозвучал ответ.

— Я следова... — договорить Поремский не успел, получив удар прикладом автомата в скулу.

Владимир потерял сознание и упал. В себя пришел уже в «обезьяннике». От сильной трясучки. Оказалось, что источником ее был он сам. Тело, лежавшее на металлическом полу, била крупная дрожь. Оно представляло сплошной синяк, слегка подкрашенный многочисленными царапинами и ссадинами. Из одежды на нем были перепачканные кровью и грязью тренировочные штаны. Нижняя часть лица распухла. Со стоном поднялся. Брезгливо оглядел грязный пол, составленный из железных плиток, блестевших в области скамейки. На ней сидел бомж, распространявший острый редечный запах. На другом конце прилично одетый мужчина в очках читал книгу. Поремский снизу прочел имя автора: «Борхес». Интеллигент. Интересно, он-то в чем провинился? Перехватив взгляд Поремского, очкарик постарался уйти в книгу поглубже. Вора, естественно, не было.

За столом, листая журнал с красочными картинками, зевал красномордый сержант. Володя, испытав нечто похожее на дежа-вю, узнал его сразу. Оглядев обстановку, пришел к выводу, что он в знакомом пятом отделении. Подошел к решетке и произнес:

— Сержант, пригласи дежурного по отделению.

— Очухался? — не сильно обрадовался милиционер. — Ну давай протокол составлять будем.

— Какой протокол? — удивился Поремский.

— Устанавливать личность, род занятий, прописан где?

— Я сегодня в Москву приехал, — начал было разъяснять Владимир, но его взгляд скользнул по дебильному лицу. — А о роде занятий я с начальством твоим буду разговаривать. Развели тут непонятно что. Давай сюда дежурного офицера! И вообще, без адвоката ни слова. На каком основании меня задержали? А это что? Завтра придется день терять — следы от ваших побоев снимать.

— Не придется. Ты у нас надолго. Побился сам, пока довезли в бессознательном состоянии. А адвоката хочешь? Иди сюда, что скажу.

Красномордый сержант поднялся. Подошел, дохнув перегаром, и неожиданно резко ударил Поремского по голове сверху. Рука у него была профессионально поставлена. Видно, сказывалась многолетняя тренировка. Сморщившись от боли, Владимир оглянулся на свидетелей беззакония. Если бомж не проявлял ни одной эмоции, то интеллигент в ужасе созерцал происходящее. Причем на чьей стороне его симпатия, понять было невозможно. Он просто безучастно фиксировал факты, будто попав в чужой мир по туристической путевке или сидя в кинотеатре с пакетом поп-корна. Володя разозлился:

— Все. Считай, что ты уволен по статье. Я следователь Генеральной прокуратуры.

В этот момент раздался радостный гогот. Появились майор и капитан. Капитан был в расстегнутом кителе, высокий, молодой. Майор, чуть пониже, с просвечивающейся сквозь редкие волоски лысиной. Они были пьяны.

— Сидорчук! Этого придурка Корякина можешь выпускать. Три часа прошло.

— Эй ты, очкарик! — ткнув дубинкой, произнес сержант. — Иди сюда!

Милиционер отворил дверь и вывел интеллигента. Заставил расписаться в журнале. Затем, протягивая ему документ, произнес:

— Ну что, больше не будешь так нажираться?

— Да мы вчетвером, в обед, бутылку под хорошую закуску...

— Ладно, иди. Проверь деньги, документы, вещи. Претензий быть не должно, — по-доброму сказал Сидорчук. — Видишь? Не качал бы прав, давно бы отпустили. Головка не бо-бо?

— Все в порядке. Я не имею ничего. Извините. Прощайте, — засуетился гражданин Корякин.

Радостный человек убежал. Капитан с майором закурили. Откуда-то вошли еще два патрульных, о чем-то заговорили. Володя попытался вновь привлечь к своей особе внимание:

— Вы не желаете разобраться со мной?

— У тебя есть желание? — спросил майор капитана.

— Нет, — ответил тот, скользнув животным взглядом по решетке.

— И у меня не возникает, — констатировал майор.

— Мои документы в сумке, — попробовал пробиться Владимир, — ознакомьтесь, пожалуйста. И вообще, за что?

— Сидорчук, разберись. Что у тебя за бардак! — вдруг заорал капитан.

— Позвоните в Генпрокуратуру помощнику генерального прокурора генералу Турецкому.

— А китайский адмирал не подойдет? — съязвил майор.

— Зачем, сразу президенту американскому, — заржал капитан, удаляясь.

Поремский понял, что здесь какая-то клоака, и стал обдумывать план побега. Вошла старушка. Она начала спрашивать:

— Скажите, кому можно подать жалобу на участкового?

— А что такое? — заинтересовался сержант.

— Сначала заставил пускать в комнату постояльцев. Потом поселил там женщину. А теперь, говорит, ежели не пропишешь, житья не дам, — пожаловалась бедная старушка.

— Ну пиши все, что сказала, прямо при мне, — протягивая желтоватый лист бумаги и ручку, разрешил Сидорчук.

Бабуля исписала лист и тихонько поковыляла к выходу. Сержант тут же разорвал его на кусочки и бросил в урну.

— Ты что же, гад, делаешь? — спросил Поремский. — Морда уголовная!

Сержант подошел к решетке. Махнул рукой. Но Владимир оказался в недосягаемости. Тогда милиционер отпер дверь и вошел в камеру. Замахнувшись для удара, открылся. Поремский провел короткий резкий удар в корпус. Страж порядка рухнул под ноги. Владимир огляделся в поисках тряпки для кляпа. Кое-какими лохмотьями мог поделиться бомж. Однако Поремский, несмотря на сильнейшие побои и оскорбления, был не настолько ожесточен, чтобы затыкать рот живому человеку всяческой дрянью. Пришлось воспользоваться собственным галстуком сержанта. Затем он бросился к телефону. Хорошо, номер дежурного по прокуратуре остался в памяти. Набрал один раз, другой, третий. Наконец ответил бодрый голос:

— Дежурный по второму управлению. Слушаю.

— Я следователь Поремский, направлен в распоряжение Турецкого. Задержан в отделении... Ладно, извините! Ничего не надо! — крикнул он в трубку, бросая ее.

Владимир увидел свою сумку. Приоткрыл дверь. Заскочил. Схватил ее и осмотрел. Там рылись, но секретный карман с документами вскрыт не был. Повернул голову на внезапный шорох. Бомж закончил потрошить карманы Сидорчука и с награбленным добром выскочил за дверь. Поремский бросился следом. Выбежав во двор, повернул к ближайшим зарослям. Натянул на тело футболку.

Из двери отделения милиции выскочили двое. Побежали в арку на улицу. Через несколько минут бомж был выловлен. Владимир решил не рисковать. Перемахнул забор и вышел дворами на Сивцев Вражек...

Они познакомились в начале семидесятых в читальном зале Ленинской библиотеки, когда одновременно заказали одну и ту же книгу. В те времена в Ленинку можно было попасть, лишь предъявив справку о том, что по роду службы занимаешься научной работой. Однако проблем с ее оформлением не возникало. Начальство поощряло тягу к знаниям. Завладев толстым фолиантом, юноша и девушка проштудировали его, а затем незаметно перешли к изучению друг друга.

Увлечение историей оказалось настолько серьезным, что своего первенца, долго не думая, они назвали Рюриком.

Мальчик рос тихим и задумчивым. Окружавшие его дети не упускали повода дать ему почувствовать свою особенность. Его память удерживала странную, непонятную информацию. Время от времени он с замиранием сердца чувствовал, как накатывает дежа-вю. Рюрик словно силился что-то важное вспомнить. Но не мог.

Однажды пацаны во дворе жгли костер. Кто-то приволок огромную, как арбуз, лампочку. Ее бросили в огонь и разбежались. Прошло несколько минут. Лампа взрываться не хотела. Тогда появился кусок толстого полиэтилена. Его кинули сверху. Плавясь и горя чадящим пламенем, пластмасса обтекала стекло. Но то упорно не желало лопаться. Тогда мальчишка постарше бросил клич:

— Кто смелый?

— Я! — неожиданно ответил восьмилетний Рюрик.

Ему дали палку. Елагин подошел к костру и, слегка зажмурившись, ударил по лампочке. Раздался громкий хлопок, и он ощутил жгучую боль. На мгновение Рюрик увидел ослепляющую вспышку. Затем наступила темнота. Кусок смеси расплавленной пластмассы с вкраплениями осколков раскаленного стекла словно маска покрыл его лицо.

Елагину, можно сказать, повезло. Органы зрения не пострадали. Молодая кожа регенерировала хорошо. На лице, только если внимательно приглядеться, остались многочисленные бледные полосочки-шрамики от кусочков стекла. Когда он загорал или краснел, они оставались белыми.

В больнице ему пришлось провести два месяца в полнейшей темноте. Чтобы хоть как-то скрасить существование сына, Елагины надиктовывали рассказы из «Истории государства Российского» и передавали кассеты Рюрику. Невольно ему приходилось слушать. И если раньше он пропускал мимо ушей споры родителей относительно исторических фактов, событий, имен, то сейчас ему открылся интереснейший мир. И еще он почувствовал, что в изучении прошлого кроется ответ о будущем.

Прошло несколько лет. Рюрик с головой ушел в историю. Однако в его глазах все время горел огонь, которого недоставало родителям. Его вела какая-то идея. Он изучал прошлое не для самообразования. Ему важно было познать себя.

Непонятно-странная, величественно-нелепая история государства Российского завораживала своим размахом. Однако для системного понимания его места и роли необходимо было знать и мировую историю. Однажды, изучая философские и религиозные воззрения восточных народов, натолкнулся на одну мировоззренческую систему из области раджа-йоги. В принципе, это были осколки аюрведических знаний, сохранившиеся благодаря духовному консерватизму южных народов.

В трактате объяснялось, что для познания себя, Бога, Бога через себя и себя через Бога не важно, чем заниматься. Ибо истина везде. Все, что вокруг, имеет божественное происхождение. Важно постичь суть предмета. Можно годами вглядываться в осколок глиняного горшка, и однажды черепок раскроет свою сущность, распадется на атомы, превратится в сгусток энергии, разверзнется канал, в который без труда войдет астральное тело. Он вдруг ясно осознал, что его увлечение историей — это путь познания истины.

Елагин ясно представлял картину мироздания и свое место в ней. Жизнь во Вселенной развивается циклично. Сначала было «слово». Затем взрыв. Разлет галактик. Формирование планет. Возникновение жизни на Земле. Достижение сегодняшнего момента. После обратное сжатие и исчезновение Вселенной. И снова циклическое повторение процесса. И вновь остается это «слово». Некая всемирная матрица, бесконечно непостижимое подобие ДНК, где записана вся информация. А значит, все повторится с точностью до мельчайших подробностей. Следовательно, уже все было. А значит, возможность узнать будущее и прошлое — реальна. Надо только постичь способы считывания информации с матрицы. Некоторым это дано от рождения, другие приобретают вследствие тренировок.

Еще до появления нашумевшей истории Фоменко он сам пришел к выводу, что что-то не так. Все фолианты — переписка из одного источника. Если записывать ход событий в двух различных городах, то явления, для одного значимые, будут не замеченными соседом. Русь представляла собой множество разрозненных княжеств. Однако ни одно из них не имело своей истории. Был некий единый удобный подход. Рюрик рвался к первоисточникам, рукописям, летописям. Оказалось, все они уничтожены. Все, что было древней времен Ивана Грозного, существовало лишь в переписках поздних авторов.

Еще серьезнее поколебало его в очевидности классической истории участие в экспедиции Академии исторических наук, занимавшейся поисками Куликова поля. Каждую весну, в течение сорока лет, партия под руководством известных профессоров отправлялась в Тульскую область, где все лето занималась раскопками. Желающих было хоть отбавляй. Однако Елагин смог доказать свою полезность. Его взяли. Несчастный клочок земли был перепахан несколько раз. Находились многочисленные захоронения более поздних времен, братские могилы, останки со следами колото-резаных ранений. Но там встречались все: женщины, дети, мужчины. А это свидетельствовало лишь об одном. Перед ними были следы жестокого набега на небольшое селение.

Поражало, что сроки жизни не превышали тридцати лет. Былинные старцы, калики перехожие были мужчинами всего лишь лет тридцати пяти — сорока. Массового захоронения воинов так и не обнаружилось.

Под стакан водки у ночного костра даже солидные ученые мужи высказывали крамольные мысли относительно не только места и времени, но и самого факта события. Из экспедиции, которая должна была укрепить его веру, Елагин вернулся раскольником от истории.

Неожиданным результатом четырехмесячных раскопок стало увлечение криминалистикой. Его глубоко поразило отсутствие точных методов анализа степени древности останков. Определение возраста археологической находки на глазок, в ходе небольшой дискуссии, оказалось обычной практикой. Затем все документировалось и уже в многочисленных научных трактатах приводилось как неоспоримое доказательство.

Однажды Елагина подозвал руководитель экспедиции. Он протянул юноше небольшой кусочек насквозь проржавевшего железа.

— Прикоснись к прошлому. Это настоящий наконечник стрелы.

Елагин сжал в руке находку. Внезапно он почувствовал, как накатывает неведомая волна и начинает кружиться голова. Рюрик, впав в состояние, близкое к самогипнозу, открыл глаза. Он стоял посреди небольшого поселения из рубленых хат, залитых кровью и охваченных пожаром. Шла ожесточенная битва. Метрах в десяти от Елагина упал одетый в грязно-белую длинную рубаху юноша. Из его рук вывалился меч. Затем сверху обрушились останки догоревшего дома.

— Парень, ты что, уснул? — спросил, толкнув его в плечо, один из участников экспедиции.

Рюрик пришел в себя. Уверенно произнес:

— Это меч.

— Да не напрягайся так, — улыбнулся бородатый аспирант-историк, — теперь определить это совершенно невозможно.

Елагин сделан несколько шагов и осведомился:

— Здесь нашли?

— Да, — подтвердил обнаруживший находку разнорабочий.

Вооружившись самой мягкой кисточкой, Елагин принялся выметать и выдувать пыль веков. Вскоре обнаружился оставшийся в почве отпечаток грозного оружия. Наступила немая сцена. К Елагину подошел приглашенный в экспедицию как специалист по определению характера механических повреждений останков криминалист на пенсии по прозвищу Жорж Жорыч.

— Я знавал одного такого, — сказал он. — Посмотрит на улику и вдруг начинает рассказывать все о самом преступлении. Поначалу казалось: мистика. Затем обнаружилось, что действует это только на месте происшествия. Вот и оказалось, он схватывал все незначительные детальки и признаки и неосознанно воссоздавал картину преступления. Есть одна профессия, где такие, как ты, нужны, чтобы жизнь людям спасать...

И вот старший следователь по особо важным делам Елагин Рюрик Николаевич после семи лет службы в Волжском округе назначен в Москву. Он прошелся по площади трех вокзалов. Эта площадь давно уже не напоминала то место, с которого начиналась столица для всего северо-востока. Однако слегка неуклюжий, задумчивый Рюрик не замечал роскошных лимузинов и вшивых бомжей, он не ощущал ароматов французских духов, которыми благоухали спешащие к метро женщины, и запаха нечистот, навечно впитавшихся в асфальт. Он видел свою, только ему ведомую картину площади и твердо знал, что она и есть настоящая.

В действительность его вернула довольно упитанная женщина, бесцеремонно сбив с ног бронебойным бюстом. За ней, словно в фарватере ледокола, уютно чувствовало себя с десяток людей поменьше размерами.

Елагин решил рвануть на ближайшей электричке до дома родителей. Перед завтрашним представлением высокому начальству требовалось отдохнуть и привести себя в порядок.

Встал на Ярославском вокзале в очередь за билетом до Подлипок. У касс милиционеры долго проверяли документы двух приезжих с Кавказа. Затем отпустили без особых проблем. По фигуре Рюрика лишь бегло скользнули, словно это был неодушевленный предмет. Зато появление группы озирающихся молдаван заставило глаза патрульных загореться алчным огнем.

Рюрик всегда ездил в четвертом с конца вагоне. Первый и третий нещадно трясло. А предпоследний облюбовывали различного рода асоциальные элементы: бомжи, попрошайки, цыгане, «рабы» из Средней Азии.

Пристроившись у окна, надел темные очки и принялся наблюдать за людьми, пытаясь определить по совокупности вторичных признаков род занятий.

Вошли встреченные у касс кавказцы. Теперь на их обветренных лицах не было того беззаботного недоумения: «Ну приехал в гости к родственнику, торгующему апельсинами. Погощу — уеду выращивать кинзу-петрушку». Молодые и крепкие парни прокрались по вагону с грацией пантер, готовых к смертоносному прыжку. Профессионально просканировали обстановку, словно вагон представлял собой занятый противником объект. Оценили каждого пассажира. Один прошел вдоль левого ряда, другой прокрался по правому. Рюрик, сильно ссутулившись и уткнувшись в книгу, принял самую безобидную внешность — ботаника. Электричка тронулась. Вошедшие между собой не переговаривались. Но, судя по настороженности поведения, явно выполняли осмысленный план.

Поезд приближался к станции Маленковская. По вагону прошла славянской внешности женщина лет пятидесяти. Она остановилась напротив мужчин. Поставила на пол тяжелую сумку. Немного отдышавшись, продолжила свой путь. Сумка осталась. Елагин едва не бросился за ней вдогонку, однако один из горцев наклонился и, вытащив из нее пачку сигарет, предложил второму выйти в тамбур. Распечатывая на ходу и доставая сигареты, они пошли.

На пальце у вынимавшего Рюрик ясно заметил появившееся кольцо. Что это такое, ему объяснять не требовалось. Он забросил свою сумку на верхнюю полку и ринулся следом. В тамбуре кавказцев не было. Рюрик вернулся. Поднял с пола сумку и вышвырнул подальше в окно.

Неожиданно вагон ожил. Вскочил какой-то длиннющий волосатик и начал щелкать фотоаппаратом. К Рюрику подскочила девица с татуированным животиком и, сунув под нос диктофон, затараторила:

— Ваше имя, фамилия? Я Юлия Вербовская. Известное молодежное издание «Соль жизни». Мы проводим акцию «Провокация». Подбрасываем муляжи взрывных устройств в общественные места и смотрим на реакцию представителей органов безопасности и мирных обывателей. Вы первый поступили как настоящий герой. Расскажите о себе. Ваше имя, чем занимаетесь? Служили ли вы в спецназе?

Не понимая, Рюрик молча озирался по сторонам. Девица сунула ему в руки мягкую игрушку — розовую свинью — и принялась разъяснять:

— У нас в передаче герою дня положен приз. Берите, это ваше!

Отодвинув настырную девчонку, к Елагину пробрался милиционер. Он козырнул и произнес:

— Ваши документы!

Елагин достал паспорт, затем, чтобы не видели журналисты, предписание. Сержант прочел и кивнул.

— Теперь понимаете, что репортажа быть не должно. Я при исполнении.

Милиционер приблизился к девушке и начал нашептывать на ухо. Она вдруг глянула на Елагина, и ее глаза загорелись. Вскоре они убрались, а Рюрик попытался успокоиться.

Было время, когда Курбатов любил самолеты. Когда-то он их сам клеил и раскрашивал. Первый же полет не оставил других впечатлений, кроме запаха, исходящего из открытого перед носом бумажного пакета. Потрясение было настолько сильным, что его начинало подташнивать даже при виде развешанных в комнате пластмассовых самолетиков. Он их снял и раздарил.

Поэтому, после окончания университета выбив себе распределение на Сахалин, исключительно из желания оказаться подальше от навязчивой опеки отца, решил хоть раз в жизни проехать через всю страну на поезде.

Это путешествие обернулось самым большим кошмаром в его жизни. Огромное тело помещалось на койке купейного вагона только боком. Попытки перевернуться на другой неизменно заканчивались на полу. Для того чтобы поменять положение, что при весе в сто двадцать килограммов требовалось делать через каждые пятнадцать минут, приходилось вставать. Десять суток бессонного кошмара, не считая сумасшедших ветхих старух, требовавших, чтобы он лез на верхнюю полку, детишек, по поведению мало отличающихся от стада мартышек, ужаснейшего расстройства желудка из-за паленой водки и еды, покупаемой на остановках.

Когда обессиленный и опухший Курбатов добрался наконец до Владивостока и, поднявшись на борт корабля, увидел каюту, чуть не прослезился от счастья. Он упал в приближенное к человеческому ложе, планируя проснуться не раньше Сахалина. Однако произошло это гораздо быстрее. Александр открыл глаза от того, что корабль попытался перевернуться. Вскочил и рухнул на коврик. Пол странным образом гулял во всех проекциях. Он крутился, кренился, клевал вниз, задирался к верху. От этого картина перед глазами поплыла, а желудок запросил опорожнения. Курбатов бросился к туалету. Даже совать в горло пальцы не потребовалось. Полегчало, но ненадолго. Этой позы до самого конечного пункта он не менял.

Полюбить самолеты Курбатов не смог, но с тех пор путешествовал исключительно на них. Он открыл, что принятие трехсот граммов качественного напитка крепостью от сорока градусов и выше способно сделать любой перелет если не приятным, то уж сносным наверняка.

Наконец лайнер коснулся взлетной полосы аэропорта Домодедово. Видимо, чувство неуверенности в полете испытывал не только Курбатов, потому что благодарные пассажиры немедленно разразились аплодисментами.

Смена часовых поясов и почти сутки перелета давали о себе знать. Страшно хотелось спать, и голова отказывалась думать. Курбатов вышел на площадку перед аэровокзалом. Все вещи шли контейнером. С собой у него был лишь один «дипломат». Александр, освобожденный от необходимости ждать, пока выдадут багаж, попытался найти стоянку маршрутных такси. Она бесследно исчезла с того места, где была в прошлый раз. Неожиданно пробежал мужик, крича: «Беру четверых по двадцать рублей до метро «Домодедовская». К нему подскочил один, второй. Курбатов заорал: «Третьим буду». Алчный водитель по пути подхватил прыщавого парня и узбека в тюбетейке. Узбек все рассказывал о том, что ему надо в Белоруссию, и тому дружно объясняли, что это прямая ветка до Белорусского вокзала. Подошли к сиреневому джипу «гранд-чероки». Александр присвистнул:

— Это на таком ты бомбишь?

— Да нет. Был бы мой... — ответил водитель. — Шефа проводил. На самолет посадил и теперь, чтоб не пустым возвращаться...

Солидный пожилой мужик сел рядом с водителем. У одного окна расположился Курбатов, у другого узбек. На откидном заднем — парень и мужчина лет под пятьдесят с рябым лицом. Александр уставился в окно, с любопытством наблюдая майское цветение. На Сахалине еще кое-где лежали сугробы. Рябой оказался живчиком. Ему очень хотелось поговорить.

— А ты вот откуда прилетел?

— С Сахалина, — ответил Курбатов.

— О! Там, наверное, машины дешевые?

— Что да то да, — вздохнул Александр.

— А джип сколько стоит?

— Десятилетний можно штуки за три взять.
— Десятилетний? — развернулся водитель.
— А что ему, японцу, сделается? Подвеска неубиваемая. В движок миллионник закладывается, — просветил Курбатов.
— Сам-то чем занимаешься по жизни? — продолжал праздную болтовню сосед.
— Так.
— Я к чему. У меня в Самаре свой колбасный цех. Может, по бизнесу интерес какой найти сможем.
— Нет, я с бизнесом не связан, — отшил его Александр.
— А поезд с Белорусского вокзала только в Белоруссию ходит? — задал мучивший его вопрос узбек.
— Да успокойся ты. В кассах скажешь, куда надо, и поедешь, — произнес водитель.
— А что это мы все как-то разговариваем, разговариваем. А до сих пор не представлены. Меня Колей зовут.
— Александр, — ответил Курбатов, отворачиваясь и засыпая.
— Вова, — произнес парень.
— Махмуд, — представился узбек, привставая и поправляя галстук.
— Лева, — сказал сидевший рядом с водителем.
— Махмуд, вы откуда? — развернувшись, задал вопрос Коля.
— От верблюда, — заржал Лева.
— С Ташкента. А надо мне на Белорусский вокзал. В Минск еду.
— Тяжело там у вас нынче? — продолжал интересоваться неугомонный Николай.
— Тяжело. Но кто работает, ничего, держатся, — ответил узбек.
На некоторое время повисла тишина. Курбатова она сильно не угнетала. Он с удовольствием смотрел в окно.

Однако Николай явно был из тех, кого могила успокаивает. Немного поворочавшись, продолжил:

— Вова, а вы за границей бывали?

— Нет. Не приходилось. Но собираюсь по осени в Египет, покупаться.

— А я объездил полмира. И что интересно! С нами никто в карты играть не любит. Знаете почему? — спросил Коля.

— Могу предположить, что по их карманам прошлись наши шулера? — выдвинул версию Курбатов.

— Нет. Вот был месяц назад в Болгарии. У вас, говорят, игры все обидные. То дураком оставят, то пьяницей, то ведьмой.

— Еще свиньей могут, — вставил, надувшись, узбек.

— Вот-вот. А они все играют в королевский покер и горя не знают.

— Это что за игра такая? — спросил заинтересованно Махмуд.

— Понимаешь, раздается по две карты. У кого два короля, тот и выиграл, — объяснил Николай.

— А если нет двух королей? — явно заинтересовался узбек.

— Тогда у кого больше очков, — пояснил бывалый игрок.

— А сколько человек играть может?

— Да хоть весь вагон, — заявил Николай.

— Ну ты загнул. Где это видано, чтобы в карты играл целый вагон? — вставил Лева.

— Слушай, не понял как. Расскажи, а? — наморщив лоб, попросил Махмуд.

— Ну достал, — развел руками, давая понять, что сам не рад начатому разговору, Николай. — Тут показывать надо. А у меня и карт нет.

— У меня есть, — обрадовался узбек. — Я в дорогу взял. Покажи. Скучно ведь ехать.

— Ну давай. Легче, видно, тебе объяснить, чем отделаться.

Николай быстро распечатал колоду карт и разбросал между Левой, Вовой, Махмудом и сунул Александру:

— Сань, помоги этого научить.

Курбатов ответил:

— Ребята, без меня. Устал.

Рябой Николай подозрительно на него взглянул и стал объяснять:

— Видишь, у Левы дама и десять, значит тринадцать. У Вовы король и семерка. Сколько?

— Одиннадцать, — высказал предположение Махмуд.

— Нет. В королевском покере короли по двенадцать идут.

— Девятнадцать? — удивился он.

— Правильно. А у тебя: туз и десятка. Двадцать одно. Но есть еще правило. Ты можешь за одно очко поменять обе карты. Вообще, тебе при таком раскладе менять ничего не надо. А Лева меняет. У него два, восемь и один. Одиннадцать. Вова тоже может поменять. У него король — двенадцать, десятка и один, всего — двадцать три. Он выиграл.

— А я поменяю, — произнес тупой узбек.

— Но ты же не знаешь, какая карта у остальных. Ну давай! Два туза? Вы с Вовой вскрываетесь и выигрыш пополам.

— Давай еще, — попросил гость из Средней Азии.

— Хватит, — твердо произнес Николай. — Скоро подъезжаем. Шеф, сколько до метро?

— Минут пятнадцать.

— Объясни еще раз, может, поймет, — попросил за несчастного Лева.

— Ну давай. Только так. Договоримся: всего один раз, и никаких больше просьб. Все согласны?

— Согласны, — радостно ответил Махмуд.

Николай шустро раздал карты. Курбатова, честно говоря, вся эта учеба тупого узбека утомила. Он, не желая даже вникать в простейшие правила, уже все понял. А этот никак не въедет. Вова усмехнулся и зевнул. Лева выругался:

— А одну оставить нельзя? У меня король с мелочью.

— Нет, надо менять обе, — пояснил Коля.

Лева поменял обе карты. Узбек загадочно улыбнулся. Вытащил десятку и бросил на «дипломат».

— Ты что? — спросил Николай.

— А так. Не хотите — не надо, — ответил радостный Махмуд.

Вова кинул тоже десятку. Лева в свою очередь поддержал. Махмуд положил пятьдесят рублей. Вова, не думая, вынул купюру и поставил на кон. Лева накрыл ее пятисотенной. Узбек кинул тысячную. Вова заметно занервничал и, показав Курбатову двух королей, произнес:

— Пожалуй, я пасую.

— Пасуй, — пожал плечами Александр.

— Ты что? У тебя что, денег нет? — испуганно шепотом спросил Николай, заглядывая в его карты.

— Совершенно пустой лечу, — объяснил Вова.

— А дома?

— Конечно есть.

— Может, одолжить? — предложил Николай. — У тебя же чистый выигрыш.

— Нет. За половину пойдешь? — предложил Вова.

Николай немного задумался и произнес:

— Я иду за половину.

Полез в карман и кинул сто долларов. Лева отсчитал пятьсот. Узбек испуганно замахал руками и произнес:

— Все, пас. У меня таких денег нет.

— Ну что, вскрываемся? — обрадовался Вова.

— Через пасующего нельзя. Мы поддерживаем ставку, — доставая пять зеленых бумажек, произнес Николай. — Вскрываешь?

Однако Лева полез в портфель и вынул три пачки стодолларовых купюр.

— Ты хорошо подумал? — вскричал Николай.

— Мужики! — вскрикнул водитель. — Вы что? Уже в возрасте. У тебя как с сердцем, Лева? Лекарства есть?

— У меня свой бизнес, — успокоил тот, — если что, не обеднею. Здесь три тысячи.

— Я могу кинуть карты? — осведомился Вова.

— Нет, — прозвучал ответ. — Ты должен положить на банк три тысячи, а потом, вскрывшись, забрать весь выигрыш.

— Но какой смысл? Ты же видел карту.

— Такие правила, — констатировал Николай, доверительно наклоняясь к Вове и спрашивая: — У тебя дома деньги есть?

В этот момент Саню пробил холодный пот. Он все понял. Если бы не усталость, раскусил бы их давно. Какие, однако, артисты. У парня просто не было шанса. Курбатов решил подыграть:

— Ладно, поехали. Я положу сверху три штуки. Треть выигрыша моя!

— Куда? — спросил водитель.

— Большую Дмитровку знаешь? Ну я покажу, где остановиться.

Автомобиль помчался по Каширскому шоссе. Николай заставил соперников расписаться на картах во избежание подмены. Остальную колоду выбросил в окно.

— Дома есть заначка отцовская. Только я для спокойствия Вову с собой возьму, — предупредил Саня.

Остановились в двух шагах от управления, Курбатов вошел в подъезд и, подойдя к дежурному, спросил:

— Я заместитель прокурора Сахалинской области Курбатов. Назначен к вам. Где советник юстиции Турецкий?

— Третий этаж, первая дверь направо, — прозвучал ответ.

— Стой здесь, — обратился Курбатов к несчастному Вове. — Хорошо, что пустой едешь. А то перо в бок получил бы — и дело с концом.

Начальник Следственного управления по расследованию особо важных дел Казанский нервничал. Известие о том, что Турецкий выбил себе троих помощников, отравляло жизнь. Теперь он должен был подыскивать новое место своим ставленникам. И главное, в окружении Турецкого не оставалось человека, способного информировать о делах, которые он курировал.

Казанский устроил так, что дежурным по управлению заступил его человек. Перед ним была поставлена задача: прибывших следователей направлять прямиком в кабинет Казанского. Он решил прощупать слабые места, в крайнем случае попробовать создать такую обстановку, чтобы они сами не захотели оставаться служить в этом учреждении.

Наконец раздался звонок:

— Идет.

Поремский прибыл первым. Несмотря на вечерние припарки, выглядел он неважно. Синяк под левым глазом, на правой челюсти несколько покрывшихся коростой царапин, из-под соломенных волос проглядывала зеленоватая шишка на лбу. Постучавшись, открыл дверь. За столом восседал мужчина лет пятидесяти. При взгляде на Владимира он, похоже, испытал чувство глубокого удовлетворения. Поремский было попробовал ретироваться, произнеся:

— Извините, наверное, ошибся, мне к помощнику генерального прокурора Турецкому.

Однако хозяин кабинета произнес:

— Заходите. Я начальник Следственного управления по расследованию особо важных дел Казанский. Ну представляйтесь!

— Советник юстиции Поремский, представляюсь по случаю вступления в должность старшего следователя по особо важным делам Генеральной прокуратуры, — произнес Владимир заученную фразу.

— Так-так. Ну и что же с вами произошло?

— Ничего, — ответил Поремский, — упал с верхней полки.

— Молодой человек, вы только начинаете службу в Генеральной прокуратуре, а уже врете. Далеко же вы пойдете, если не остановить вовремя. Вы что, думаете я не знаю о телефонном звонке из пятого отделения милиции оперативному дежурному? Считаете, что мы ничего не выяснили о том безобразии, которое вы там натворили? Напасть на сержанта милиции при исполнении служебных обязанностей! Неслыханно. И главное — бессовестно врет! Садитесь. Пишите объяснительную. А мы посмотрим, давать ход делу или постараться замять.

В этот момент раздался второй стук в дверь, и зашел Елагин. Он лишь успел переглянуться с Поремским, как на лице Казанского появилось выражение, еще более зловещее, чем при появлении Владимира. Он приподнялся и произнес:

— Я начальник Следственного управления Казанский. Ну, представляйтесь!

— Советник юстиции Елагин, представляюсь по случаю вступления в должность старшего следователя по особо важным делам Генеральной прокуратуры.

— Вы? — спросил Казанский. — Советник? Да знаете кто вы? Вы еще не успели вступить в должность, а уже прославили серьезную организацию. Такого позора Генеральная прокуратура никогда не видела. Вы не читаете утренних газет? Прошу.

На стол упал свежий номер «Соли жизни». На первой страничке был изображен Елагин с ужасной свиньей в обнимку. Жирный заголовок гласил: «Представитель Генеральной прокуратуры охотится за сумочками старушек». Елагин схватил газету и пробежал глазами по тексту: «Вчера в электропоезде Москва — Монино около четырнадцати часов дня гражданка Машкина, оставив сумку, вышла в тамбур покурить. Едва пожилая женщина отвернулась, подскочил одетый как представитель секс-меньшинств молодой человек и выбросил сумку в окно, явно из хулиганских побуждений. Каково же было удивление пассажиров, когда на просьбы объяснить свое загадочное поведение он начал размахивать служебным удостоверением, из которого следовало, что он советник юстиции Елагин Рюрик Николаевич. Спрашивается, кто отвечает за законность и порядок в стране? Такие Рюрики?»

Елагин рухнул в кресло.

— И что? Все ложь? — ехидно стал допытываться Казанский.

— Нет, только про одежду. С чего они это взяли? — убитым голосом произнес Елагин. — Правда, но какая-то вывернутая.

— Не пытайтесь выкручиваться. Звезда, блин! Мы еще будем думать, как с вами поступить. Пишите объяснительную.

Неожиданно дверь распахнулась. Ворвался покрытый потом Курбатов. Не обращая внимания на начальство, он закричал:

— Три штуки баксов и опергруппу! Срочно!

...Казанский, прогуливаясь взад-вперед перед новым пополнением, наставлял:

— Вы поступаете в мое непосредственное подчинение. Все вопросы решаются через меня и с моего согласия. С вашими личными делами я ознакомился. Ну а ближе, думаю, сойдемся в процессе работы. Максимум, что могу дать, три дня на отдых и приступаете к работе. Вопросы есть?

— Мы должны были встретиться с помощником генерального прокурора Турецким Александром Борисовичем, — произнес Поремский.

— Ему сейчас не до вас. Все свободны.

Вышли на улицу. Курбатов нахмурился и произнес:

— Если я хоть что-то понимаю, нам здесь рады, но не очень.

— Ребята, вы где остановились? — спросил Поремский.

— Я пока у родителей. Не знаю, сколько выдержу, — ответил Курбатов. — Пытаюсь раскрутить на ключи от квартиры сестры.

— Я тоже. Правда, они на даче. Поехали ко мне? — предложил Рюрик.

— Знаете, как-то все фальшиво, — задумчиво произнес Поремский. — Санек, ты почувствовал?

— Нас явно вели, — ответил Курбатов, — причем профессионально.

— Вывод? — произнес Елагин.

— Тайны бургундского двора. Обратно возвращаться — можно крупно нарваться, не зная всех подводных течений. Есть предложение завалиться вечерком к Турецкому на хату, — предложил Елагин.

— Хорошая идея, но лучше поехали сейчас, — сказал Поремский. — Быть может, застанем кого. У него дочка должна из школы вернуться. Она-то должна знать, как найти папу.

— Идет.

Выйдя из метро «Парк культуры», стосковавшиеся по столице следователи пешком прошлись по Фрунзенской набережной до дома Турецкого. Поднялись на шестой этаж. Поремский нажал на звонок.

— Кто там? — спросил детский голос.

— Дядю Володю помнишь? — ответил Поремский. — Которого Александр Борисович после прилета из Германии встретил в аэропорту и затащил к себе в гости.

— А, безнадежно устаревший красавчик? — узнала радостно девочка. — Сейчас.

Дверь открылась. Друзья увидели симпатичную девчонку лет тринадцати. Она озорным взглядом обвела незваных гостей и скомандовала:

— У нас коридор разделен на стерильную зону и нестерильную. Разуваться здесь. Вот эту черту переступать чистой ногой. Мыть руки и можно проходить в комнату.

Повернулась и вышла.

— А дочку Борисович сделал ювелирно. Я думаю, стоит подождать три-четыре годика, — произнес Курбатов.

— Ты видел взгляд? — шепнул Рюрик. — Мне както стало не по себе. Она же оценивала нас как мужчин.

— Сейчас поймете, как кого она вас оценивала, — произнес улыбавшийся Поремский.

Вошли в комнату. Сели на диван. Вышла уже переодевшаяся радостная девочка. Она оглядела гостей и произнесла:

— С Володей мы знакомы. Меня зовут Нина.

— Александр.

— Рюрик.

— Рюрик? Ну не хотите называть настоящее имя, не надо. В конце концов, мы живем в свободной стране и каждый имеет право называться как хочет. Александр, вы не могли бы стать вот здесь? И принять позу дискобола?

С недоумением Курбатов встал и согнулся.

— Так, ниже, — скомандовала она, — и правую руку назад сильней. Отлично. Вы так четыре минуты выдержите? Или здоровье не позволяет?

— Смотря с какой целью, — чувствуя подвох, ответил Курбатов.

— Самой благородной. У нас на следующей неделе просмотр, а у меня не хватает двадцати набросков, — вздохнула Нина. — Вы такой колоритный типаж!

Девочка, протянув руку, взяла планшет с зафиксированным листом бумаги. Вынула из деревянной коробочки кусок сангины и принялась рисовать. Через пару минут произнесла:

— Можете расслабиться.

— Взглянуть можно? — взмолился сгорающий от любопытства Курбатов.

— Пожалуйста.

— Ну ничего себе! — воскликнул Рюрик.

— Похож, похож, — констатировал Поремский.

— Мне кажется, я несколько стройнее? — возразил Курбатов.

— На данном этапе нас учат изображать людей такими, какие они есть на самом деле. Это потом можно будет изображать их красивей. Между прочим, у человека всегда самооценка завышена. Он, когда подходит к зеркалу, невольно выпрямляется, втягивает живот и делает умное лицо. И фиксирует этот образ в подсознании.

— Дитя, откуда столь глубокие познания психологии? — спросил Курбатов.

— Не забывайте, кто у меня папа! Он иногда берет меня на оперативные выезды. Ну и в художественной школе, конечно, рассказывают. Владимир, присядьте на корточки. Да нет, не на носочках, а на полную ступню, как на этапе, когда выдается свободная минута, знаете?

Поремский открыл рот. Курбатов прыснул. Раздался звонок. Девочка убежала на кухню. Был слышен голос:

— Да, конечно, папочка. В автобусе приставали два маньяка. Причем один настойчиво требовал предъявить билетик. У аптеки перешагнула через наркомана. Грабители поджидали в подъезде. А в лифте я поднималась с самым настоящим людоедом. Пока открывала дверь, ворвались три бомжа и заявили, что отныне будут жить у нас. Не веришь? Послушай! Ребят, кто-нибудь подойдите. Папа на проводе.

Поремский подскочил и, взяв трубку, произнес:

— Добрый день, Александр Борисович.

— А где остальные?

— Со мной, — ответил Владимир.

— Вы почему не явились? — продолжал задавать вопросы Турецкий. — Что вы там делаете?

— Мы уже побывали в одиннадцать ноль-ноль у некого Казанского.

— А, тогда понятно, — произнес Турецкий. — Буду через полтора часа. Постарайтесь продержаться. Сами виноваты.

Когда через час с небольшим Александр Борисович Турецкий перешагнул порог собственного дома, его взору представилось следующее зрелище: Поремский, раздетый по пояс, позировал, играя мускулатурой с переливающимися синяками и ссадинами. Курбатов в наушниках тоскливо прослушивал очередной диск «Мумий-Тролля». Елагин покорно чистил картошку. Все они несказанно обрадовались возвращению отца. Дочь была немедленно под крики: «Свободу попугаям!» — загнана в свою комнату, а мужики сели на кухне. Вкратце рассказали свои злоключения и про посещение Генеральной прокуратуры. Турецкий выслушал. Затем полез в «дипломат». Вынул бутылку виски. Разлил и произнес:

— Ну, с этим мы как-нибудь разберемся. А сейчас — за первое дело.

Все, кроме Поремского, выпили. Закусили. Затем Турецкий произнес:

— Ладно, пусть здесь все остается. Вернемся — продолжим. Пойдем в мой кабинет.

В кабинете он разложил бумаги и фотографии. Рассказал, при каких обстоятельствах произошло убийство. Затем определил основные направления, по которым предстояло работать:

— Разрабатываем три основные линии. Саша, ты берешь на себя институт. Володя, прокатишься по родственникам, соседям, друзьям, знакомым. Рюрик, пока со своим криминалистическим нюхом изучишь все улики, вещдоки, проработаешь почерк преступников. Что меня настораживает? С чего бы господину Казанскому ставить палки в колеса именно по этому делу? Чтобы лишний раз ткнуть меня носом в дерьмо? Ради этого сомнительного удовольствия вряд ли. Сдается, заказ. А может, ошибаюсь. Я координирую дело по сотовому. Вот вам подключенные аппараты. Разговоры только полунамеками. Ну, все. Вперед, орлы! Да, Володя, ключи от служебной квартиры. После успешного завершения дела получите лично от мэра по «двушке». Если вопросов нет, пойдем пообщаемся. Я ж вас сто лет не видел!

На выходе из кабинета следователей поджидало маленькое симпатичное чудовище. Скрестив руки на груди, оно произнесло:

— Папа, помнишь проигранное желание?

— Ну? — настороженно спросил Турецкий.

— Я теряюсь, — закатив глаза, произнесла дочь. — Столько всего хочется. Ладно, я назову три, а ты выбери по своему вкусу: пирсинг на пупке, тату на лопатке, концерт Ильи Лагутенко в Олимпийском.

— Сколько стоит билет? — уточнил отец.

— Пятьсот рублей в танцующий партер!

— Куда?

— Согласна за триста в последние ряды, — быстро пошла на компромисс Нина.

— Ну ладно, — вздохнул Турецкий.

— И ты отпустишь меня одну в этот рассадник разврата? — снова задала девочка провокационный вопрос.

— Нинка!

— Пусть дядя Саша со мной сходит. Он один разбирается в современной музыке, — уточнила вторую часть своих требований девочка.

## Глава 2
## СЛЕД ПРИЗРАКА

Майор Скрипка был на оперативной работе уже пятнадцать лет. Он давно поднялся над тем уровнем квалификации, когда допускают ошибки. Это где-нибудь в глухом медвежьем углу, где убийство происходит раз в несколько лет, можно что-то просмотреть, забыть. Москва же такой роскоши не позволяла.

Поэтому, когда через два дня после проведения оперативных мероприятий на него вышел сам начальник

МУРа генерал Грязнов и попросил еще раз выехать на место с представителем следственной части Генеральной прокуратуры, воспринял это с некоторым налетом личной обиды.

Созвонившись с человеком со странным именем Рюрик Елагин и договорившись о встрече у дома Жбановского в десять утра, он прибыл пораньше. У дома профессора была разбита небольшая детская площадка. Стояло несколько лавочек. На одной из них он и расположился, смешавшись с собачниками, дедушками, выгуливающими внуков, и просто любителями почитать прессу на свежем воздухе.

Без пятнадцати появился немного нескладный молодой человек чуть выше среднего роста. Сутуловатые плечи создавали впечатление слегка удлиненных рук. Он постоянно отбрасывал пятерней со лба длинные, слегка вьющиеся темно-русые волосы.

Парень внезапно остановился и, задумавшись, замер на месте. Уставился в невидимую точку, словно пытался что-то вспомнить. «Не он», — отметил про себя опытный опер. Однако молодой человек вышел из оцепенения и направился прямо к Скрипке. Подойдя, поправил непослушный чуб и, протянув руку, произнес:

— Елагин. Мы с вами уже созванивались.

— Майор Скрипка, — удивленно произнес оперативник, воздерживаясь от лишних вопросов и внимательно глядя в голубые глаза. — Вот здесь все и произошло.

Рюрик оглядел место происшествия. Сюда он пришел бы, даже если бы ему поручили и другую линию. Ему важно было понаблюдать самому. Все ведь осталось на месте. Эти деревья, кусты, газоны, дом, лавочки, асфальт. Все они — безмолвные свидетели. Вот и он сейчас присоединился к ним. Стараясь не показаться смешным, он аккуратно прислонился к березе.

Елагина не зря прозвали мечтателем. Воображение постоянно рисовало события, о которых он узнавал. Быть может, это не фантазии, а нечто иное? Но Рюрик ясно увидел картину.

Двое молодых рабочих в зеленой униформе растягивают строительный скотч. Вешают заранее приготовленную табличку. Затем долбят ломами асфальт...

Он решил проверить версию и начал задавать вопросы:

— Что выяснили насчет канавы?

— Никаких плановых или аварийных работ ДЭЗом не проводилось, — начал отчет майор.

— Извините. Значит, заказ? — перебил его Елагин, запуская руку в заросшую крупными кудрями голову.

— Выходит, что так. Местные жители видели двоих молодых людей в желто-зеленых комбинезонах около восьми вечера. Бабушки-старушки обеспокоились возможностью остаться без света. Работавшие разъяснили, что повредился проходящий здесь телеграфный кабель. Ответ их успокоил.

— Обратили внимание, не телефонный, не телевизионный и не электрический? Ответ был заранее подготовлен, чтобы у подозрительных стариков отбить всяческое любопытство! — порадовался Елагин тому, что противостоять приходится умному противнику. — Ничего, что я иногда буду по ходу рассказа бросать реплики?

— Да нет. Информация у меня в голове. Затем само убийство.

— Подождите. А куда они относили инструмент?

— Этого свидетели вспомнить не смогли, — развел руками опер.

— Есть кто-нибудь под рукой? Мне бы поговорить, — произнес Елагин.

— Ну, пойдем. Может, чего вспомнит, — без особого энтузиазма согласился майор.

Он повел следователя к белому девятиэтажному зданию, стоявшему под углом девяносто градусов относительно башни, в которой проживал Жбановский. Поднявшись на третий этаж, позвонил. Открывший дверь маленький высохший мужчина сразу узнал майора, что порадовало больше Рюрика. Он хорошо знал, во что превращается допрос склеротика.

— А, это вы? — проскрипел тот, открывая дверь. — Мне кажется, я все, что помнил, рассказал.

— Дурень ты дурень. Молчал бы. Теперь затаскают! — послышался голос из глубины квартиры.

Как бы не желая, чтобы его услышали посторонние, он вышел и прикрыл дверь.

— Простите, ради бога, за беспокойство. Это товарищ из прокуратуры. Ему важно самому услышать ваши показания, — извиняясь произнес Скрипка.

— Я бывший сотрудник милиции. На пенсии, делать нечего. Вот и поглядываю за порядком. Знаете, достаточно просто присматриваться ко всяким незнакомцам и уже несколько квартирных краж в нашем районе предотвратил. Сначала мне показалось подозрительным, что двое молодых мужчин в зеленой униформе начали долбить асфальт у соседнего дома в восемь вечера. А когда выяснилось, что просто ищут кабель, интерес к ним пропал. Вот и все. Закончили и ушли.

— А инструмент они откуда брали? — спросил Елагин.

— Не знаю. С собой, наверное, принесли, — ответил пенсионер.

— Давайте попробуем вместе, — предложил Рюрик. — Они долбили асфальт ломами. Так?

— Да.

— Затем, когда он разбит, один, который помоложе, убегает и уносит два тяжелых лома? Второй в это время покуривает на лавочке.

— Да-да, припоминаю. Он еще окурок так взял, ну как шелбаны пацаны отпускают, и выстрелил им, не потушив. Так и до пожара недалеко. А урна вот под боком.

— Вы место сможете вспомнить?

— Еще бы! Важная улика, — довольно произнес свидетель.

— Дальше. Напарник возвращается с двумя штыковыми лопатами.

— Нет, совковыми!

— Отлично. Копается канава. Инструмент вновь относится куда-нибудь в автомобиль. Его не видно, но он должен находиться неподалеку. Конечно, это не иномарка.

— «Жигули», и судя по инвентарю, скорей всего «четверка», — высказал предположение майор. — Вы не могли бы одеться и пройти с нами?

Пенсионер обул мягкие парусиновые туфли и повел их за собой. После недолгих поисков было обнаружено несколько окурков. Их тут же запечатали в полиэтиленовый пакет. Затем Елагин попросил подождать его на лавочке и принялся, словно гончая, носиться по окрестностям дома.

Наконец он вернулся и произнес:

— Пойдемте. Покажу кое-что. Я постарался осмотреть места, где бы сам остановился. Жаль, прошло два дня. Свежего следа не взять.

Но он шел, внимательно глядя себе под ноги.

— Стоп. Это след от лома? — произнес Рюрик, присев на корточки. Развернувшись и сделав два шага, добавил: — Еще один. Похоже, несший сильно подустал. Подросток. Ну-ка, два шага, удар ломом. Вот здесь они и стояли. Так, водитель курил и бросал окурки, скажем, в эти кусты...

Рюрик влез и был вознагражден. Он подобрал с десяток бычков из одной пачки и выкуренных одним человеком. И тут на пенсионера вновь накатило озарение:

— Точно. Стояла. Синяя такая. Как ее? Ну, гробы перевозить.

— Катафалк! — подсказал милиционер.

— Да нет же, наша. «Жигули», но как грузовая.

— Как вон та? — спросил Рюрик, указывая на «четверку».

— Она! — признал свидетель. — Только номера я не припомню.

Отпустив дедулю, вновь вернулись на место происшествия. Во взгляде майора уже не читалось насмешливого отношения к неуклюжим движениям нескладного следователя. Елагин осмотрелся и задал вопрос:

— Сомнений относительно заказа не возникает?

— Нет.

— Где они его ждали?

— Киллеры появились отсюда. Они не могли сидеть в кустах долгое время, не рискуя привлечь внимания. Вероятней всего, в автомобиле.

— И причем том же самом. Теперь, где он стоял?

— Это зависит от количества убийц.

— Троих мы знаем. Это уже много, — рассудил Елагин. — Брать четвертого нецелесообразно. Во-первых, с ним надо делиться, во-вторых, сильно уменьшается степень собственной безопасности.

— Значит, автомобиль стоял в темном месте, но так, чтобы контролировать подъезд к дому. Едва появилась «Волга» Жбановского, двое выскочили и понеслись на угол дома. А сама «четверка» отъехала в темное место. После убийства они заскочили в нее и уехали.

— Прогуляемся, посмотрим, где это место? — предложил Елагин.

Недолгое изучение местности позволило безошибочно определить, где прятались убийцы, как было совершено преступление, где мог поджидать их автомобиль. Став на этом месте, Рюрик вновь задумался. Затем, повернувшись к майору, попросил:

— Помогите мне решить еще одну логическую задачу.

— Без проблем.

— Оружие не найдено? — уточнил Рюрик.

— Нет, — подтвердил Скрипка.

— О чем это говорит?

— Похоже на дилетантство.

— Если выходят на задание трое, то у них должен быть старший, — снова стал подводить к какому-то выводу Елагин.

— Обязательно, — кивнул майор. — Он должен быть и у двоих.

— Кто из них?

— Естественно, водитель. Руководитель не станет махать ломом и подставляться во время убийства. Тем более по приметам они слишком молоды.

— Вот. Молодые начинающие киллеры совершают убийство. Прибегают к автомобилю. И тут старший опытный убийца видит в руках у одного окровавленную улику. Что он делает?

— Орет, чтобы выбросил, — предположил Скрипка.

— Молодой размахивается и кидает, скажем, сюда, — произнес Рюрик, имитируя бросок. — Майор, а что там у нас поблескивает?

Они приблизились и увидели в траве нож. Это был изящный тесак, выполненный в форме ятагана. Скрипка, не скрывая удивления, уставился на Елагина. Тот раскрыл свой чемоданчик. В его недрах оказалась целая лаборатория. Вынув из футляра фотоаппарат, сделал несколько снимков. Затем, выдернув пинцетом из земли нож, уложил в пластиковый контейнер. Внимательно изучил угол и глубину входа в землю. Собрал срезы нескольких увядших травинок. Наконец, пожалев майора, произнес:

— Я его случайно заметил. А потом подвел базу.

— Блин! А я уж подумал, пора на пенсию. Коров пасти.

— Ладно, здесь, пожалуй, все. А к вам одна просьба: надо еще раз пройтись по возможным свидетелям. «Четверка» синего цвета. Где стояла, уже знаете. Возможно, кто-нибудь припомнит хоть какую-то мелочь...

Закончив осматривать место преступления, он отправился к перекрестку, на котором попал в аварию в день убийства Кокушкин. Убедившись, что прекрасно представляет место, выяснил у первого попавшегося инспектора, где расположен районный отдел ГИБДД.

Найдя его, выяснил, в чьем ведении материалы по разбору аварии тринадцатого мая. Рюрика попросили подождать, и через пятнадцать минут инспектор ГИБДД Виктор Мозговой прибыл. Представившись, Елагин задал вопрос:

— Расскажите об аварии, в которую попал Кокушкин.

— Ну что можно утверждать? Полетел на красный свет. Был подбит микроавтобусом, в котором, к счастью, никто не пострадал. Перевернулся и проехал на крыше метров тридцать. Ударился о разделительный бордюр. После чего была оказана медицинская помощь.

— Аварийные автомобили где-нибудь складируются? — задал вопрос Елагин, забрасывая пятерней назад вьющийся локон.

— Да. Стоянка здесь, неподалеку. Если интересно, можно прогуляться, — ответил Мозговой, закуривая сигарету.

Рюрик обрадовался открывшейся возможности самому изучить такое ценное вещественное доказательство. Он тщательно облазил всю «Волгу». Затем, присев на заднее сиденье, спросил:

— В аварии участвовало всего два автомобиля?

— Да, — подтвердил инспектор.

— Микроавтобус какого цвета? — поинтересовался Рюрик.

— Вот вишневые полосы, — указал Мозговой.

— А эта вмятина со следами красной краски?

— Это, возможно, более раннее повреждение, но тоже достаточно свежее. Может, полученное в тот же день. Либо был третий участник, но его никто не заметил.

— А можно предположить, что это за автомобиль? — попросил Елагин.

— Это нечто высокое. Скорей всего, джип. Странно, удар нанесен... — задумался инспектор. — Ну, если бы мне надо было выбросить авто на встречную полосу, я поступил бы точно так.

— Спасибо.

## Глава 3
## РОКОВАЯ СЛУЧАЙНОСТЬ

Володя Поремский все никак не мог привыкнуть, что Москва — город контрастов. В военных городках все жили примерно одинаково. Служебный автомобиль и лишняя двадцатка командира части уже воспринималась как неоправданная привилегия. В военном училище вообще все одинаковы. Диссонанс начался в годы обучения в университете. Но тогда детишки «новых русских» приезжали на лекции максимум на «восьмерках». Затем нищее Поволжье. И вот опять город контрастов, только за годы они стали отчетливей. Столько иномарок он не видел никогда, но и столько бомжей — тоже.

Вчера до открытия метро он спустился в подземный переход на трех вокзалах и пошел. Резко обдало непереносимой вонью. Он глянул и обомлел. Вдоль всего перехода на каких-то картонках и без оных нестройными рядами спали бомжи. Их было слишком много, сотни. Путь до ближайшего выхода был преодолен на одной задержке дыхания.

И вот другой контраст. Сталинский дом на Малой Бронной. Квартира стоимостью в полмиллиона долларов.

Задача, поставленная Турецким, была проста. Посетить сестру покойного академика Жбановского и отработать возможные мотивы преступления. Он обошел строение со двора. Позвонил в домофон. Веселый голос спросил:

— Кого принесло?

— Прокуратура.

Раздался идиотский смех. Шутка понравилась. Володя поднялся. Дверь распахнулась, обдав табачным дымом, грохотом музыки и пытающимися перекричать ее голосами. Его впустили, как старого знакомого, и тут же забыли.

Поремский слегка поежился, чувствуя себя не в своей тарелке, хотя вокруг находились практически ровесники. Он понял, что это совсем другие люди. Пошел вдоль длинного коридора, превращенного в картинную галерею. От беглого взгляда на странные картины подкатывал комок к горлу. Основной темой неизвестного художника были карлики с гипертрофированными половыми органами. Как правило, использовали они свои чудесные гениталии не по природному назначению.

Один из холстов оказался перевязан черной ленточкой. Тип, карикатурно напоминавший почившего академика Жбановского, стрелял из детородного органа небольшими снарядами по горящим танкам. Позади него была изображена «смерть», примеряющая косу к горлу. По яркости краски и тому, как она не вписывалась в общую композицию, Владимир сделал вывод о том, что «смерть» была дописана совсем недавно. Не рискуя тыкать пальцем, он просто втянул воздух. Так и есть — свежее масло. Но что ошеломило сильнее всего: форма лезвия косы. Она отличалась от классической. Нож точно такой формы он уже извлекал из ботинка налетчика, задержанного в аэропорту Шереметьево-2.

Поремский подошел к столу. Налил водки, выпил. Подождал немного, повторил. Закусил селедочкой. Вскоре легко болтал с девушками и мужиками. Подошел с одной девицей к картине с черной лентой и спросил:

— Кто это?

— А, — махнув рукой, произнесла та, — дядюшка Тура. Его недавно прирезали. Виктор тут же среагировал со свойственным ему чувством мрачного юмора.

— А Тур кто? — попробовал уточнить Владимир, уже догадавшись, что он родной племянник.

— Тур? Он гений! — произнесла девица и побрела по коридору.

Владимир решил прогуляться вдоль коллекции. Однако вскоре его начало тошнить: то ли от спиртного, то ли от вывернутых наизнанку женщин. Он направился к туалету. Открыл дверь и вздрогнул. Во всю стену была изображена огромная человеческая голова. Печальные глаза, казалось, заглядывали прямо в душу. Поремский даже забыл, что собирался делать. Повернулся и прикрыл дверь.

К нему приблизился почти двухметровый парень с

очень глупым лицом. Про себя Поремский немедленно окрестил его «дебилом». Он хотел что-то сказать, однако со стороны кухни появился странный рыжий тип с повышенной волосистостью. Густые волосы выбивались из-под рубашки, покрывали руки и даже внешние стороны ладоней. На нем были клетчатые брюки в обтяжку. На голове белый берет с красным помпоном, от чего хотелось обозвать его «одесситом». Он шел странной вихляющей походкой скорохода, который никуда не торопится. В зубах дымилась папироса. Здоровый «дебил» нервно задергал ноздрями и произнес:

— Хейердал, дай затянуться!

Тот протянул папиросу без лишних слов. «Дебил» зажал ее в кулаке. Смачно вобрал в легкие дым. Неожиданно передал Владимиру. В стане врага надо играть по его правилам. Поремский тряхнул своими соломенными волосами и, повторив движение, слегка затянулся. К своему удивлению, ничего не почувствовал. Сунув косяк непонятно как очутившейся рядом девице, произнес:

— Так, слабенький.

Она втянула дым, согнулась пополам и простонала:

— Нет, сильный.

Внезапно стало легко и хорошо. Открылась какая-то дверь, и на четвереньках выползла голая женщина. На заднице у нее была надпись, сделанная губной помадой: «СССР». Она стала делать вокруг них круги, бормоча:

— Я «Луноход-один». Я «Луноход-один».

Поремский заржал. Засмеялись и остальные. Он обнял девицу, с которой курил, и, проводя по коридору, спросил:

— Слушай, а где Тур?

— Ну ты и обкурился, — ответила она, повисая на крепком плече. — С кем сейчас забивал косячок?

— С каким-то дебилом и волосатой обезьяной в матроске.

— Вот эта обезьяна и есть Тур.

— Да? А что мы гуляем сегодня? — задал вопрос Поремский.

— Когда на человека внезапно сваливаются бешеные бабки, грех не собрать друзей. Согласись, это по-звездному!

— Знаешь, — доверительно склонился Поремский к ее лицу, — я сто лет не был у него. Давно этот в туалете изображен?

— Это ты про Коха? Так его Тур выбросил, когда расстался прошлым летом. Сейчас он с этим старым козлом. Честно говоря, не понимаю. Такие мальчики к нему клеятся. Ты не из них?

Поремский быстро избавился от спутницы и освоился с географией квартиры. Заметив, что Тур исчез в одной из комнат, встал напротив нее перед картиной. К счастью, это был пейзаж в фиолетовых тонах. Поджидая Тура, стал ритмично раскачиваться. Наконец появился хозяин квартиры. Он остановился возле Поремского.

— Рерих? — спросил Володя.

— Подлинник, — уточнил Тур.

— А знаешь, в чем прикол? — произнес Поремский.

— Ну? — заинтересовался племянник Жбановского.

— Если долго смотреть в ультрамарин неба, увидишь, как появятся и засверкают звезды!

Тур стал рядом и принялся медленно раскачиваться. Наконец он увидел.

— Во, блин, Кастанеда! — обрадовался он.

— Как говаривал Дон Хуан, ищи пограничные ситуации.

— Поговорим? — предложил Тур.

— Пойдем, — согласился Поремский.

Их место у картины заняла девица. Она немного покачалась и разразилась смехом:

— А если взять коньяк, то звездочек будет три или лучше пять!

— Какие пограничные ситуации ты познал? — спросил Тур.

— Между явью и сном, жизнью и смертью, на грани преступления, опьянения, наркотического бреда, — перечислил Поремский.

— А грань между женщиной и мужчиной не пробовал?

— Нет. Не могу представить, — признался Владимир. — Никогда не общался с гермафродитами и транссексуалами.

— Это и не надо. Ну, допустим, представь: в комнате ты и девочка. Гаснет свет. Она медленно расстегивает твои штаны. Приспускает трусы. Начинает покусывать яички. Как ощущение?

— Нет слов. Кайф.

— Плавно загорается свет. Ты видишь у себя между ног мужскую голову!

— Тьфу. Блин, дурак! — передернуло Поремского.

— Вот это и есть: между мужчиной и женщиной, когда не знаешь, с кем имеешь дело, и играет роль только процесс!

На Тура набросился один из его старых знакомых. Володя прошел в другую комнату. И замер, увидев ее.

Девушка неземной красоты с бархатистой кожей весело смеялась, обнажая белые зубки. Он прислонился к косяку. Вдруг для него все пропало, кроме нее. Он невольно любовался каждым ее движением, каждым жестом. Она вскинула на него свои синие глаза. На миг взгляды пересеклись. Девушка удовлетворенно перевела взгляд. У Поремского возникло странное ощущение, что она его давно «пасет». Он пошел на небольшую провокацию.

Тряхнув желтыми непослушными волосами, развернулся. Пошел, следя за ситуацией в стекло двери. Она внезапно бросила своих веселых собеседников и кинулась следом. Он вышел в коридор. Дошел до одной из комнат и, заскочив в нее, оставил дверь приоткрытой. Мимо быстрым шагом прошла девушка. Владимир вышел и бросил вслед:

— Вы случайно не меня ищете?

— Нет, — обернувшись, машинально ответила она.

— Уф, — выдохнул с облегчением Поремский, — ну и слава богу!

— Сволочь! — прозвучала высокая оценка шутки.

— Между прочим, еще сто лет назад, — произнес Поремский, — «сволочь» означало — лучший друг. То есть тот, с кем можно со волочь сани.

— А вообще-то, ты мне подходишь. Я коллекционирую белобрысых красавчиков.

— Опять неточность. Брысь — это бровь. А они у меня не белые!

— У Тура обычно собираются экстремалы. Я вас не знаю. В чем ваш талант?

— Я увлекаюсь красивыми женщинами.

— И это опасно? — прошептала она.

— Смертельно опасно. Красивых ведь намного меньше, чем мужчин с врожденным чувством вкуса.

— Вы Казанова? — сделала она предположение.

— Нет. Казанове легко. Он не брезгует ничем. Я же имел немного женщин, но все они просто супер, — произнес Поремский, предлагая продолжить разговор в движении. — Скажите, вам важно было начать разговор первой?

— Да, — кивнув головкой, произнесла она.

— Почему?

— Мужчины делятся на два типа. Охотники и жертвы. Я предпочитаю охотников.

— Знаете, мы с вами близки. Я делю женщин на волчиц и берущих коровьим покорством в глазах. Так вот, я предпочитаю волчиц.

— Значит, мы выбрали друг друга без насилия и принуждения? — сделала она предположение.

— Что-то подсказывает мне, что эта встреча принесет одному из нас много горя.

В дымном тумане Володя взял ее за плечи и тихонько втолкнул на кухню. Его внимание на миг отвлекло позвякивание в левом углу. Он повернул голову. В фарфоровом блюдце на медленном огне кипели иглы от шприцев. Внезапно стало нехорошо. Не хватало еще подцепить какую-нибудь заразу. Столько ее развелось. Одних гепатитов с десяток.

Почувствовав изменение настроя, она вырвалась из объятий. С усмешкой глянула на так испугавшие мужчину железки и вышла.

Владимир скользнул в коридор и попробовал открыть входную дверь. Она не поддалась. На стене висела коробка домофона с единственной кнопкой открытия. Но без сигнала снизу замок не срабатывал.

Поремский, прикрыв глаза, опустился на пол в ожидании очередного посетителя. Подошла, цокая каблуками, женщина. Склонилась, обдав смесью хороших духов и перегара. Запустила руку в волосы. Помотала головой. Затем расстегнула рубашку и с явным удовольствием пощупала грудную мышцу. Поремский лихорадочно перебирал варианты выхода из положения. Рука уверенно полезла в бумажник, где, ко всему прочему, в нарушение директив, запрещавших хранить документы совместно с деньгами, лежало служебное удостоверение. Володя ловко перехватил руку и, вздрогнув, открыл глаза.

Это был хозяин квартиры. Волосатая лапа неожиданно оказалась очень сильной. Он, легко преодолевая сопротивление, подводил руку к горлу. Володя не стал дожидаться, пока его хладнокровно задушат, а, опрокинувшись на спину, вставил колено между собой и оппонентом. Затем в перекате резко выпрямил ногу, Тур, неожиданно для себя, пролетел через шестиметровый коридор и, стукнувшись о вешалку, рухнул. На него попадали висевшие на ней вещи.

В дверь позвонили. Володя нажал на кнопку. Раздался голос:

— Турист, отворяй. Атаман пришел.

Поремский нажал еще раз. Дверь открылась. Он выскользнул на лестничную площадку, вбежал наверх. Упал и замер. Услышал шаги нескольких человек. Затем голос:

— Так, значит, нас встречают. Шкет, ты что, совсем нюх потерял? Мухой наверх. Все проверить.

Володя быстро сунул документы за стоявшую у стены обувную коробку. Снова распластался.

— Есть один, — раздался голос над самым ухом, — датый.

— Ща посмотрим, — раздался голос, не предвещавший ничего хорошего.

Володя почувствовал удар ногой по лицу и, медленно приподнявшись, приоткрыл глаз. Обстановка могла желать лучшего. Человек восемь здоровых пацанов. Посредине мужик неопределенного возраста в длинном кожаном плаще. В руках пистолет. А в глазах отсутствие даже намека на какие-нибудь сомнения. Кивок головой, и несколько рук его обыскали.

— Пустой.

— Так не бывает, — произнес человек, называемый Атаманом, — должны быть ключи от квартиры.

— Может, кто до нас? — высказалось предположение.

— Ребята, вы че? Пушку не надо... — проскрипел Володя голосом алкоголика со стажем. — Я сам щас, как газовая бомба. Ох, хреново!

Затем его стошнило, и он издал громкий протяжный звук. Ребята заржали. Главный махнул рукой, и банда ввалилась в притон.

Поремский поднялся. Быстренько сбежал вниз. Открыл дверь. Вдохнул свежего воздуха. У подъезда стояла машина «скорой помощи». Задняя дверь была приоткрыта. Стройная сестричка в коротеньком белом халатике, наклонившись, что-то пыталась вытянуть. Он замедлил ход. Раздался голос:

— Молодой человек, вы носилки не поможете вытащить?

Поремский радостно кивнул. Согнувшись, начал влезать в фургон и неожиданно почувствовал укол в ягодицу. Удивленно оглянулся. Это была она. Посмотрел в распахнутые глаза с прыгающими чертиками и рухнул. Все почернело. Он провалился и полетел. Черти из глаз девицы вырвались и понеслись с ним, закручивая, швыряя из стороны в сторону, увлекая в дикую сатанинскую пляску.

## Глава 4
## ХОЖДЕНИЕ ПО ЛАБИРИНТУ

Александр Курбатов после недолгих катаний по Мытищам наконец обнаружил голубое здание без окон и дверей. Это и был НИИ автоматики и приборостроения. На проходную за ним спустился молодой человек и проводил в приемную генерального директора. Указал на мягкий диван коричневой кожи. Сам же уселся на место секретаря и углубился в бумаги. Курбатов, невольно вынужденный рассматривать его рабочее место, несколько удивился некоторым деталям. Календарь с влюбленными зайчиками, зеркало, предназначенное явно не для посетителей, пузырек с жидкостью для снятия лака, стоявший рядом с клеем и емкостью с белой затиркой, предполагали два варианта: либо секретарша временно отсутствует, либо с молодым человеком что-то не так.

Ждать директор заставил недолго. Раздался звонок, и секретарь, встав, открыл дверь и произнес:

— Прошу. Входите.

Курбатова слегка коробили эти манеры. Выросший среди всяческого рода условностей, он рано пришел к убеждению, что хорошие манеры и правила поведения не более чем разновидность обыкновенной глупости. Человек не может надеть со смокингом кроссовки, потому что становится смешон. Пусть надевает, если ему комфортно. А насмешников остается лишь пожалеть, как рабов мимолетных взглядов. Он принципиально не носил галстук. Этот «хомут на шею» не имел абсолютно никакого функционального назначения.

Вот и сейчас дверь мог бы открыть сам. Слава богу, не инвалид. Вошел, представился. Навстречу ему поднялся ничем не выдающийся мужчина лет пятидесяти с аккуратным пробором от низкого лба. Он мягко произнес:

— Профессор Чабанов Виталий Игоревич. Бывший заместитель Марка Борисовича, вечная ему память. Какой был человечище! Нам не чета! Сейчас таких нет. Измельчал народ. Впрочем, время титанов прошло. Наступила эра творческих коллективов. Когда каждый добросовестно делает свой маленький кусочек, и все вместе моделируют одного гения. Ну что это я о науке расфилософствовался? Рад оказать посильную помощь следствию. Вот, отложил важное совещание. Давайте начнем с конкретных вопросов?

— Расследованием убийства столь серьезного человека занимается Генеральная прокуратура. Мне поручено изучить производственную и научную стороны деятельности Марка Борисовича. Он ведь занимался достаточно серьезными вещами? Быть может, причины трагедии кроются где-то недалеко? Расскажите о планах, делах и прочем. Какие велись разработки? Были ли серьезные конфликты?

— Наш институт производит современную измерительную технику СВЧ-диапазона: генераторы сигналов, аттеннюаторы, фазовращатели, измерители напряженности поля, приборы для линейно-угловых измерений и дозаторы жидких и сыпучих веществ, конверсионные товары, но это не главное. Основное во втором, закрытом управлении. Там ведутся разработки системы наведения бомб и ракет. И если Штаты нас превосходят в технологиях, то по идеям мы идем на несколько лет впереди.

— Вы можете назвать приоритетные разработки, в которых принимал непосредственное участие Марк Борисович? — задал вопрос Курбатов.

— Я дам распоряжение. Вам подготовят список направлений и руководителей. Извините, рад бы сам, но в ближайшее время предстоит принять столько дел, вникнуть в темы. Пока сверху не пришлют нового руководителя, иногда годы приходится тянуть воз вридам. Да если и назначат, то неизвестно кого. И, как назло, секретарша в отпуск умотала. Как вы думаете, она также переходит к новому шефу по наследству или надо подыскивать на свой вкус?

— Знаете, не в обиду будь сказано, все руководители одинаково заблуждаются, считая, что именно они выбирают секретарей. Все обстоит как раз наоборот. Ну, в этом вам предстоит скоро убедиться на собственном опыте. Ладно. Она была в курсе всех дел? — спросил Курбатов.

— С такой фигурой? Не смешите. Шучу. У меня другие правила. Жалко девчонку, но придется ей переменить профиль работы. Слишком она отвлекает от дела. Мне как принципиальному семьянину вообще претит аморальное поведение. Кстати, пообщайтесь с бывшим секретарем парткома. Кажется, уже были сигналы в министерство. Мир, как понимаете, не без добрых людей, дерьма всякого хватает. Знаю, что предшественник Марка Борисовича на женском деле погорел. В советское время за это давно бы выперли. Сколько на моей памяти светлых голов послетало! Но я далек от этого. В тонкостях не разбираюсь. Мне для дела нужен презентабельный и обязательно умненький мальчик, чтоб был в курсе всех событий.

— Вы говорите, у него были анонимные недоброжелатели? — уточнил Курбатов. — А причины?

— Знаете, наш институт до восьмидесятого был военным. И все начальники отделов, лабораторий, старшие научные сотрудники, младшие научные сотрудники тоже. Однако, когда полковник Марк Борисович Жбановский блестяще защитил докторскую и стал ведущим специалистом в области автономных систем наведения тактических ракет, ситуация несколько изменилась. Не поймите меня неправильно. Я очень уважал его авторитет как ученого. И просто человека. Кстати, при исследованиях разделяющихся самонаводящихся ядерных боеголовок он получил три смертельные дозы. Все, кто с ним работал, умерли, и никто не помнит даже имен, а Марк Борисович только облетел. Ни одного волоска на всем теле... Несколько отвлекся. Кого назначать начальником института вопрос не стоял. Он официально был утвержден приказом. Была другая проблема. Наверху решили, что у него не совсем чисто с шестым пунктом. К диссидентам — профессорам и даже академикам — как-то привыкли. А вот генерала от науки с таким именем иметь было опасно. В любой момент может устроить политический кризис. Кто его знает, что у него на уме? Поэтому в восьмидесятом институт был переведен в статус гражданского закрытого... Многие офицеры — элита, костяк, мозговой генофонд — ушли в войска. Другая часть не смогла расстаться с наукой, любимым делом, в том числе и ваш покорный слуга, и осталась в качестве гражданского персонала. Ну и некоторые затаили обиду за сломанную карьеру. А у Жбановского генеральский китель уже был сшит и до сих пор хранится в шкафу. Психика потрясения не вынесла. Он несколько месяцев провалялся у Кащенко. Слава богу, закончилось все удачно, но время от времени странности и чудачества проявлялись... Знаете, мне действительно некогда. Мы еще увидимся, а сейчас для ввода в дело я дам вам толкового человека, который и поможет вникнуть во все проблемы. Как ученый, я понимаю, любая версия имеет право на существование, пока не доказана ее абсурдность, — закончил речь профессор.

Чабанов встал. Подошел к столу и нажал кнопку. Немедленно открылась дверь. Возникла неуклюжая, заплывшая жиром фигура с блестящей головой. Огромные хохляцкие усы делали ее очень похожей на моржа. Курбатов хотел было спросить, не специально ли ему подобрали напарника по весу, но решил промолчать.

— Гончаренко, вот товарищ из прокуратуры, — распорядился Чабанов. — Проведешь его по второму управлению, лаборатории пятнадцатая, семнадцатая, тридцать вторая, ну, пожалуй, одиннадцатая. Больше у нас засекреченных разработок нет.

Гончаренко повел Курбатова по переходам и лабиринтам. Шли довольно долго. Саша представил, что его на экскурсию ведет живой морж, и, несколько повеселев, задал вопрос:

— Гончаренко, а что вы думаете относительно причин убийства?

— Вопрос не по зарплате, — ответил «морж».

— Ну что ж, а как насчет секретарши?

— Она, конечно, мозги может любому расплавить, но вся искусственная. Предпочитаю натуральных.

— Это как? — заинтересовался характеристикой Курбатов.

— Чтоб было за что подержаться. Эффектная блондинка с синими глазами и золотистой кожей, а на деле: краска, цветные линзы и солярий, — пояснил Гончаренко.

Подошли к двери без опознавательных табличек. Гончаренко произнес:

— Вот. Лаборатория номер пятнадцать.

Из-за двери раздавались звуки. Гончаренко постучал. Никакой реакции. Тогда он принялся колотить в нее кулаком. Шум смолк. Через некоторое время «морж» еще раз тихо стукнул костяшкой пальца по металлической ручке. Дверь немедленно открылась. Курбатов невольно опустил голову. Появился небольшого роста коренастый крепыш. Он радостно оглядел двоих плотных мужчин. Для определения наличия паров этилового спирта не требовалось глубоко втягивать воздух. Достаточно было не страдать гайморитом. Гончаренко, показывая рукой, представил:

— Семеонов Эдуард Робертович. Начальник пятнадцатой лаборатории.

— Курбатов Александр Михайлович, старший следователь Генеральной прокуратуры. У меня к вам несколько вопросов.

После чего начальник вышел. Дверь за ним захлопнулась. Он вынул из кармана ключи и открыл соседнюю, приглашая войти. Александр и Гончаренко устроились в креслах. Неожиданно «морж» начал первым:

— Виталий Игоревич отзывался исключительно хорошо относительно ваших человеческих качеств и называл в числе наиболее перспективных ученых.

— Чабанов? — искренне удивился Семеонов.

Курбатов заметил на лице начальника лаборатории некоторое замешательство. Он кашлянул и произнес, обращаясь к своему провожатому:

— Простите, в связи с таким понятием, как тайна исповеди, прошу оставить нас наедине.

— А в связи с понятием государственная тайна я не могу позволить вам такую роскошь, — неожиданно твердо ответил «морж».

Вмешался в разговор Семеонов:

— Знаете, Гончаренко, я давал подписку. И я несу персональную ответственность перед государством, и прежде всего, своей совестью. А встречаться наедине я могу с кем угодно. Александр Михайлович, может, попьем пивка вечерком?

— А вам разрешено без него? — кивнул с улыбкой в сторону надувшегося толстяка Курбатов.

— Без него я даже с родной женой не имею права! — в тон ему подтвердил Семеонов.

Гончаренко поднялся, насупился и вышел. Начлаб немедленно оживился:

— Простите за наши, так сказать, местечковые разборки.

— Не боитесь, что доложит вышестоящему начальству?

— Нет, — ответил ученый, — мне нечего опасаться. Как вы слышали, я выдающийся исследователь. Конечно, несколько неловко за столь лестную оценку, но сказать ничего хорошего о Чабанове как ученом не могу.

— А что он за человек? — спросил Курбатов.

— Обыкновенный. Не знаю. Мы близко не контактировали. Может, как человек он и неплохой.

— А Жбановский? — перевел разговор Курбатов.

— Противоречивая была личность. Но, как и все гении, имевшая на это право, — произнес Эдуард Робертович.

— Убийство могло быть каким-нибудь боком связано с тематикой вашей работы?

— Теоретически — да. Но не в большей корреляции, чем пожар на Останкинской башне. Тема у нас действительно закрытая, но, честно говоря, пустячная и никому не нужная. Это даже хорошо, что не могу распространяться о ней, иначе было бы очень стыдно. Я думаю, ее засекретили, чтобы никто не узнал, какие деньги ухнули на безделушку. Жбановский нами даже не интересовался. А по поводу новых разработок, кроме секретаря, никто не сможет вам помочь.

— В вашем определении невольно проскакивает уважение. Обычно таких называют секретаршами.

— Секретаршами называют не таких. Поверьте, есть отличие помощника руководителя от обыкновенной секретутки. Впрочем, я думаю, вы еще измените свое мнение.

Обиженный «морж» вновь потащил Александра по лабиринтам в противоположное крыло. Остановились у очередной двери. Она, естественно, также была заперта. Однако открыли после первого стука. Гончаренко, не желая еще раз подвергнуться гонению, только заглянул и остался в коридоре.

Курбатов вошел. Окинул взглядом помещение. Столы, компьютеры, бумаги, шкафы с литературой. Открывший продолжал стоять у двери, ожидая дальнейших указаний. Трое сидели за абсолютно чистым столом и смотрели азартно горящими глазами на внезапно возникшее препятствие. Курбатов удовлетворенно отметил прямоугольник колоды карт, выпиравший в районе кармана одного из сидевших. После чего произнес:

— Мне нужно пообщаться с начальником лаборатории.

Поднялся кавказского вида мужчина с тоненькими усиками над губой и произнес:

— Гигишвили Шота Виссарионыч.

— Я следователь Генпрокуратуры. Занимаюсь делом Марка Борисовича. Можем мы поговорить наедине? — спросил Курбатов. И, видя некоторое замешательство кавказца, добавил: — Если, конечно, вы не ловите мизер.

Его слова произвели эффект фокусника, доставшего из цилиндра слона.

— Дарагой, скажи, как догадался? — удивился начлаб.

— Нэ забывайте, где и кем я работаю. Нас учат читать мысли по морщинкам у глаз.

Исследователи быстро разложили карты. У Гигишвили действительно был мизер. С дыркой, но не ловился. Радостный начальник станцевал «лезгинку» и выгнал подчиненных курить. Курбатов спросил:

— Могли исследования вашей лаборатории привлечь внимание потенциальных конкурентов?

— Нэ смэши. У них это уже давно есть. Мы занимаемся слизыванием с готового аппарата, — пояснил Гигишвили.

— Но, сделав аналог, вы можете повлиять на рынок и уменьшить их прибыль? — предположил Курбатов.

— Ничего мы им нэ сдэлаем. К тому времени, как у нас выйдет опытный образец, у них это уже настолько устареет, что будут доплачивать за утилизацию!

— К-какой же смысл всей этой работы? — Временами Курбатов начинал заикаться.

— Есть такое понятие «госзаказ». Лет пять назад нэкто очень мудрый спланировал, что нам нужна эта фыгня, и забил дэньги под тему. Теперь она никому нэ нужна, но фынансыруют лишь ее. Естественно, средства перераспределяются, а Шотик должен прикрывать своим волосатым задом весь институт! — Гигишвили завелся. И зря, Курбатов уже потерял интерес к нему.

Очередное путешествие с «моржом» основательно утомило. Курбатов почувствовал легкую одышку. Но внезапно сопровождающий остановился, молчаливо давая понять, что наконец добрались. Сначала Александр обрадовался, затем, внимательно осмотревшись, удивился и, наконец, гневно приблизился вплотную к Гончаренко и спросил:

— Мы к-куда пришли?

— Лаборатория тридцать вторая, — ответил Гончаренко.

— А это? — Александр указал на соседнюю дверь.

— Это пятнадцатая, — пояснил «морж».

— Так какого же х..?! — взорвался вспотевший следователь.

— Было сказано: пятнадцатая, семнадцатая, тридцать вторая...

Александр внимательно посмотрел на Гончаренко и произнес:

— А вы в этом учреждении чем занимаетесь?

— Выполняю особые поручения начальства, — прозвучал неуверенный ответ.

— А мозги мне компостировать тоже начальство поручило? — обходя его, процедил Курбатов. — Отвечай. По собственной глупости ты меня таскаешь или выполняешь приказ?

— Конечно, я сам дурак. Не подумал.

Верить ему у Курбатова оснований не было. Общение со следующим начальником лаборатории также не дало никаких результатов. Хотя почему? Отсутствие результата — тоже результат. Итак: налицо если не явное вредительство, то попытка саботажа наверняка. Чего стоит этот ластоногий помощник! Первое впечатление: ходят ребятки, держась за руки, и распевают песенки. Кто автор сценария? Естественно, ценитель мальчиков, скорбящий, но не сильно о потере любимого шефа.

«Да, господа интеллигенты, уж мне-то не знать, что внутри каждого НИИ кипят поистине бразильские сериалы? Пора менять тактику. Кто может раскрыть все подводные течения? Человек должен ничего не бояться, не обладать комплексами благородства, быть слегка обиженным. Такие попадаются в основном на кладбище, но иногда среди пенсионеров и пионеров», — рассудил Курбатов.

Александр отправился в отдел кадров. Он знал реакцию начальников на расспросы подчиненных через голову. Поэтому постучался в обитую красным дерматином дверь с золотой рельефной табличкой. Кабинет начальника отдела неприятно поразил роскошью обстановки. Дорогая ореховая мебель, кожаные глубокие кресла, жалюзи, кондиционер, жидкокристаллический монитор, плазменный телевизор. За огромным обтекаемым угловым столом, удачно вписываясь в интерьер, сидел внушительного вида мужчина. Для полной гармонии не хватало лозунга: «Кадры решают все!»

Курбатов отметил заторможенную реакцию либо отработанный рефлекс. Начальник оторвал голову от бумаг через секунду после того, как Александр вошел. Причем, судя по лицу, интересного в них не было ничего. Когда, желая удостовериться в догадке, он сделал шаг к столу, лист был немедленно перевернут чистой стороной вверх.

Сквозь огромные роговые очки хозяин кабинета смерил вошедшего взглядом апостола Петра, решающего: пропустить — не пропустить. Курбатов умел сбивать с таких спесь, ибо знал, как при произношении волшебного слова «прокуратура» происходят метаморфозы и не с такими личностями. Он слегка кивнул и представился:

— Генеральная прокуратура. Следователь по особо важным делам Курбатов.

Надменный начальник сразу куда-то испарился. Вместо него возник гостеприимный хозяин. Выскочив из-за стола, стал жать руку и предлагать свои услуги. Осторожно поинтересовался ходом следствия.

— Знаете, мы отрабатываем несколько версий, — начал Курбатов, — поэтому необходима ваша помощь вот в каком плане. Поручите кому-нибудь составить для меня план последних, скажем за год, назначений, понижений и прочих перемещений. И второе: хотелось бы посмотреть личные дела всех уволенных за последний год.

— И все? — обрадовался начальник.

— А вы можете больше? — заинтересовался Курбатов.

— Кадры могут все, — был брошен лозунг.

— Тогда чемоданчик с долларами и самолет... — высказал пожелание Александр.

Когда на следующий день Курбатов сидел в выделенном ему кабинете, раздался мелодичный звук, и возникло явление, весьма приятное глазу. В ручке нежное создание сжимало тяжелый «дипломат». Бедняжку даже слегка перекосило. Явно не понимая смысла заученной фразы и от этого сильно смущаясь, девушка положила «дипломат» на стол и произнесла:

— Ваш самолет... Так просили передать.

На «дипломате» с надписью: «Осторожно, баксы» появилась модель СУ-27.

— Передайте от меня огромную благодарность за проделанную работу и горькое сожаление по поводу недооценки возможностей. Честное слово, если бы знал, то заказал бы совершенно другое.

Видя растерянное лицо девушки, пытавшейся запомнить фразу, смысл которой уже ускользнул от него самого, Курбатов рассмеялся и просто со всей открытостью объяснил:

— Это я пошутил вчера: самолет и «дипломат» с баксами. А ваш начальник кадров оказался на уровне.

— Тогда понятно, — успокоилась девушка.

— Скажите, а если я попрошу его выделить мне вас в качестве помощницы, вы не сильно будете протестовать?

— Ну, в общем, нет, — ответила она, заливаясь румянцем.

— Идите же и передайте, что ненасытный прокурор требует человеческую жертву, — произнес следователь.

Девушка выскользнула за дверь. Курбатов, еще сияя, вскрыл «дипломат». Вынул содержимое и поморщился, увидев научный труд, который ему принесли. Явно работал целый отдел в авральном порядке. На трехстах страницах принятые и уволенные, дежурные сантехники, электрики, уборщицы, ушедшие в декрет и совмещавшие должности на период отпуска, и так далее. Напрашивалось два вывода: либо опять перестарались, либо явное желание загрузить следствие. Нет. Этим займется ангелочек.

А вот и она с несколькими делами под мышкой. Девушка произнесла:

— Александр Михайлович разрешили! А это дела уволенных.

— Как вас зовут?

— Татьяной.

— Танюш, вот этот талмуд мне явно не зубам. Сделайте, пожалуйста, выборку по серьезным перемещениям, без всяческих декретов. Да, и еще один вопросик. Секретарша, что вы о ней можете сказать?

— Без нее становится скучно. Она такая веселая. Ее все любят, и вообще такое ощущение, что у нее нет проблем совсем. Я очень удивлюсь, если у нее окажутся недоброжелатели или враги. А уж поклонников толпы.

— А у вас?

— Я серая мышь!

— Убейте того, кто внушил вам такую глупость! — посоветовал Курбатов, раскрывая дело.

«Краснов Иван Иванович, 1945 г. р. — полковник, заместитель по политической части института. В 1980 г. уволен по сокращению кадров. В 1980 г. принят на работу в должности начальника клуба с сохранением должностного оклада. В 2002 г. уволен по достижении пенсионного возраста».

«Чернов Исакий Исаевич, 1946 г. р. — полковник, секретарь парткома. В 1980 г. уволен по сокращению кадров. В 1980 г. принят на работу в должности секретаря парткома с сохранением должностного оклада. В 1991-м в связи с прекращением деятельности КПСС переведен на должность заместителя генерального директора по воспитательной работе. В 2002-м уволен по достижении пенсионного возраста».

Остальные интереса не вызвали. Разве вот этого следует проработать: «Кормушкин Сергей Степанович, мнс, снс, начальник лаборатории, зам начальника отдела. Кандидат технических наук, изобретения, научные труды, награды. Допуск к материалам «особой важности». Уволен в 2003 г. по собственному желанию». В заявлении ни тени обиды, но и причин, побудивших успешного с виду ученого, которому загранпаспорт светит не раньше чем через пятнадцать лет, пойти на этот поступок. Хотя сейчас и на Родине мозги могут неплохо устроиться. Надо проверить.

— Танечка, прервитесь на секундочку, — попросил Александр. — Что вы можете сказать о Кормушкине? Где он сейчас?

— В Штатах.

— Как? Ведь режим секретности еще никто не отменял.

— Поехал к родственникам в Тбилиси. Сел на самолет и улетел в Лос-Анджелес, — объяснила простую схему Татьяна.

— А Чернов, Краснов?

— Были такие два старичка. Они всегда вместе ходили. Над ними любили поиздеваться. Однажды на Новый год в юмористической газете их изобразили с одним туловищем и о двух головах! Хотя, говорят, в старые времена обладали очень большой властью. Их держали скорей из жалости, чем за какие-то заслуги. Там есть адреса.

Курбатов решил навестить сначала секретаря парткома, проживавшего в соседнем доме, впрочем, как и бывший замполит. Но секретарь жил на третьем этаже, а замполит на шестом.

Курбатов любил мысленно рисовать обстановку по характеристике хозяина. Иногда совпадения получались даже в мелочах. Это волновало. Если не получалось, то забывал через секунду.

Вот и сейчас представил почему-то кабинет, увешанный портретами вождей, картинами полководцев, красными знаменами, которые на майские и ноябрьские митинги снимаются со стен и разукрашивают в праздничные цвета серые колонны несчастных людей, у которых отняли страну, идеалы, сбережения и веру в источники существования. Как, в принципе, была бы страшна эта толпа, если бы она просто молча шла, не расцвеченная флагами и счастливыми физиономиями различного рода предводителей.

Открывший дверь пожилой мужчина был слишком гладкокож для своих лет.

— Чернов Иван Иванович?

— Да, — с готовностью ответил пенсионер.

— Добрый день. Вы в курсе того, что случилось с академиком Жбановским?

— Да, конечно.

— Я следователь Генеральной прокуратуры Курбатов. Разрешите задать несколько вопросов?

— Да, конечно.

— Вам по долгу службы ведь приходилось разбирать жалобы, анонимки и прочее?

— Да, конечно. Следили за моральным обликом коммунистов, и такого безобразия не было.

— Вот в отношении Марка Борисовича бывали, говорят, сигналы? — спросил Курбатов.

— Кто говорит?

— А вы кого-то боитесь?

— Нет, конечно, — ответил любимым словом пенсионер. — Просто любопытно.

— Профессор Чабанов, — объяснил свою осведомленность Курбатов.

— Тогда понятно, — успокоился бывший партработник. — Ну, вообще-то Жбановский как руководитель был достаточно жесткий, недовольные были. Но открытых выступлений не случалось. А анонимки была директива ЦК КПСС не рассматривать, а проводить тайную проверку фактов и выявлять личности анонимов.

— Проводили?

— Да, конечно.

— Выявили?

— Нет, конечно. Письма были отпечатаны на машинке не нашего учреждения. Отправлены из разных почтовых отделений. Содержали практически одну и ту же информацию. Как правило, грязный поклеп и небольшой факт неподобающего поведения. Мы пришли к выводу, что автор один.

— Мы — это кто? — попросил уточнить Курбатов.

— О них, кроме меня, знал только замполит, — ответил Чернов.

— Они сохранились?

— Уничтожены, — произнес бывший секретарь парткома.

— Ну а какая часть повторялась чаще всего?

— Гадость насчет психического здоровья Жбановского, пошатнувшегося после того, как ему не дали генеральских погон.

— А насколько это соответствовало истине?

— Генералом он действительно должен был стать, но не стал, а вот остальное полнейший бред.

— А что скажете насчет Виталия Игоревича Чабанова?

— Знаете, в науку мы старались не лезть. Нас больше занимали человеческие качества. Он проявил высочайшие моральные устои. Семьянин. Никогда не был замечен в аморальном поведении. Он вообще от женщин шарахался. Партийные взносы платил всегда первым.

— Ну, спасибо. До свиданья, — поблагодарил Курбатов.

Затем заодно посетил и второго. Задал ему те же вопросы. Получил почти те же ответы. «Этот человек совершенно не умеет говорить. Уму непостижимо, как он мог сделать карьеру замполита. Впрочем, бывший президент и бывший премьер, не умея разговаривать, вон какие карьеры сделали! — задумался Курбатов. —

Странно, помню только голоса и интонации, а вот что они говорили? Ни одной мысли, ни одной фразы, ну разве та, избитая, которую уже тогда произносить было пошло, насчет «получилось, как всегда».

Какой-то слишком положительный Чабанов получался. А Александру он совсем не нравился. Обычно такие правильные несчастны в браке по причине своего занудства. Желая проверить предположение, покидая жилище бывшего замполита, Курбатов произнес:

— Красивая, наверное, у него жена?

— Ничего не могу сказать. Ее никогда никто не видел.

Дверь захлопнулась. А вот это интересно. Никто и никогда — слишком интригующе. В Курбатове проснулся охотничий азарт. Он понял, что эту ночь проведет на свежем воздухе, и отправился к месту жительства Чабанова.

Пыхтя, обошел дом, в котором обитал профессор Чабанов. Вычислил его окна и, припарковав свою «Таврию», устроился, вооружившись серьезной японской оптикой. Единственным неудобством была невозможность вздремнуть. Часа через два появился объект наблюдения. В одной руке Чабанов нес «дипломат», в другой — прозрачный пакет с четырьмя-пятью килограммами зрелых бананов. Курбатов даже присвистнул от неожиданности. Он не представлял, что можно съесть больше двух штук. Ну, допустим, на спор килограмм.

Шторы не раздвигались. Стемнело. Включился свет. Разобрать, что происходит, не было никакой возможности. Александр начал позевывать. Еще мгновение — его сморил бы здоровый сон человека с чистой совестью.

Вдруг штора отодвинулась. К окну подошел обнаженный до пояса профессор и уставился вдаль. Курбатов, пытаясь заглянуть в глубь комнаты, начал перестраивать фокус. Неожиданно волосатая обезьянья рука легла на плечо Чабанова и, резко дернув, заволокла в глубь комнаты. Наблюдатель не успел определить породу примата, но сомнений в гигантской силе не оставалось.

Наутро Курбатов заскочил в управление. Турецкий беседовал с Рюриком. Александр, воспользовавшись тем, что собеседники смолкли, с ходу задал вопрос:

— А где Володька?

— Исчез. Рюрик сейчас пойдет по его следу. А у тебя как дела?

— Так, копаю помаленьку. Пока топчусь на месте. Знаете, нужна «наружка» с хорошей аппаратурой.

— Есть идеи? — заинтересовался Турецкий.

— Да. Надо выяснить, кто живет в квартире с профессором Чабановым.

— Чует мое сердце, что готовишь ты нам сюрприз, — произнес Турецкий, прищуривая глаза.

— Вам, Александр Борисович, персональный. Сначала можно вопрос? Как вы относитесь к красивым женщинам двадцати восьми лет?

— Эх, молодежь, молодежь! Я в твои годы...

— Это, знаете, анекдот: «Я понял, что люблю только ровесниц. Со страхом жду старости». — Курбатов засмеялся.

— Так, а у тебя что, проблемы?

— У меня проблемы. Между прочим, не столько касаемо общения, сколько отношения к авиации. Я ведь совсем недавно подвергся такому стрессу!

— Ну это страшный комплекс! — произнес начальник.

— Не ловите меня на «слабо». Знаете, как летят из Владика в Москву японцы? — спросил Курбатов.

— Дай представлю. Неужели в кимоно и с ножами для харакири наготове? — произнес Турецкий.

— Хуже. Раком. Становятся у окошка с расширенными глазами и стоят все восемь часов. Они не могут осознать, что все это земля, земля, земля. Причем не какая-нибудь пустыня, скалы, джунгли. А пригодная для комфортного проживания, богатая неисчерпаемыми ископаемыми. Дозаправку делали в Красноярске, так половина разбежалась, думая, что долетели. Насилу повылавливали. А населения на их жалких островках сто миллионов! Против наших ста пятидесяти!... Да, о деле. Секретарша Жбановского, слухи о которой просто невероятны, через два часа после убийства вылетела в город Сочи. Необходимо срочно взять показания. Я не могу, надо весь институт перепахать.

— Ты аккуратней там. Плуг не затупи, — вставил Елагин.

— А будешь возникать, с собой возьму и отдам на растерзание, — произнес Курбатов. — Так что? Тряхнете стариной?

— Может, Рюрика заслать? — задумался Турецкий. — Полетишь?

— Смотрите, как напрягся! — засмеялся Курбатов. — Ему сейчас плохо станет. Боится он красивых. А они это чувствуют, и начинается такое... страшно становится за Елагина. Опять же, пока след свежий, надо пускать по нему.

— Уговорил. Так и быть, Сочи я беру на себя. Ты рой свой институт, Рюрик постарается найти Володьку. У него неплохо получается. Вот адрес. Где Малая Бронная, объяснять не надо? — оборачиваясь к Елагину, спросил Турецкий, несильно огорчившись необходимости слетать на море.

— Это вся информация, которую мне удалось по ней накопать, — произнес Курбатов, протягивая два исписанных листка бумаги. — Ох, завидую я вам!

## Глава 5
## ОТДЫХ ПО СЛУЖЕБНОЙ НЕОБХОДИМОСТИ

— Кость, ты никуда отъезжать не собираешься? — задал вопрос по телефону Турецкий.

— Нет, если не случится ничего экстраординарного, то собираюсь часов до десяти посидеть.

— А как посмотришь на эксплуатацию личного шофера? Мне в одну сторону, — произнес Турецкий. — До аэропорта.

— Бери, но в последний раз, — предупредил Меркулов. — Саня, сколько можно говорить, что тебе положен служебный автомобиль с персональным водителем. Потрать полдня, побегай по управлению делами, разберись и выбей. Ты что думал, мне все эти блага тоже на блюдечке принесли? Сидит там бухгалтер и подсчитывает экономию за твой счет. А с нее себе премию начисляет.

— Некогда. Вот получу передышку, еще и секретаршу выбью, — пообещал Турецкий.

— А вот в этом я тебя поддерживать не собираюсь.

— Ну тогда, если я вернусь раньше восьми, то ты его еще разочек пошли во Внуково.

— Куда летишь?

— Естественно, в Сочи, — ответил Турецкий.

Он заскочил в шоферскую. Водители резались в домино. Александр Борисович мог понять все, кроме жизни, потраченной на убийство времени. Он выхватил глазами меркуловского водителя и скомандовал:

— Филипыч, на выезд. Меня срочно во Внуково. Вернешься один, — поставил задачу Турецкий.

Не принимавший участия в игре пожилой мужчина встал и вышел, недовольно ворча:

— Совсем загонял, Борисыч. Я же знаю, что тебе свой положен. Думаешь, хорошо устроился? Филипыч туда, Филипыч сюда.

— Так ты что, работу свою не любишь? — по пути к стоянке спросил Турецкий.

— Чего это ты так решил?

— Ну не нравится тебе ездить, иди в сторожа. Вот кого никто не дергает.

— Нет, без руля мне нельзя, — констатировал водитель.

— Филипыч, а почему ты в домино никогда не играешь? — продолжил допытываться Турецкий, зная, как пустяковый разговор располагает к себе человека.

— Терпеть не могу убивать время, — последовал неожиданный ответ.

— Да? И чем же ты занимаешься, пока ждешь начальство?

— Медитирую, — объяснил Филипыч.

Турецкий зашел в управление аэропорта. Дежурный немедленно выписал ему билет на ближайший самолет. В ожидании посадки Александр Борисович развернул бумажный лист с набросанной Курбатовым информацией и набрал номер на мобильнике. В ответ прозвучало:

— Обломись! Я не я, а мой автоответчик! Если хочешь, можешь оставить сообщение. Пока-пока.

Он не стал терять время на объяснения с неведомым почтовым ящиком. А просто отключил аппарат.

Полтора часа — и в раскрывшиеся двери лайнера ударил горячий влажный воздух. Турецкий вышел. Как старых знакомых оглядел далекие вершины, окружавшие адлерскую долину. Нет. Никакой Запад не сможет сравниться с этой первозданной красотой. Цветущие магнолии, безумно чистый воздух, сумасшедшее сочетание моря и гор. Место, созданное для любви.

Стояла дообеденная жара, когда все обитатели санаториев и домов отдыха проводят время исключительно на пляже. Турецкий добрался до турбазы «Кудепста». Тоскливо посмотрел на сотни ступеней, которые предстояло штурмовать. Напротив же, на пути к пляжу, красовался корпус гостиницы «Бургас». Не колеблясь, он направился к нему. Там нашел администратора и завладел на сутки одноместным номером. Немедленно принял душ. Переоделся и направился на пляж, надеясь исключительно на свое чутье.

Разделся. Прошел по глубоко выдающемуся в море мостику. Секунду постоял на краю и бросился в море. С наслаждением уплыл за буйки. Минут через двадцать вернулся, вышел на пляж и увидел ее. Приблизился. Перед ним в шезлонге лежало совершенное тело бронзового цвета. Рядом было свободное место. Турецкий проворно сбегал за лежаком и бросил его поблизости. Лег. Почему-то в голову ничего не шло. Ему просто было хорошо вот так лежать под южным солнцем, под шум моря, крики детей и чаек и чувствовать неподалеку молоденькую женщину, как будто он с ней.

Прошло полчаса. Турецкий почувствовал, как начинает попахивать жареным мясом его тело. Неожиданно она произнесла:

— Я на отдыхе принципиально ни с кем не знакомлюсь.

— Я и не собирался, — ответил Турецкий.

— Это плохо, — прозвучало в ответ.

— Почему?

— Я подумала: «Вот лежит очень скромный человек, которому понравилось мое тело. Он перебирает в голове сотни вариантов, как познакомиться с девушкой, и не может решиться». А оказывается, все проще. Вы извращенец, получающий удовольствие от лежания рядом.

— Хотите знать правду?

— Нет. Здесь с такой фразы всегда начинается интересная ложь с одной целью: забить уши девушке.

— Ладно, не буду. На самом деле я просто в командировке на один день. И даже не могу рассчитывать пригласить вас на ужин. Через два часа улетаю в Москву.

— Как там погода?

— Как всегда. Никак.

— Ну тогда другое дело. Просто каждый козел считает, что я приехала сюда именно затем, чтобы скрашивать его старость на курорте. Три дня не разговаривала с нормальным человеком. Никогда больше одна не приеду! Представляете, я какая-то приманка для придурков. А чем вы занимаетесь?

— Задаю вопросы, — ответил Турецкий.

— Слишком загадочно, чтобы быть правдой.

— А если я скажу, что специально прилетел сюда, чтобы побеседовать с вами?

— Вы знаете мое имя?

— Да, — честно ответил Александр Борисович.

— Вы подло провели разведку? — гневно приподнялась девушка.

— Не хочется портить вам отпуск, но с Марком Борисовичем случилось несчастье, — разворачиваясь к ней, произнес Турецкий.

— Что-нибудь серьезное? — испуганно спросила она.

— На него было совершено нападение. Он скончался. Я следователь Генеральной прокуратуры Турецкий, — нарочно принизил свою должность Александр Борисович.

— Поплыли к буйкам, — предложила секретарша.

— Вы себя достаточно уверенно чувствуете? — обеспокоился Турецкий.

— Думаю, что да. Понимаете, я относилась к Марку Борисовичу с большим уважением. Он был для меня как бы учителем. Его ум, энергия, умение организовать дело просто поражали. Мне его так жаль...

Они подплыли к буйку. Девушка схватилась за него. Турецкий плавал поблизости. С берега они напоминали простую беззаботную парочку. Однако разговор шел более чем серьезный.

— Когда это произошло? — спросила она.

— Через два часа после вашего отлета. Расскажите о последнем дне. Постарайтесь вспомнить детали. Это важно.

— Ничего особенного не было. Пятница — конец недели. Марк Борисович любил такие дни за возможность заняться творческой работой. Когда я убегала, он занимался расшифровкой результатов последних испытаний по проекту «Умная пуля».

— Извините, можно узнать поподробнее, что это за «пуля не дура», — заинтересовался Турецкий.

— Так это его давняя мечта. После всплеска терроризма, когда единственным выходом стало адресное уничтожение бандитов, он ни о чем другом и думать не мог. Два года он потратил на создание нового оружия: управляемой пули. Она сама находит цель.

— И как далеко продвинулась разработка? — подплывая ближе, задал вопрос Александр Борисович.

— Были проведены испытания макета. И по-моему, с неплохими результатами, — прозвучал ответ.

— Но мы подняли весь перечень секретных научно-исследовательских и опытно-конструкторских работ и не нашли ничего подобного, — недоумевая, произнес Александр.

— Он принципиально не засекречивал, чтобы можно было брать материалы на дом. Академик говорил, что знает по опыту: чем сильнее засекретить разработку, тем пристальней к ней окажется внимание потенциальных противников. Даже Чабанов не знал. В курсе работ были только я и Женя Степанов. Это, кстати, его изобретение. А Жбановский всегда выделял молодых и талантливых. Едва выслушав, хватался за идею, делал из мечты реальность.

— Значит, в чемоданчике могли быть сведения об «умной пуле»? — предположил Турецкий.

— Можете не сомневаться, — подтвердила, отталкиваясь от буйка, секретарша. — Они там были.

— Ладно, спасибо за помощь, — поблагодарил он, беря направление к берегу. — Вы когда обратно?

— Через три дня, — ответила она.

— Тогда нам придется еще раз встретиться.

— А вы улетаете сегодня?

— В семь вечера.

— А в нашем институте будете?

— Завтра с утра, — ответил Турецкий, решив, что стоит своими глазами взглянуть на чудо инженерной мысли.

— Знаете, у меня небольшая просьба. Я брала с собой видеокамеру. А кассета заклинила. Вы не могли бы прихватить ее с собой и отдать Жене Степанову. У него руки золотые. Скажете, я попросила.

В полете Турецкий задумался. Вынул камеру. Повертел. Нажал на клавишу выброса кассеты. Раздался негромкий звук работающего механизма. Крышка наполовину выехала и остановилась. Он внимательно осмотрел щель и обнаружил кусок ракушки. Вытащить его не составило большого труда. Кассета выпрыгнула. В этот момент аккумулятор разрядился и дисплей погас. Александр бросил ее в карман своей сумки. Откинул назад спинку кресла и мечтательно закрыл глаза. Девушка ему действительно понравилась. И главное — повода для повторной встречи искать было не надо.

Приехав домой, Турецкий радостно обнаружил, что жены нет дома. Она обладала странным свойством предугадывать увлечения мужа. Александр мог свободно работать в гареме падишаха, и она не проявила бы ни одной эмоции. Но стоило на горизонте появиться «той самой», срабатывало безотказное женское чутье.

Он открыл холодильник. Вытащил кастрюлю с борщом. Налил тарелку и поставил в микроволновку на две минуты. Так было быстрее, терять время в Москве было непозволительной роскошью. Набрал номер Курбатова:

— Алло, Сашок?

— Александр Борисович? Вы уже?

— Да. Слушай внимательно. Проект «Умная пуля» о чем-нибудь говорит?

— Первый раз слышу, — ответил Курбатов.

— Вот видишь. А работаешь в институте третий день. Есть основания полагать, что именно им он и занимался в день убийства. И в похищенном чемоданчике не что иное, как материалы по этой разработке.

— Чабанов даже не упомянул об этом, — ответил следователь.

— Вполне вероятно, что он и не знал. С ним осторожней. Что-то темнит. Найдешь Евгения Степанова. В курсе разработки, кроме него, была только секретарь.

— Вы ее назвали секретарь?

— Я такие вопросы по телефону не обсуждаю, — обрубил Турецкий.

— Понятно, — обрадовался за начальника Курбатов. — Что это у вас пикнуло?

— Да так, в печке борщ разогреваю.

— Сколькидневный?

— Что? По-русски спроси, — попросил Турецкий.

— Сколько дней назад сварен? — уточнил Курбатов.

— Не знаю. Вчера еще не было. А что, это важно?

— У меня дед был на Кубани. Старый казак с «георгием». Так ел борщ только на третий день. Он тогда бахчу сторожил. Бабка с пяти утра начинала колдовать. Собирала и чистила овощи, капусту, когда было, мясо. Затем несколько часов варила. А после самое главное. Заправка. Обязательно бралось старое желтое сало. Мелко рубилось, обжаривалось и высыпалось в кастрюлю. Мать так и до сих пор не смогла понять, зачем. А меня дед научил разбираться в тонкостях. Если ему случайно приносили борщ на второй или, скажем, на четвертый день, после первой ложки содержимое судка летело в канаву! Не утомил?

— Я не гурман. Поем вчерашний. Спасибо за аппетитную сказку.

Александр Борисович сел за стол и только поднес ложку к губам, как вернулась жена. Ирина устало водрузила пакеты на стол прямо перед носом Турецкого и задала извечный вопрос:

— Ты где был?

— Когда? — попытался уточнить Турецкий, понимая, что началось.

— Весь день. На службе его нет. Мобильник не отвечает. В доме нет ни пакета молока. Мне приходится переться в магазин. Тащить тяжеленные сумки.

— Ну не надо было. Я бы купил.

— От тебя дождешься. Ты, быть может, в свою командировку на неделю улетишь, а предупредить родную жену забудешь. Ну, где был? Только честно, я ведь все знаю.

— Ну если знаешь, зачем повторяться? — попытался уйти от допроса Турецкий.

— Хочу проверить твою честность, — ответила Ирина. — Я ведь по глазам вижу, что что-то неладно.

— Летал в Сочи. Беседовал со свидетелем, — честно признался опытный следователь, прекрасно понимая, что в разговоре с женщиной это далеко не лучшая линия поведения.

— Свидетель женщина? — догадалась Ирина.

— Да, — сказал Турецкий.

— Молодая?

— Двадцать семь лет. Мне в дочки годится, — попробовал доказать абсурдность обвинений Турецкий.

— Вот видишь, она в дочки годится, а ты, старый козел, никак не перебесишься? — завелась жена.

— Ирина, сколько раз тебе повторять? Не используй этого слова в любых перепалках. Ты женщина горячая. Обзовешь в очереди хама, а он окажется из бывших уголовников. А на их жаргоне это слово обозначает пассивного гомосексуалиста. Могут заставить отвечать.

Вошла Нина с надутыми губками. Ирина смолкла. Дочь произнесла:

— Папа, вечно ты на телефоне висишь. Мне должны насчет завтрашних занятий позвонить.

— Еще два звонка, и аппарат в твоем распоряжении.

Дочь ушла. Александр начал набирать номер. Неожиданно раздался Нинкин крик из комнаты:

— Пап, а это что за кассета?

— Это так, по работе, — беззаботно ответил Турецкий.

Ирина заинтересованно развернулась. Александр немного замялся и добавил:

— Я даже не знаю, что там.

— Нина, иди поговори по телефону, а мы с папой посмотрим! — приказала жена.

— Ты не боишься увидеть там горы расчлененных трупов? — начала пугать дочь.

— Нинка! — прикрикнула мать.

Девчонка исчезла, хлопнув дверью. Александр понял, что доводы относительно непорядочности просмотра чужих кассет без ведома хозяев в данном случае не подействуют, и, вставив кассету в адаптер, включил воспроизведение.

На пляже лежала, бегала по прибою, бросалась в волны бронзовая блондинка. Ей было очень весело.

Белоснежные зубы и небесно-синие глаза просто светились с экрана.

— Кто это?

Судя по напряженности голоса, Александр понял, что, какое бы оправдание он себе ни придумал, оно не будет иметь никакого эффекта. Приговор был уже вынесен.

— Это секретарша Жбановского. Она проходит у нас по делу об его убийстве.

— И ты, помощник генерального прокурора, лично летал ее допрашивать?

— Некого было послать, — честно объяснил Александр.

— Турецкий! Могу поспорить, если бы она была страшной и старой, ты сам бы не полетел. А раз молоденькая проститутка!

— Почему сразу проститутка...

— А что это ты так возмутился?

— Не понимаю, что тебя задело? — начал заводиться Турецкий.

— Таскает в дом кассеты с голыми девками! И не понимает! Турецкий, я тебя уже полтора десятка лет знаю. Я знаю тебя лучше, чем ты сам. Сколько раз я тебя с баб снимала? Кобель! Я же твой вкус за километр чувствую. Нинка о кассете спросила, а я уже все поняла.

— Тебе бы в криминалисты, — попробовал пошутить Турецкий.

— Мне достаточно одного дела, но на всю жизнь. Догадываешься, про кого? — спросила Ирина. И, успокаиваясь, добавила: — А она красивая. Это я объективно говорю.

— У нее муж и двое детей, — выдвинул последний аргумент в свою защиту невинно обвиненный.

— Смотри, столько сейчас заразы. Принесешь в дом, кастрирую.

## Глава 6
## РЕДКИЕ ПРОБЛЕСКИ В ТУННЕЛЕ

Рюрик прошелся от Пушкинской площади до Малой Бронной, ощущая ауру, исходящую от исторических зданий. Остановился перед сравнительно новым, сталинской постройки зданием. Сюда направился Володя Поремский для беседы с сестрой погибшего академика Галиной Жбановской. Здесь же таинственно исчез.

Елагин обошел дом. Неподалеку в мусорном контейнере копошился нищий. Он подошел и заглянул. Ни одного целого пакета. Однако с десяток шприцев и отдельных игл сомнений относительно их происхождения не вызывали. Даже запах исходил от мусора медицинско-дурманящий.

Проникнуть в подъезд можно было, лишь пообщавшись с хозяином квартиры по домофону. Рюрик стал у подъезда и попытался дождаться, пока выйдет кто-нибудь из жильцов. Он откинул непослушные кудри назад, чтобы максимально открыть лицо. Раздался зуммер. Дверь приоткрылась. Появилась небольшая дворняжка. За ней древняя старушка. Рюрик задержал дверь и, радостно поздоровавшись, проскочил в подъезд.

Прошел по широкой лестнице. Постоял на площадке перед квартирой Жбановской. Оглядел стены, пол и начал медленно подниматься. На площадке четвертого этажа замер. Присев над темным маслянистым пятном, принюхался. Провел пальцем по полу. Здесь явно недавно лежало тело. Оглядевшись, отодвинул обувную коробку и вынул бумажник с документами Володьки. Никаких записок и пометок. Значит, действовал в связи с непредвиденными обстоятельствам. Рюрик спустился. Обследовал все почтовые ящики. Однако никаких следов не обнаружил.

Елагин нажал на копку звонка. Дверь открыла крупная женщина мужеподобной внешности. Увидев перед собой незнакомого мужчину, она, вопреки женской логике, не попыталась сразу же захлопнуть перед его носом дверь и продолжить общение через защиту. Рюрик тряхнул кудрями и, вынув из кармана служебное удостоверение, произнес:

— Следователь Елагин. Генеральная прокуратура. Можно узнать ваше имя?

— Галина Борисовна Жбановская, — ответила женщина низким, прокуренным голосом.

— Я занимаюсь расследованием убийства вашего брата. Вы в состоянии ответить на ряд вопросов?

— Конечно. Проходите. Разуваться не надо. Это не принято в домах, где принимают много людей. Из соображений гигиены, — пояснила она, увидев легкое недоумение на лице молодого человека. — Вы не представляете, каким рассадником грибка могут быть обыкновенные домашние тапочки!

Рюрик прошел на кухню, удивленно рассматривая висящих на стенах уродов. Сел на предложенное место. Он решил дать ей выговориться. Женщина расположилась напротив. Она еще раз оглядела его и произнесла:

— А я себе представляла следователя по-иному. Да, я не успела прочитать, но мне показалось, что у вас странное имя?

— Почему? Рюрик, — пожав плечами ответил Елагин.

— Но разве это не фамилия? — недоуменно произнесла женщина.

— Это имя. Между прочим, фамилий тогда не существовало вовсе. Меня всегда коробит, когда слышу Александр по фамилии Невский. Фамилия это же «фемели», семья, родовое имя. А Рюрик, имя, кстати, достаточно распространенное несколько веков назад в странах Скандинавии. Этимология его восходит к имени Юрик, Юрий или Арий. По некоторым сведениям, именно северо-запад Европы и был родиной древних ариев. А в детстве я был, конечно, Юрой.

— Хорошо. Вот если и я буду называть вас Юрием, не обидитесь?

— Нисколько, — произнес Рюрик.

— А то как-то неудобно в общении, — продолжала развивать тему Жбановская. — Я понимаю, что вы здесь скорей пострадавшая сторона. Но представьте, как бы вы общались с человеком, которого надо именовать Петр Первый или Ричард Львиное Сердце?

— Я много раз имел дело с Чингизами, Тимурами, Цезарями и даже Иудой. Ничего. Имя на самом деле не больше чем претензия родителей. Его всегда можно поменять. А кстати, вы не знаете, что означает имя Галина?

— Нет, никогда не задумывалась. Имя как имя, — произнесла дама.

— Ладно, мы куда-то далеко ушли, — произнес Рюрик. — Вчера вы были дома?

— Нет, мой сын устраивал небольшой, человек на пятьдесят, сабантуйчик. Я в такого рода мероприятия не вписываюсь. Поэтому Виктор покупает мне обычно путевку на два дня в какой-нибудь санаторий или пансионат. Я вернулась сегодня в десять утра из «Березовой рощи». Замечательное место. Но и они погуляли на славу. Когда приехала, пришлось срочно вызывать Майю. Это у нас уборщица-молдаванка, приходящая с фирмы «Феникс».

— А какие отношения были у вас со своим, простите, покойным братом? — спросил Рюрик.

— Как и у всех родственников. Сложные. Друзья — это те, которых мы выбираем по жизни сами. Родственники — наш крест. Нам они непонятны и неприятны, но мы обязаны их любить за кровь. Навязанная любовь, как известно, выливается чаще всего в ненависть. Я всю жизнь неприязненно относилась к брату. Надо было его потерять, чтобы понять, как сильно на самом деле любила. Оказывается, мне было важно знать, что там, на юго-западе города, живет желчный, неприятный субъект, никогда меня не понимавший и желавший подчинить своей воле. Теперь, когда его не стало, я поняла, что для него тоже было важно знать, что живет где-то на свете полнейшая дура с ужасным характером. Оказывается, примирение может приходить и таким образом.

— А Виктор общался с дядей? — спросил Елагин, меняя позу.

— Да что вы! Наши разногласия и начались после рождения сына. В тот момент, когда мне сильней всего нужна была поддержка, я была вынуждена покинуть его дом. Нет. Меня никто не выгонял, но обстановка была ужасной. Я мыкалась с грудным ребенком по общагам, служебным квартирам, пока не получила комнату в коммуналке. Со временем соседи отошли, и теперь мы имеем достойное жилье. А так любимой сказкой ребенка был «Кошкин дом». Виктор знал про богатенького дядюшку, но никогда не общался. Хотя в последнее время приоритеты сильно поменялись. Теперь он совсем не кажется миллионером. Я даже не желаю претендовать на наследство. Ну, может, часть старых вещей, фотографии. Все, что он нажил, дачка в Хотькове, шесть соток, да квартирка четырехкомнатная на задворках Москвы. Пусть между собой дети делят. Чувствую, что после раздела их постигнет карма рода Жбановских — прощать после смерти.

— Скажите, а где сам Виктор?

— Кто его знает? Уже приходили какие-то странные личности. Я думаю, он от них и скрывается.

— А что странного вам показалось в их поведении?

— Когда к одинокой женщине врывается, извините, банда из нескольких молодых мужчин и начинает переворачивать квартиру в поисках ее сына, не странно? Кстати, два золотых кольца из шкатулки тоже пропали.

— Просьба, если кого из них заметите, позвоните по вот этому номеру мне или Александру Борисовичу, — произнес Елагин, оставляя визитку Турецкого с написанными авторучкой своим мобильным номером и фамилией на чистой стороне.

— Запишите также номер мобильника Виктора. Но он с утра не отвечает. Не любит, когда во время творчества его отвлекают. Может отключать на все время, пока есть вдохновение. Иногда оно длится несколько дней.

— Скажите, а почему Виктор Тур? Ваш сын сменил фамилию?

— Знаете, это сложно. Присядьте еще на пару минут. Я всегда считала, что для того, чтобы чего-нибудь достигнуть в жизни, нельзя распыляться на многое. Необходимо выбрать два-три приоритета и сосредоточить все усилия на этих направлениях. Таковыми для меня стали: экономика и сын Виктор. В науке я достигла многого. Доктор экономических наук, профессор кафедры экономики развивающихся стран Университета дружбы народов, имя, ученики, монографии.

С сыном было сложнее. Чего скрывать, нрав у меня тяжелый. И это не способствовало счастью в личной жизни в том виде, как его понимают ограниченные домашние клуши. Я решилась на ребенка в достаточно зрелом возрасте. Когда пришла к выводу, что в наше время сильная, волевая мать способна заменить бесхребетного отца. Ребенок не знал ни в чем отказа. Когда приводила его на местный рынок, волна оживления пробегала среди торгашей. Я гордо поднимала Виктора над развалами игрушек. Ту, в которую он тыкал пальчиком, брала не торгуясь. Дом был похож на склад игрушек и кондитерский магазин одновременно. Когда пришло время устраивать в школу, были тщательно изучены все специализированные. Выбор пал на художественную. Главным критерием при поиске были глаза учеников. Знаете, чем они меня купили? В этой школе у детишек глазки оказались умненькие.

Виктор с успехом закончил ее. Имея на руках аттестат о художественном образовании, поступил на оформительский факультет ВГИКа. После него пристроился художником Центрального театра кукол.

Внешне все было чинно и благопристойно, однако никто, кроме него самого, не знал, на какие терзания обречена душа художника. Он оказался очень ранимым. У него появилась первая девушка, Галочка Короленко. Он воспылал к ней самыми светлыми чувствами. Рисовал ее днем и ночью. Он боготворил ее и вознес неимоверно высоко. Однако она оказалась обыкновенной шлюшкой, недостойной роли музы творца. Девушка решила с ним переспать и в самый ответственный момент надсмеялась относительно размеров. Виктор впал в сильнейшую депрессию.

Попал в клинику и от меня требовал лишь холстов и красок. Едва придя в душевное равновесие, устроил выставку картин: «Из психушки». В советское время, как говорится, «получил бы три года расстрела дерьмом из крупнокалиберного пулемета». Но, слава богу, свобода! Мне, конечно, эти картины совершенно не импонируют. Вы обратили внимание на кошмар в прихожей? Но лишний раз испытывать на прочность нервную систему сына я не желаю. Единственным условием была просьба не марать в желтой прессе широко известную в научных кругах фамилию Жбановских. Виктор устроил показ под фамилией Тур. Затем поменял и паспорт. Выставка произвела фурор. Вот такая история.

— А кто его друзья? — вставая, спросил Рюрик.

— Весь диапазон — от богемы до всяческого сброда. Я ничего о них не знаю.

— Ладно. Спасибо за беседу.

— Рюрик, — задерживая его на выходе, спросила женщина, — что же означает мое имя?

— Курица, — произнес, пожимая плечами, Елагин.

Расстроенная женщина подошла к окну. Надо же! Ее, оказывается, всю жизнь звали курицей! А она не знала. Нескладная фигура лохматого следователя исчезать со двора не спешила. Рюрик подсел к двум старушкам, сидевшим на лавочке.

Бабульки видели карету «скорой помощи», которая стояла у подъезда. Якобы даже туда грузили тело. Но номера никто запомнить не догадался. Рюрик позвонил на 03.

— Говорит следователь по особо важным делам Генеральной прокуратуры Елагин. Мне нужна информация о всех вчерашних вызовах «неотложки» по улице Малая Бронная дома от пятнадцатого до двадцать первого с пятнадцати ноль-ноль до девятнадцати ноль-ноль.

— Назовите секретное слово.

— Тринадцать сорок четыре. Марс.

— Одну минуту... Вызовов не было...

Елагин прикинул, из каких окон могли разглядеть задние бортовые номера санитарной «газели». Он начал дотошно обходить квартиры. Однако результат был практически нулевой. Лишь один мужчина узнал по фотографии Поремского. Он утверждал, что видел, как тот сам сел в автомобиль вместе с медсестрой в коротком халатике. Это вселяло определенную надежду.

...Пока Елагин докладывал о неутешительных итогах, Турецкий забавлялся орудием убийства. Все человеческие следы с него были сняты и запротоколированы. Теперь стерильное оружие отдали для проведения следственных мероприятий. Александр Борисович взял карандаш и легко, словно он был из воска, перерезал его пополам.

— Я такого еще не видел, — восхищенно произнес Елагин.

— Рюрик, нож, как ты успел заметить, необычный. Мало того, авторское клеймо нашлось. Сейчас поедешь к одному коллекционеру. Большой специалист по холодному оружию. Может, что прояснится.

Выделенная служебная «Волга» привезла Елагина в подмосковный дачный поселок. Он нажал на кнопку у металлических ворот. Камера слежения повернулась, и калитка отворилась. Следователь прогулялся по дорожке и вошел в уже открытую дверь.

— Ну-с, молодой человек, чем могу быть полезен? — спросил слегка сгорбленный пожилой мужчина.

— Александр Борисович с вами уже говорил? — произнес Елагин, вынимая и разворачивая злополучный нож.

— Боже, какое кощунство! Такое оружие и заворачивать в носовой платок! — воскликнул ценитель, бросаясь к оружию.

Коллекционер некоторое время разглядывал холодное оружие и затем, вернув Рюрику, произнес:

— Рука мастера мне знакома. Я его лично не знаю, но могу дать небольшую наколочку. Записывайте: ГРУ, полковник Прохоров...

Рюрик ориентировался в Москве в двух измерениях. С одной стороны, это был современный бездушный мегаполис из стекла и бетона. С другой — сплошь исторические места. Здесь жили люди. Радовались и страдали, мечтали, творили, строили, надеясь на светлую память. А неблагодарные потомки низвергали памятники, взрывали храмы, бульдозерами сгребали древние кладбища, чтобы возвести на костях свои склепоподобные жилища.

Вот и сейчас он двигался по направлению к легендарной Ходынке не один. Рядом шли на ужасную погибель в праздничных рубахах, скрипящих сапогах, нарядных ситцевых платьях счастливые люди. Говорят, это место проклято. Даже деревья там не растут. Сталин, Хрущев, Брежнев об этом знали и не посмели тронуть. А сейчас взметнулась стрела подъемного крана.

По предварительной договоренности его встретили у проходной напротив «Аквариума» и провели подземными паттернами со специфическим запахом до бронированных дверей. Сопровождающий позвонил и, не дожидаясь, пока откроют, удалился.

Дверь отворилась. За ней стоял моложавый полковник. Суеверно пропустив Елагина через порог, протянул руку.

— Прохоров.

— Елагин.

— Ну давай, показывай свое сокровище, — просто произнес офицер, сразу перейдя на «ты».

Рюрик развернул тряпицу, ожидая вновь подвергнуться острой критике за неподобающее отношение к оружию. Однако этот аспект волновал полковника меньше всего. Он молча взял нож и принялся разглядывать, играя гранями. Затем открыл сейф и, вытащив продолговатый предмет, протянул Елагину.

— Жив, значит, еще чертяка! — произнес он. — Хромовых сапог не пожалел на ножны. Смотри.

— Да, странно, и другая форма, и металл, а словно

родной брат, — произнес наблюдательный Елагин, вынув нож из чехла.

— Ты на заточку взгляни. На два спуска. Такое нынче не делают. И клеймо, видишь, маленькая буква «а».

— А откуда у вас он? — полюбопытствовал Рюрик.

— В конце семидесятых занесло меня в Эритрею. Никак не мог врубиться в ту войну. Оружия им натаскали, не продохнуть. Куда ни плюнь, в танк попадешь. Сами местные — тупые, трусливые, воевать не умеют, главный маневр — бросить технику и спасаться, а все равно воюют. Без наших технарей, естественно, ничего не работало. Просто кошмар. Больше боялись не врагов, а своих. То он лежит под деревом целый день, ждет, когда сверху какая-то дрянь, типа инжира, свалится. И то жрать начнет, если рукой дотянуться сможет. То вдруг появляется подъем нездоровой энергии. И тогда все. Или мину распилит, или рацию расковыряет, а то еще полить подстанцию из шланга пытается. Один раз какой-то недоделанный кокосы долбил об ракету. Ну и пронеслась по земле до штаба полка. Там рванула. Никто не выжил. Другой вообще к мотоциклу приладил реактивный ускоритель от вертолета. Есть такая дрянь. Две трубы с запасом твердого топлива. Если вертушке срочно надо смотаться. Врубают — и мчит как сверхзвуковой. Разогнался на аэродроме, врубил форсаж, взлетел и исчез в небе. Никто его больше не видел… Америкосы тоже своим натаскали всякого новья. Тактика войны та же. Ну, и время от времени нам попадалась техника, как говорится, в масле. Моя группа занималась изучением и транспортировкой наиболее интересных образцов для изучения на Родину… Там я и познакомился с Анатольичем. Капитан, начальник ремонтной базы авиационного полка. Технарь, как говорится, от Бога. Над каждой железкой трясся. Приходил в дикий восторг: «Надо же, гады, как делают, что придумали!» Или, наоборот, задумчиво удивлялся: «Зачем это они так делают? Тупые!» Стоит рухнуть самолету, мы летим на «уазиках». А там уже что-то Анатольич курочит... Но мы с ним не ругались. Сильно он помогал. Знал назначение и принцип действия всех устройств. По цвету искры химический состав сплава определял. Напильником пиланет, спичку под опилки подставит, они и вспыхивают. А уж от оптики просто с ума сходил. У него ее, наверное, несколько ящиков стояло в ангаре. Не знаю, вывез он весь свой арсенал или нет. Мы уезжали раньше. Вот он мне ножичек на память и выковал. Сам соорудил муфельную печурку, наковальню, горн... Да на него местные молились. Жара стоит под пятьдесят, а вода из скважины — ледяная. Ее наливают в бочки и ждут, пока прогреется, после пьют и моются. Анатольич приспособил емкость от погибшего водовоза, десять отражателей с зенитных прожекторов и небольшую автоматику слежения за Солнцем. Вода вмиг чуть не закипала. Провел два крана, смеситель, и народ познал все ценности цивилизованного душа. Сейчас он на дембеле. Работал на тульском оружейном. Последний раз лет десять назад общались. Где-то там, наверное, и надо искать...

## Глава 7
## БЕГУЩИЙ ЧЕЛОВЕК

Володя Поремский очнулся в темной комнате. Руки и ноги были свободны. На нем не было никакой одежды. Он ощупал стены. Бревенчатый сруб. Похоже на баню. Голова раскалывалась. Желудок рвался наружу, но он знал: рвать уже давно нечем.

Дверь отворилась. От яркого света Поремский зажмурился. Заглянул мужчина и произнес:

— Ну что, очухался? Выходи.

Поремский, прикрываясь ладошкой, вышел. С виду дачный поселок. Конвой три человека. Его отвели в баню. Володя помылся и надел приготовленное армейское нижнее белье.

Затем его провели в небольшой, с баскетбольную площадку, зал. В углу располагались тренажеры, груши, штанги, пол застлан матами.

Дверь отворилась, и выскочили с десяток пацанов. С виду лет по двенадцать — четырнадцать, в белых кимоно. Они стали бегать кругами, приближаясь к Володе. Ничего хорошего он не ожидал. Один из них сделал резкий выпад и попытался нанести удар, но промахнулся. Зато другой смог, но тут же отлетел к стене. В этот момент раздался хлопок, и упавший, прихрамывая, вернулся в строй.

Поремский увидел мужчину лет сорока с плоским, как у китайца, лицом, покрытым светлыми пигментными пятнами. Рядом с ним стояла вчерашняя красотка. Она что-то шепнула старшему. Тот кивнул, хлопнул в ладоши. Бег прекратился. Девушка приблизилась к настороженному Володе. Посмотрела в глаза и произнесла:

— Ты еще ничего не понял?

— Нет, — ответил он.

— Дерись без правил. А призом буду я.

— Я не дерусь с женщинами и детьми, — произнес он.

— Жаль. Мне показалось, ты не похож на быдло, — процедила она сквозь зубы. — Учти, они пойдут до конца.

Раздался хлопок, и кошмар повторился снова. Володя решил продержаться дольше, не увеча сильно нападавших. Правда, двоих, самых опасных, а следовательно, наносящих самые сильные удары, удачно вывел из строя. Одному вывернул ногу, другому сломал руку. Давние занятия рукопашным боем не прошли даром.

Наконец, почувствовав, что сил осталось немного, упал. На него посыпался град ударов. Но сила в них была уже не та. Раздался хлопок. Избиение прекратилось.

— Он еще достаточно крепок для пары боев. Отнесите, — послышалась команда.

Расслабленного Поремского схватило несколько рук, и его поволокли головой вперед. Забросили в тот же самый сруб. Он неподвижно полежал, приходя в себя. Понял, что надо бежать. Но как и куда?

Дверь резко распахнулась. Заскочившие пацаны профессиональными движениями набросили ему на руки и ноги веревки. Растянули в виде звезды и молча исчезли. Дверь захлопнулась. Однако в полной темноте одиночества не чувствовалось. Чиркнула и воспламенилась бензиновая зажигалка. Это была она. Девица поставила источник огня на пол и при его мерцающем свете начала медленно раздеваться.

Володька почувствовал, что он умер не весь. Она склонилась над ним и запустила руку в штаны. Удовлетворенно хмыкнула. Затем медленно стащила их и, страстно урча, набросилась на него. Поремский почувствовал, как теряет ощущение реальности происходящего. Словно его напичкали наркотиками и поселили в кинофильм о вампирах. Девица оседлала его и устроила небольшое родео. Во время резких движений зажигалка, задетая ногой, упала и погасла. Но она, забившись в экстазе, этого не заметила.

Наконец женщина-вамп встала. В темноте послышалось шуршание одежды. Затем раздались слова:

— Я здесь потому, что живу по закону: отдаюсь только сильнейшему. Сегодня ты победил. Постарайся уснуть и набраться сил. Завтра они будут играть в «бегущего человека». Внимательно смотри под ноги. И избегай западного направления, там болото и много непроходимых мест.

Она вышла. Заскочившие пацаны снова его развязали. Володя попробовал совершить несколько простых движений. Тело практически не повиновалось. О том, чтобы сейчас разбросать их и вырваться, не могло быть и речи. Дверь захлопнулась.

Владимир, пошарив руками по полу, нашел зажигалку. Зажег. Сруб был без окон и чердака. Создавалось ощущение, что изначальное его назначение быть тюрьмой. Зажигалка имела отверстие для использования в качестве брелка. Он оторвал тесемку со своей белой рубахи и, просунув в него, повязал вокруг талии. Затем провел небольшую медитацию и уснул.

Резкий свет в дверном проеме неожиданно ослепил. Никого в нем не оказалось. Поремский медленно поднялся и вышел. Пацаны стояли одетые в тщательно подогнанный камуфляж. В руках каждый сжимал пистолет ТТ с накрученным на ствол глушителем.

Вчерашний «китаец» произнес, обращаясь к строю:

— Сегодня отрабатываем погоню по следу. Перед вами достаточно сильный, молодой противник. Он опытен и хитер. Поэтому форы ему не дается. Стрелять можно, как только покинет загон. За каждое ранение сто баксов. Смертельная пуля — штука.

Он обернулся к Володе:

— Ну, что стоишь? Вперед!

— Вот так, — спокойно потягиваясь, произнес Поремский, — без последнего слова и приговора?

— Приговор? Будет тебе приговор, мент поганый. Мальчонку одного сдал в Шереметьеве? За это прими что полагается, — прозвучал ответ.

Из толпы, ухмыляясь, выдвинулся тип со знакомой физиономией. Постукивая пистолетом по ладони, он произнес:

— Первый выстрел мой. Поняли?!

Володя слегка повел плечами. И, рванувшись, молниеносно нанес удар пяткой под глаз. Громила рухнул. Поремский, перемахнув ограду, побежал к лесу. За ним с радостным гиканьем, словно в игре в «войнушку», мчались пацаны.

— Не стрелять! Всех поубиваю! — вопил обиженный, вставая на колени и разряжая ствол. — Он мой!

Володя был босиком, поэтому несся по тропинкам, внимательно выискивая возможные сюрпризы. Дважды попадались груды битых бутылок. Он подобрал один из осколков с горлышком. Время от времени раздавались хлопки, но пули пролетали довольно далеко.

Поремский сразу взял такой темп, что преследователи выдохлись через пятнадцать минут. Затем перешел на более спокойный. Решил для увеличения разрыва держаться одного направления. Однако через полчаса уперся в отвесную стену из кирпича высотой около четырех метров. Деревья возле нее были спилены. Подход к стене был густо покрыт витками колючей проволоки. Она же проходила и поверху. Оставалось определить размеры этого загона.

Володя повернул направо и побежал в сторону обещанного болота, оглядываясь на возможных преследователей. Почва стала мягкой. Он почувствовал запах болота и потянулся в том направлении. Наконец попал в непролазные топи, перемежаемые частыми кочками.

Быстро сделал осколком бутылки разрез в покрывале мха и влез под него, выдавив находившуюся там воду. Недаром он провел детство в тундре. Сквозь растительность не только сносно дышалось, но и неплохо слышалось, как бегают, матерясь, малолетние киллеры. Несколько раз они были так близко, что едва не наступали ногами. Торф под спиной согрелся, и Поремский заставил себя уснуть.

Володя уже просчитал противника. На ночь они должны оцепить загон. А под утро начнут поиск с собаками. Смущало одно обстоятельство. Хотя он и понимал, что его немедленно пристрелят, убивать малолетних пацанов все равно не мог.

Стемнело. Поремский покинул свое убежище. Бросил взгляд на небо. Запомнил расположение звезд. Где был запад, он уже помнил. Пошел обратно к лагерю.

На тропинках посверкивали осколки битых бутылок. Неожиданно блеснула струна растяжки. Володя быстро нашел саму мину. Она оказалась сигнальной. Он ее аккуратно снял и зажал в руке. Вскоре решение созрело. Он облизал палец и, определив направление легкого ветерка, повернул против него к забору.

Убедившись, что поблизости не выставлены посты, проверил свою зажигалку. Она работала. Быстро начал собирать вокруг сосны валежник. Таким образом соорудил пять легковоспламеняющихся ворохов.

Произнеся: «Да простят меня Гринпис и местные белки», поднес огонь к хвойной ветке. Весело заполыхал разрастающийся костер. Кинулся к следующему. Зажег. Потом еще. Оглянулся. Позади оставалось несколько кустов и незаросшее пространство у забора. Впереди занимался неплохой пожар. Послышались крики и хруст ломающихся веток.

Огонь еще можно было остановить. Поэтому, едва пламя осветило первые фигуры, он привел в действие мину. Выдернул чеку и направил цилиндр в сторону людей. Первые двое были поражены ракетами, даже не успев ничего понять. После того как попал в третьего, попытки тушения прекратились. Противник залег. Началась беспорядочная стрельба. Слышались вопли обожженных и свист мины. Из-за толстого ствола Поремский выпустил вслепую оставшиеся двенадцать ракет, стараясь покрывать равномерно все пространство за линией огня. Время играло на него. Деревья заполыхали. Бушующая стихия стала неуправляемой. Вскоре противник в панике бежал от страшного лесного пожара.

Но это была лишь локальная победа. Допустим, огонь перекинется на лагерь и выгорит все. Конечно, если мозги у главного работают, он сейчас на подходе рубит деревья и кустарники. Все равно Поремский остается в каменном мешке. Пожар не может остаться незамеченным. Необходимо только дождаться.

Он подошел к стене. Отбросил палкой спираль колючей проволоки. Затем, вооружившись горлышком разбитой бутылки, начал копать землю. Огонь, несмотря на легкий ветерок в сторону лагеря, неумолимо подбирался и к нему. Жар становился нестерпимым. Неожиданно рука наткнулась на нечто коричневое, круглое. Он разгреб землю и вытащил человеческий череп. Следов мягких тканей на нем не сохранилось. Обливаясь потом, продолжил лихорадочно рыть, выбрасывая кости наружу. Владимир понимал, что так нельзя поступать с уликами, однако, если не успеет спрятаться, сам станет таким же вещественным доказательством.

Яма уже была глубиной сантиметров семьдесят, а фундамент забора все не кончался. Вдруг послышался странный посторонний свист. Инстинктивно Поремский упал на дно своего окопа. И вовремя. Рядом раздался взрыв. Посыпались комья земли. Они нашли где-то миномет и начали обрабатывать пространство.

Через некоторое время обстрел прекратился. То ли запас мин иссяк, то ли огонь дошел до минометов, а может, решили, что достаточно. Он поднял голову. В заборе на высоте метров трех зияло отверстие. А неподалеку догорал вырванный с корнем ствол небольшого дерева.

Поремский лихорадочно подскочил к нему. Сбил кусками мха огонь. Подтащил к забору. Упер верхушку на край дыры и пополз по черному обжигающему стволу. Добрался до отверстия. Вцепился в него руками. Подтянулся. В темноте слева сверкнули фары. Это преследователи догадались на своем джипе объехать контрольную полосу вдоль забора. Володя проскользнул в отверстие, отбросив ногой ствол дерева. Рухнул на мягкую почву. Полежал пару секунд и, поднявшись, поковылял в чащу...

## Глава 8
## УМНАЯ ПУЛЯ

Курбатов приехал в институт с единственной целью: найти таинственного Степанова и выяснить, что это за проект «Умная пуля». Пропустили его как старого знакомого, безо всяческих проволочек. Ощущая затылком внимательный взгляд, Курбатов, пройдя мимо лифта, направился к лестнице. Однако, сделав пару шагов, вернулся. Вахтерша, вытянувшись, торжественно докладывала по телефону, вероятно, очень важную информацию. Александр пошел к лифту.

Выяснив, что его «пасут», и не желая засвечивать свои планы, Курбатов направился к выделенному ему кабинету. Сел и принялся просматривать папки с планами научно-исследовательских и опытно-конструкторских работ, бухгалтерские отчеты, расходные накладные и приходные ордера.

Александр помнил просьбу Турецкого разобраться с поставками продукции института в ближневосточные страны и внимательно изучал весь доступный материал. Как вскоре выяснилось, самое дорогое изделие из отправляемых на экспорт оказалось гуманитарной детской игрушкой «Поймай рыбку».

Дверь скрипнула. Вошел сам Чабанов. Лучезарно улыбаясь, как старому знакомому, произнес:

— Александр Михайлович! Что же это вы сразу за бумаги? Не зашли ко мне чаю попить. А то есть и покрепче!

— Да вот, как-то неловко отнимать рабочее время у научного светила. А у меня просто будничная работа с документами. Это в кино следователи бегают и стреляют, чтобы поймать преступника. На самом деле мы ближе к бухгалтерам. Я простая бумажная крыса, которая пытается в груде пустой породы отыскать алмаз истины.

— Есть успехи?

— Кое-какие вопросы возникают. Кстати, может, просветите? Например, по зарубежным поставкам. Меня интересуют вот эти контракты, — произнес Курбатов, протягивая бумаги вспотевшему Чабанову.

— А это наша, так сказать, конверсионная продукция. Когда-то сверху навязанная. Мы взялись за нее с присущим серьезному производству отношением. Разработали технологическую карту, поставили на поток. Однако времена изменились. Реализацией пришлось заниматься нам же самим. Вот на Ближнем Востоке с превеликим трудом нашли покупателей. Можно только удивляться, кому мы мешаем? Чистая прибыль стране, институту, людям. Нет. Постоянные препоны. Вставляют палки в колеса. То ли вымогают, то ли конкуренция.

— Эти силы не могли быть заинтересованы в физическом устранении академика Жбановского? — быстро спросил Курбатов.

— Нет, все вопросы по товарам народного потребления курирую я. И его смерть на плане поставок никак не скажется, — пояснил Чабанов.

— Тогда, извините, ничем не могу помочь. Это дело для простого опера по экономическим преступлениям. Моя прерогатива — убийства. Да, а ради праздного любопытства можно посмотреть на производство? — лениво произнес Курбатов.

— Так оно сейчас законсервировано, — почему-то напрягся профессор. — А цеха временно превращены в склады для хранения произведенного товара. Ладно, не буду отвлекать. Если возникнут вопросы, в письменном виде отдайте референту. Мы попытаемся дать на них исчерпывающие ответы.

Едва Чабанов удалился, Курбатов вынул из потрепанного кожаного портфеля белый халат. Накинул его и затерялся в лабиринтах коридоров среди сотен сотрудников. Он довольно быстро нашел путь к производственным цехам. Они располагались в подвальном помещении.

Поиски привели к огромным металлическим воротам с расположенной рядом маленькой дверцей. Слева от нее висело небольшое приспособление для считывания информации с карточки. Курбатов даже не стал выяснять, что является носителем: магнитная лента или штрих-код. Он вытащил сигарету, прикурил и, присев на ступеньку, принялся терпеливо дожидаться, когда они откроются сами.

Через пятнадцать минут заскрипели и поползли по рельсе в сторону огромные ворота. За ними стоял защитного цвета КамАЗ с кузовом, груженным одним деревянным ящиком. Курбатов, отметив, что в упаковке такого размера можно легко не только перевозить, но и хоронить трупы, спокойно прошел. Автомобиль газанул, наполняя пространство черным дымом, и тронулся. Александр на всякий случай скользнул по номеру: 450. Буквы запоминать было бесполезно. Его математический ум предпочитал исключительно цифры.

Чабанов оказался прав. Все свободное пространство было заставлено, завалено, загромождено коробками с детской игрушкой. Он заметил что-то подсчитывающую женщину в синем халате. Подойдя к ней, немного задыхаясь, спросил:

— Женю Степанова не видели?

— Так он в своей каморке.

— Это где? — уточнил Курбатов.

— Вон то стеклянное сооружение.

Курбатов неуверенно оглядел хрупкую конструкцию. Однако выхода не было. Кряхтя, начал подниматься по металлическим жердочкам. Под его весом они прогибались и скрипели, грозя вообще обломиться. Отворил дверь. Вошел. Молодой человек с неопрятной растительностью на щеках и подбородке, зажав в тисках лазерный прицел на гибком шарнире, водил по стене лазерной указкой. Прицел поворачивался за ней следом. Два лучика почти сливались. Второй если и запаздывал, то на доли секунды. Невольно залюбовавшись игрой, Курбатов немного постоял молча. Затем произнес:

— Вы, если не ошибаюсь, Степанов?

— Да, — ответил молодой человек. — А вы из какой лаборатории?

— Я не из лаборатории, — ответил Курбатов, — я из прокуратуры.

— Тогда садитесь, — предложил Степанов.

— Извините, профессиональное, но у нас принято говорить «присаживайтесь».

— А, да. У меня знакомый летчик никогда не говорит слово «последний», заменяя его на «крайний».

— Я расследую дело об убийстве академика Жбановского. Есть ряд вопросов по проекту «Умная пуля».

— Знаете, я не уверен, что имею право рассказывать все первому, извините, встречному. Покажите ваш документ.

Курбатов предъявил служебное удостоверение. Степанов его разглядел со всех сторон и со вздохом вернул обратно.

— Убедил? — спросил Курбатов.

— Нет, — ответил ученый. — Если бы мне приходилось видеть такой документ раньше, может быть. А так, при современном развитии полиграфии, верить какой-то бумажке глупо.

— Хорошо. Вам приказания Чабанова будет достаточно?

— Что вы! Он даже не знает! — замахал рукой исследователь.

— Что же тебе требуется? Официальный вызов на допрос? Сейчас оформим. Вопрос только, успеешь ли ты доехать до прокуратуры. Вот. Придумал. Держи мобильный. В меню третий номер — дежурный следственной части Генпрокуратуры. Звони и попроси соединить с помощником генерального прокурора Турецким. Вот у него и расспросишь обо мне. Или проще, спроси на проходной. Работает ли прокуратура в институте и как фамилия следователя? Можешь еще и о внешности справиться, хотя при нашем развитии пищевой промышленности...

— Я готов, — оторвался от своей игрушки Степанов. — Что вас интересует?

— Другое дело. Вообще, расскажите подоплеку.

— Что тут скромничать. Идея моя. Однако мало ли кому в голову что приходит. Главное — физическая реализация. За что я благодарен Жбановскому, так это за его научное чутье, хватку. Я знаю, сколько светлых голов не могут реализовать свои проекты из-за идиотского тщеславия. Сейчас времена Эдисонов прошли, хотя считается, он первый начал эксплуатировать чужие мозги. Для меня главное — реализация проекта, воплощение мечты в «железе», материализация идеи. В конце концов, главное — благо Родины. А под чьим именем, не важно. Я бы даже сравнил свой труд с рождением ребенка. Для отца логичнее: пусть он живет в чужой семье, чем вообще не появится после девяти месяцев вынашивания.

— Для матери, — уточнил Курбатов.

— Что для матери? — не понял Степанов.

— Мать обычно детей вынашивает, — пояснил Александр.

— Пожалуй, да, — махнул рукой ученый, показывая, насколько это не важно. — Так вот. Приношу ему идею. Он мгновенно ее оценивает. Составляем соглашение об авторстве, соавторстве и вознаграждении и — вперед.

— Знаете, в этом есть еще один положительный момент. Ваше имя не фигурирует среди знающих секрет. И только благодаря этому вы живы, — произнес Курбатов. — Профессора убили исключительно из-за этого мифического оружия.

— Ни фига себе! Что же делать? Я жить хочу! — запаниковал, теребя бородку, Степанов.

— Поэтому, пока до вас не добрались, берите отпуск, и мы обеспечим надежным местом, где будет все для окончания экспериментов. А пока продолжайте.

— По сути, пуля — это не совсем пуля, хотя и не без этого. На начальном этапе дается некий импульс, и она просто выстреливается. Причем не обязательно с помощью порохового заряда. Это может быть бесшумная пневматика или даже арбалет. Но на конечном отрезке траектории превращается в ракету. У нее появляются стабилизаторы и микроскопический маршевый двигатель. Заряда пока хватает на двадцать метров любых маневров. Если прописать программу заранее, то пуля может, влетев в это окно, сделать три полных облета по периметру и попасть в лоб человеку, находящемуся в любом месте.

— И что, она действительно существует? — поразился Курбатов.

— В таком виде — да. Опытный образец и чертежи у меня, а второй экземпляр был у Жбановского. Все же он ведущий специалист в области ракетных двигателей и все расчеты проводил сам, — ответил Степанов.

— Вы представляете, что значит такое оружие в руках к-киллера? — заикаясь, воскликнул следователь. — Он просто узнает распорядок дня жертвы и, проезжая по соседней улице, делает выстрел ввверх. А пуля, влетев в окно, находит его в своем рабочем кресле во время заседания. Или спокойного сна. Да где угодно. Правильно я понял?

— Да, — подтвердил Степанов. — Но оно разрабатывалось не для криминала. Мечта была расправиться с терроризмом. Представляете, там, в Буденновске, каждому бандиту — персональная пуля. Один залп — и несколько человек получают по пуле. Проблема сейчас только в системе наведения и поиска. Видите, как лучик гоняется за зайчиком? Мы разработали несколько вариантов... Один весьма забавный. Тело человека содержит некие вещества — порфирины. Под воздействием лазерного облучения они начинают светиться сами. Причем спектр излучения значительно отличается от того, каким облучали. Это дает возможность создания самонаводящейся системы. Такой образец уже существовал, но разобран. Если в укрытии один или несколько человек, которых необходимо уничтожить, то они просто не имеют шансов на спасение. Мало того, уже были опыты по избирательному прицеливанию. Существуют такие соединения, называемые сансибилизаторами. В принципе они разрабатывались как одно из направлений борьбы с раковыми опухолями. Так называемая фотодинамическая терапия. Там принцип прост. Вводят в опухоль фоточувствительное вещество. Оно проникает внутрь раковых клеток. Затем облучают лазером. Вещество вспыхивает, и клетка взрывается изнутри. Проблема в том, что свет видимого спектра не способен проникнуть глубже нескольких миллиметров в ткани. Так вот, если дать человеку принять, допустим, с бокалом виски, например, родехлорин, то при облучении его светом длиной волны в пятьсот тридцать нанометров отклик будет на порядок сильнее и длиной пятьсот шестьдесят нанометров. Уловил?

— Да, но лучше продолжай разжевывать, как для слабо соображающего, — пожелал Курбатов.

— Пуля найдет жертву даже на балу по случаю приема английской королевы, — образно разъяснил ученый.

— Ах, твою мать! — выругался Курбатов. — Остается только напоить бандитов виски.

— Ну, это не проблема. Отдельные результаты есть. Жбановский уже вел переговоры по пробным испытаниям. Через два месяца оружие должно было пройти апробацию в Чечне. Выбирается наиболее неспокойный район. Проблема в чем? Днем все мирные жители. Эдакие овечки трудолюбивые. Ночью несколько человек устраивают нападение на федералов. Потери несутся в первые секунды боя. Дальнейшая перестрелка ничего не дает. Поутру начинается зачистка. Ищутся опаленные брови, ороговевшие указательные пальцы. Как правило, страдают те же мирные жители, которые в эту ночь просто спали. Достигнут второй результат. Недовольство народа. А теперь представим: вводим каждому мужчине сансибилизатор. Притом что он абсолютно безвреден, выводится в течение двух недель. Обстрел. В ответ выпускается несколько пуль. И если там есть меченый, они найдут его.

— Научная фантастика! — сделал вывод Курбатов.

— Вот-вот. Мы тут сотрудничаем с одним медицинским институтом для идентификации конкретной личности.

— Как называется учреждение? — вспотев от информации, спросил Курбатов.

— Институт медицинских и биологических препаратов имени Марасевича.

— Е..! — вновь выругался Курбатов. — Имя профессора Волобуева ни о чем не говорит?

— Это научный руководитель разработок по нашей тематике, — подтвердил Степанов.

— Его убили, — проинформировал Курбатов.

— Что? — оглядываясь, спросил Степанов.

— Застрелили в лифте, — уточнил следователь.

— Я с вами. Сейчас соберу документацию. А отпроситься в отпуск смогу и по телефону.

— И образец ружьишка прихвати, — напомнил пораженный открывшейся информацией Курбатов.

Через несколько минут раздался призывный крик. Александр подбежал и обнаружил Степанова стоящим перед пустым помещением.

— Еще утром стояло здесь... На том столе... А устройство для программирования пули осталось.

— Оно в единственном варианте?

— Да.

— Что из себя представляет оружие без него? — задал вопрос Курбатов.

— Детская игрушка, — ответил Степанов.

— А по «мозгам» пули невозможно «крякнуть» принцип ее программирования?

— Хорошему хакеру по зубам, — почесывая пятерней заросшую шею, произнес Степанов, — однако без наших данных о баллистике, диаграмм изменения параметров с расходом горючего и других результатов, установленных исключительно в ходе многомесячных расчетов, поверяемых бесконечными опытами, это ни к чему не приведет.

— Ну немного успокоил. Где данные? — выдохнул Курбатов.

Вскрыв сейф, Степанов вынул несколько лазерных дисков. Затем схватил отвертку и, вскрыв компьютер, вытащил винчестер. Вместе с Курбатовым они отправились к выходу. Следователь подошел к женщине, сидевшей в будке с надписью: «Диспетчер». И спросил:

— Не подскажете, сколько автомобилей сегодня покинуло склады?

— Сегодня? Да ни одного не было.

— Точно?

— Так у нас отчетность строгая. Вот сколько надо всего оформить. — Она показала толстую тетрадь.

— А вы не отлучались? — дал ей шанс Курбатов.

— Нет, не отлучалась. А ты, собственно, кто? Предъяви документы и пропуск в закрытую зону! — грозно перешла в наступление женщина.

— Пожалуйста, — Александр протянул ей раскрытое удостоверение. — Вы все поняли? А теперь, если не скажете правду, мы вас будем вынуждены арестовать как соучастницу. На этом КамАЗе был вывезен похищенный опытный образец стоимостью два миллиона долларов. И суду надо будет доказать, что вам дали за соучастие тысячу долларов, а не тридцать тысяч. Ведь это совсем другая статья.

Женщина вспыхнула:

— Что? Тысячу? Да мне ни рубля не заплатили! Ничего себе, сразу в тюрьму! За что?

— За преступную халатность при исполнении служебных обязанностей, — сформулировал Курбатов.

Она внезапно обмякла, раскисла и залилась слезами.

— Приказали мне пропустить.

— Кто?

— Начальство, — оттягивала неприятный момент женщина.

— Не виляйте. Кто это мог заставить вас?

— Профессор Чабанов. Лично. Он еще предупредил, чтобы никому ни под каким предлогом не рассказывала. Что теперь будет? Он выкинет меня?

— Ничего не будет. Вы нас не видели. Мы вас не спрашивали. Хорошо запомнили?

— Да, — ответила она.

— Номерок не помните?

— Четыреста пятьдесят НЮ, а первую букву забыла.

— Ну и ладно. А насчет миллионов не волнуйтесь. Я пошутил. Ничего ценного не пропало, — попытался успокоить ее Курбатов.

Вышли из мастерских и направились к автомобилю следователя. Уже в нем Курбатов достал мобильный телефон и, выбрав из памяти фамилию Турецкий, позвонил.

— Александр Борисович. Попробуйте через ваших знакомых с Петровки пробить КамАЗ четыреста пятьдесят НЮ. Может, где застрял? Похоже, игрушку вывезли на нем.

## Глава 9
## ГАМЛЕТ АЛЕКСИНСКОГО УЕЗДА

Елагин сидел рядом с водителем и рассматривал пролетавшие пейзажи. Перед ним стояла практически невыполнимая задача: разыскать в Туле мастера, о котором было известно только его отчество — Анатольич. И то оно могло быть псевдонимом. Информация о военнослужащих, оказывавших военную помощь Эритрее в семидесятых годах, была настолько засекречена и запутана, что ответ на запрос Генеральной прокуратуры мог и вовсе не прийти. Фамилии и имена, под которыми регистрировались и проходили службу, были вымышленными. И только на отчество такой запрет не распространялся. Потому и молодой лейтенант мог быть Петровичем или Анатольичем.

Для поездки Рюрику выделили служебную «девятку» с шофером. Трасса была одной из немногих, содержавшихся в идеальном состоянии. Поэтому водитель не стеснялся давить педаль газа. Елагин отметил, что через каждый километр стоит синяя палатка с надписью: «Тульские пряники» и поделился с водителем:

— Странный бизнес... Похоже, держит одна фирма. Однако к чему столько точек с копеечным однотипным товаром, не пользующимся спросом? У них что, задача просто занять людей?

— Да нет, — ответил опытный шофер. — У них, похоже, бизнес как раз процветает.

После такого намека Рюрик взглянул на палатки под несколько другим углом и наконец понял, что ему в них показалось с самого начала странным. Продавщицы, все как на подбор, были молодыми, раскрашенными девицами в коротких юбчонках. Одна из палаток была закрыта. Рядом стоял автомобиль с московскими номерами.

— Это что? Публичный дом? — догадался Рюрик.

— Причем самый длинный и самый дешевый. Все знают, но сделать ничего не могут. Любовь отдельно, наценка на пряники отдельно.

Добравшись до города, Елагин прежде всего направился в военкомат. Пенсионный отдел располагался в старом, насквозь пропитавшемся влагой строении начала прошлого века. Он нашел отделение учета и, раскрыв скрипящую дверь, заглянул в комнату. Увидев нескольких пожилых женщин, спросил:

— Скажите, могу я как-нибудь узнать адрес военного пенсионера, если известно только отчество Анатольич и то, что он умелец?

— А ты кто сам-то будешь?

— Я из Москвы, из прокуратуры, — тряхнув кудрями, произнес Елагин. — Нужна его консультация.

— Да здесь, милок, почитай, весь город умельцы.

— Скажите, а база компьютерного учета имеется?

— Подымись на второй этаж. Ежели начальник разрешит, копайся скока душе угодно.

Елагин, пообщавшись с военкомом, был допущен к компьютеру. Вскоре он вышел с распечаткой из ста пятнадцати имен, подходивших под временные условия и имевших нужное отчество. Теперь все зависело от оперативности местных оперативных служб.

— Ну как, получилось? — поинтересовалась одна из женщин.

— Да как сказать? — произнес Рюрик. — Вот список на сто пятнадцать человек. Теперь буду бегать по городу. А вы не взглянете, быть может, знакомый попадется, так вычеркнем за ненадобностью?

Женщины, обрадовавшись появлению небольшого развлечения, сгрудились над списком. Действительно, многих они знали. Пошла в ход авторучка. Вычеркивали инвалидов и тех, у кого руки растут не из того места. И тут одна из них закричала, тыкая пальцем в конец списка:

— Степановна, ему же этот нужен! Рыбак, блин, теоретик.

— Рыбак-теоретик? — заинтересованно переспросил Елагин.

— Ну да. Он — Анатольич. Мы тут так одного прозвали. Умный. Все знает. Но ленивый. Видишь, дверь скрипит. Так как зайдет, рассказывать начинает, почему скрипит и каким маслицем надо смазать и из какого дерева сделана. Или, скажем, пылесос сломается. Все объяснит, как устроен, какие системы пылесосов бывают, что с ним надо делать. А сам не берется. Занятой слишком. Щас, дам. Вот, улица Красноармейская, дом семнадцать. Я здесь на листочке все написала.

— Молодой человек, а вы женаты?

— Да, — соврал Рюрик, заранее зная, что сейчас последует.

— Жаль. Дочка у меня...

...Приобретать карту города водителю показалось неразумной тратой денег. Поэтому до улицы Красноармейской добирались, расспрашивая местных жителей.

Автомобиль затормозил у частного дома, украшенного странным механизмом, напоминающим вечный двигатель. Рюрик вошел в распахнутую калитку. Постоял у двери. Толкнул. Она открылась без скрипа. Спиной к Елагину за заваленным хламом столом сидел мужчина в авиационных наушниках. Перед ним по девятнадцатидюймовому монитору проносились горящие «юнкерсы» со свастиками. В верхнем углу экрана были изображены три большие красные звезды, что, вероятно, свидетельствовало о высоком рейтинге игравшего. Рядом стояла глубоко несчастная женщина.

— Да иди ты со своей доской, Степановна! Я трижды Герой Советского Союза. На столе погладишься.

— Извините, я из Москвы, от Прохорова, — громко произнес Елагин.

Женщина толкнула игрока в бок. Мужик встрепенулся. Снял наушники и обернулся.

— Я из Москвы, от Прохорова, — повторил Елагин.

— Мечтал об истребительной, — как бы объясняя свое увлечение, произнес Анатольич. — Да ты присаживайся. Не получилось. Давление. Служил в дальней авиации. Летать пришлось побольше иных пилотов. А вот до штурвала дорвался только сейчас. Хорошая игра. Все натурально. Я же, как только выдавалась возможность, сразу на место второго пилота. Вот и воюю на старости лет то со старухой, то с фашистами виртуальными. Надо бы еще памяти докупить да процессор раскачать... Так, говоришь, Прохоров? Помню такого. Толковый парнишка был. Все железом «иховым» интересовался. Вот «клондайк» где! Представляешь: пустыня. На расстоянии ну ста метров друг от друга штук тридцать единиц разбитой бронетехники. Соляру высосут, аккумуляторы снимут, карманы выпотрошат и все. Оружие, шикарнейшея оптика, приборы ночного видения, радиостанции никому не нужны. Им вообще ничего не надо! Головой у нас бомж работает больше.

— Что, на самом деле? Второй раз слышу эту характеристику.

— Места там райские. Работать не надо. Все само родит. Наблюдаю такую картину. Идет баба. А они хоть и черные, но не негры, ближе к евреям, но красивые, высокие. Девки попадаются, это надо видеть. Трахаться любят. Наши пытались вывозить, но климат. Приучить голую с рождения одеваться просто невозможно. Это как лечить женский алкоголизм... Так вот. Идет, здоровая такая, в одной юбке. Груди, как узбекские дыни, огромные, стоят. Представляешь? Плывет, они колыхаются. А сзади привязаны в каком-то мешке два младенца. Проходит, поворачивается на углу дома, и один со всей дури хрясть... головкой об кирпичный угол. Реакция? Малой молчит, мамаша не обращает внимания. А ты спрашиваешь, тупые? Откуда там мозги вообще?.. Ну кое-что удалось вывезти, а так все добро на тысячи баксов наверняка в ящиках так и лежит. Вот электроотверточка оттедова. Планетарка, таскала авиационную пушечку. Попробуй удержи! Я один раз вкручивал болты да зазевался. Через себя кувыркнула.

— Вот это вам ни о чем не говорит? — произнес Рюрик, показывая фотографию орудия убийства академика Жбановского.

— Как же! Моя работа! Кузьмин Николай привел одного. Сталь шикарную приволок СРМ-15. Американская. У нас не делают. Какие присадки! Углерода содержание самое большое три и пятьдесят пять сотых процента. Режущая кромка практически не тупится. Почти алмаз. Много хрома — пять двадцать пять. Он увеличивает твердость и прочность на растяжение. И молибден — один и три. Это антикоррозийная устойчивость. Немного хрупковата и без марганца и кремния теряет вязкость. Главная же слабость: быстро происходит кристаллизация, но зато топориком из нее бриться можно, после рубки дубов. И заметь, заточки повторной не требуется на всю жизнь. Заказал десять ножей. Я ему каталог дал. Форму выбрать. Он всяческого дерьма навыбирал. Но я ему затем все пересчитал и сделал по-своему. Слабость у меня к ятаганским мотивам. Да, еще комплект для резьбы по дереву.

— Вас послушаешь, мечта, а не ножичек.

— Ладно, гони рубль. Для хорошего человека сэкономил.

Анатольич нырнул в кучу хлама и вытянул оттуда завернутый в тряпицу охотничий нож. Рубанул им пару раз по стоявшему рядом металлическому сейфу. На нем остались глубокие зарубки. Затем размотал рулон туалетной бумаги и на весу провел лезвием. Бумага разрезалась, словно провели опасной бритвой. Рюрик принял оружие и, поймав режущей кромкой лучик света, пробежался им по лезвию. На нем не было ни одной зазубрины.

— Вот спасибо! — растерялся он.

— Да не за что. Будешь вспоминать Анатольича на рыбалке-охоте. Какие вопросы еще остались?

— Кузьмина как найти?

— Работал когда-то на заводе, общались, а теперь? В основном от меня что-то нужно. Даже не знаю. Он, кажется, сейчас в Алексине живет. Наверное, через милицию. Он же сидел несколько раз. Да, а затем заказчик сам приезжал. Еще пяток ножей я ему отковал. Он подозрительно так взвесил все тесаки, словно законов физики не знает. Да если надо, я ему сталь бы поменял, и он не заметил бы. И если вам интересно, любопытный разговор у нас произошел. Почему-то он затронул тему механики. Способен ли я собрать некое устройство по чертежам. Ну я и рассказал одну историю. Там же, в Африке, все готовили на примусах. А о керосине и не слыхали. Ну от соляры, естественно, сопла и засерались. Насмотревшись однажды на мучения одного аборигена, я проявил оплошность. Разобрал примус. Почистил сопло, промыл иглу, расправил поршень насоса. Когда после сборки аппарат заработал, да еще как новенький, мне показалось, что бедуин слегка тронулся. Вел себя, словно встретился с живым божеством. На следующее утро я проснулся знаменитым. Весть мгновенно разлетелась по стране. Выйдя из своего вагончика отлить, увидел очередь, конец которой терялся за горизонтом. Все свободное время, проклиная себя за слабость, я ублажал местное население.

— А послать их нельзя было? — спросил Рюрик.

— Нет. Таковы тамошние законы. Если ты никчемный человек, то валяйся всю жизнь под деревом. Если хоть раз вскопал грядку, будешь пахать землю, пока не загнешься. Запел? Будешь петь и день и ночь по просьбе каждого, пока не сорвешь голос. Поэтому таланты стараются не раскрывать как можно дольше. Но, в конце концов, человек не выдерживает безделья и начинает шить обувь или водить автомобиль. Лодыри там почитаются как самые стойкие... Поначалу замполит сгоряча выговор мне вкатил. Затем начальство даже освободило от служебных обязанностей. Оказалось, что с американской стороны такого мастера не было, и начались массовые переходы через линию фронта... Америкосы срочно вызвали своих инженеров, которые растерянно пытались разобраться в устройстве и принципе действия примуса. У них ничего не получалось. Они вообще не могли понять, зачем такое сложное устройство, когда можно пользоваться баллонным газом, электричеством или сухим топливом. Проведенные расчеты показывали, что данное устройство вообще не приспособлено для работы на солярке. Короче, паника была еще та... Ну так вот, однажды у местного начальства сбили последний вертолет и ему не на чем стало летать в родовое селение за молоком. И тут вождю поведали о русском, который умеет чинить примусы. Ко мне явилась делегация во главе с шаманом местного племени, одновременно исполняющим обязанности секретаря райкома коммунистической партии. Меня попросили из трех разбитых вертолетов собрать один! Мало того, один был французский, другой американский, а третий наш Ми-8. И что? Собрал. Представляешь, что творилось в стане врага, когда пошла весть о летающих примусах!

— Как же? — изумился Елагин. — Там ведь полно электроники.

— Так я, прежде всего, электронщик. А механика — это хобби. Вот поэтому и посылаю старушек с прохудившимися кастрюлями. А этот обещал большие деньги за интересную работу. Но, как понимаю, серьезно проштрафился.

— Да уж. Украл особой важности разработку нового оружия и хочет бандитам толкнуть.

— Ежели так, готов к сотрудничеству. Вы мне мобильник оставьте. Как приедет, нажму на вызов и дверь оставлю не запертой. А там как успеете.

— В Алексин знаешь дорогу? — спросил Елагин.

— Найдем, — потянувшись, произнес водитель.

Через полчаса, проехав табличку с надписью «Алексин», автомобиль затормозил. То место, где он остановился, на город походило менее всего. Пустырь с непонятными строениями. Вдалеке виднелись жилые кварталы. Рюрик высунулся и спросил у стоявших на остановке:

— В центр как проехать?

— А какой микрорайон нужен? — не поняли заданного вопроса люди.

— Где управление милиции? — уточнил Елагин.

— А так это тут, по улице Героев...

Несмотря на красивое название, город на берегу живописной Оки оказался странным конгломератом, состоящим из осколков тяжелой, легкой, химической и оборонной промышленности с расположившимися вокруг них поселениями. Они и назывались районами. Каждый район благоухал своим, одному ему присущим, ароматом. Имел свой оттенок серого цвета. Лишь центр представлял собой стандартный провинциальный вариант. Почта, бывший горком, ныне мэрия, гостиница, городское управление милиции.

Рюрик, приметив скопление милицейских автомобилей, указал водителю, где припарковаться. В принципе, он понимал, что значит визит представителя Генеральной прокуратуры в провинциальную ментовку. Обычно возникает острая необходимость бросить все и выслуживаться, словно от него зависит их судьба. Он вошел в здание и спросил у сержанта:

— Где я могу найти оперативного дежурного?

— Подождите. Сегодня капитан Лаврушкин. Сейчас спустится.

Через несколько минут после звонка сержанта по лестнице сошел капитан милиции с черными, кудрявыми, как у цыгана, волосами и огромными бровями. Он подошел к Елагину и произнес:

— Документы есть?

Елагин протянул ему удостоверение. Капитан его рассмотрел и вернул обратно, не проявив никаких эмоций. Рюрик отбросил с глаз непослушную прядь и спросил:

— Где я могу раздобыть информацию о ранее неоднократно судимом Николае Кузьмине?

— Может, у его участкового? Хотя вряд ли.

— А как насчет директивы регулярно обходить всех бывших?

— У меня тысяча триста таких. Если в день буду обходить хотя бы четырех, времени на писанину не останется. А вы там все отчеты требуете. А есть еще и оперативные мероприятия и дежурства.

— Почему так много? — удивился Елагин.

— Про сто первый километр слыхал? — спросил Лаврушкин.

— Ну да.

— Так вот, он здесь.

— Но ведь здесь почти двухсотый!

— Сто первый — просто линия. А живут они здесь.

Елагин по натуре был человеком мягким и предпочитал идти на компромиссы. Но когда того требовало дело, внезапно становился жестким, как стальной трос. Многие отступали, чувствуя силу несокрушимую. Вот и сейчас, видя, что этот заросший цыган в погонах давал понять, что разговор закончен, напрягся. Он поднялся и, глядя в черные мохнатые глаза, твердым голосом произнес:

— Товарищ капитан, вы внимательно изучили предписание? Перед вами не корреспондент «Московского комсомольца», а старший следователь по особо важным делам. И для вас сейчас нет дела важнее, чем содействие следствию.

— Нет, значит? — зло переспросил милиционер. — Ну прошу, господин сыщик из столицы, прокатиться со мной и решить: есть оно или нет.

С этими словами Лаврушкин направился к двери. Рюрику не оставалось ничего, как последовать за ним. Сели в милицейского «козла» и через двадцать минут неимоверной тряски остановились на разбитой улице частного сектора.

На асфальте лежало тело молодой женшины со следами крови в области живота.

Рядом с трупом стоял младший сержант. Поодаль — толпа зевак. Лаврушкин и Елагин вышли и подошли к телу. Рюрик остановился и стал наблюдать.

Капитан несколько раз обошел вокруг убитой. По его поведению было понятно, что он толком не знает, что делать. Немного потоптавшись, спросил:

— Ничего не трогали?

— Все на месте, — ответил младший сержант.

— А бригаду давно вызвали? — снова спросил Лаврушкин.

— Какую бригаду? — удивленно переспросил милиционер.

— Криминалиста, прокуратуру, — объяснил капитан.

— Я думаю, что дежурный по рации вызвал, — предположил милиционер.

Капитан оглянулся на Елагина и прокомментировал:

— Это вам не столица. Пока из города приедут, стемнеет.

Рюрик подошел к телу. Присел. Рукоятку ножа он узнал сразу, но решил пока подождать с подозрениями. Как бы для себя произнес:

— Крови мало. Удар поставлен. — Заметив заинтересованный взгляд Лаврушкина, разъяснил: — При ножевом ранении в область живота обычно сильнейшее кровоизлияние. А здесь — сразу печень. — Потом обратился к младшему сержанту: — Сумочку вы вскрывали?

— Да.

— Кто разрешил? Что за самодеятельность? — вскрикнул капитан.

— Думал, может, родственников вызвать или кто убийца узнать, — начал лепетать в свое оправдание парень.

— Ладно, капитан, — примирительно произнес Елагин. — Паспорт положили на место?

— Да.

— Американский?

— Да. Наверное. Он какой-то импортный, — произнес виновато младший сержант.

— Блин! — с досадой выругался Лаврушкин. — Не хватало еще и этого дерьма! Сейчас начнется. А деньги? Деньги были?

— Нет, — ответил покрасневший милиционер, — я при свидетелях проверял.

— Думаю, если мы тоже в паспорт взглянем, ничего страшного не случится? — обращаясь к капитану, произнес Елагин.

— А, после этого любопытного идиота, — махнул, давая добро, оперативник.

Рюрик приоткрыл свой чемоданчик. Вынул из него белоснежные тонкие хлопчатобумажные перчатки и, расстегнув замок сумочки, выудил паспорт.

— Так, гражданка США Маргарет Стингер, — прочитал Елагин.

Снова присел. Осмотрел лицо и задумчиво произнес:

— Капитан, она такая же американка, как ваш сержант — китаец. То есть достаточно большой срок прожила в англосаксонской стране. Скорей всего в Штатах. Лет восемь, не больше.

— Откуда такие сведения? — недоверчиво спросил Лаврушкин.

— Ну, это азы. Любой начинающий физиономист вам расскажет. Знаете, из-за чего у людей, разговаривающих на различных языках, появляется акцент? Каждый язык требует напряжения определенных групп мышц. В результате они влияют на формирование челюстно-лицевого аппарата. Почему славянки симпатичнее скандинавок? У тех техника речи ведет к жесткой челюсти. Если человек попадает в чуждую языковую среду до шестнадцати лет, он способен освоить произношение. С шестнадцати до двадцати четырех частично, в зависимости от индивидуальной предрасположенности, усидчивости, степени созревания. После двадцати четырех обречен на пожизненный акцент. Вспомните актеров, выходцев с Кавказа или из Прибалтики. Попадаются, конечно, исключения, но, как правило, не чаще, чем артисты пародийного жанра... Итак, женщине, судя по паспорту, тридцать два года. Англиканская челюсть не сформирована, несмотря на значительное увеличение продольных мышц. Как правило, в Америке людям, не владеющим в совершенстве речью, успешная карьера не светит. Их участь — домработницы, официантки, проститутки, маляры и плиточники. Кстати, грубоватые и загоревшие руки и лицо свидетельствуют скорей об официантке открытого кафе, но не в южных штатах. Имея низкий социальный статус, подобного рода личности испытывают сильнейшую потребность в его поднятии через информирование о своей успешной карьере на родине. Они тщательно продумывают, кому необходимо сообщить весточку, чтобы достичь максимального охвата друзей и знакомых. Проверьте, из этого района лет восемь назад никто не эмигрировал?

— Петров, задачу уловил? Вперед, по дворам!

— Далее. Ничего, что я рассуждаю вслух? Не люблю шерлокхолмскую театральность. Как правило, убийца, назначая свидание, прибывает на него раньше жертвы. Обычно много курит. Даже лежа со снайперской винтовкой на крыше, оставляет горы окурков. Бороться с приливом адреналина в таких случаях способны только суперпрофессионалы. Я знавал одного, сосавшего никотиносодержащие конфетки. Его взяли по фантикам.

Елагин быстро оглядел пространство и обошел несколько кустов.

— Здесь! — он позвал капитана. — Здесь он поджидал ее. Место необходимо огородить. Смотрите, лепесток розы. Срочно необходимо опросить всех продавцов цветов в округе. Это было свидание. Местный не стал бы таскаться с цветами по всему городу, а купил бы в ближайшей к встрече точке. Кстати, недалеко должен найтись и весь букет. Хотя не обязательно.

— Откуда такое знание провинциальной психологии? — ехидно полюбопытствовал Лаврушкин.

— Я в Москве всего три дня, а до этого служил в такой же дыре.

— Вообще, так, к сведению, цветы здесь не покупаются. Обычно они косятся в саду у соседа.

— Но продаются! Я, проезжая мимо рынка, видел кавказцев с импортными цветами. Роза привозная. Голландская, чайная.

— Не забывайте. У меня в распоряжении три человека.

— Отлично. И нас двое. Двоих можете уже посылать. И еще. Тело надо накрыть. Теперь, выбор места. Убийство явно готовилось, но как заставить жертву прийти? Оно должно быть чем-то примечательно. Чем? Может, память. Тогда здесь должен жить общий знакомый.

Через пятнадцать минут Петров привел полную конопатую женщину. Она, немного запинаясь, начала рассказывать:

— Люська Степанцова жила вон в том доме. А Колька Кузьмин в этом.

Лаврушкин и Елагин переглянулись, однако у них хватило выдержки не прерывать рассказчицу. Она продолжала:

— Любовь у них была с детства. За одной партой

сидели. Но девки раньше зреют. Пока он на мотоциклах гонял, она замуж и выскочила за Генку. Здоровый был. Морда, как у бандита, огромная, волосы ежиком. Ну что-то у них не заладилось. Бить он ее начал. А Колька все слышал и переживал. Не забыл, видно. Однажды пришел и подрался. Генка ему тогда руку сломал. А Люська успокоилась. В обнимку со своим ходить стала. Она так всем и говорила, что силу уважает. Только Колька, оправившись, собрал ребят и так отделал Генку, что он попал на два месяца в больницу. Николай на два года сел. Люська ему на суде сказала, что он неудачник, и осталась с Генкой.

Вот Колька, когда вышел, Генку и порезал. Сам сел еще на восемь, а она осталась жить у его родителей. Но, не дождавшись, сбежала в Москву, а потом в Америку. Родители померли, ухаживать за ними некому, брат у Кольки был, тот угорел в бане пьяный. Колька вышел — никого нет. Поклялся отомстить. Поначалу бесился, гулял, хулиганил, еще сидел. А потом ничего, человеком стал. Деньги появились. Живет неплохо. Соседи за помощью на операцию обращаются. Или у кого машину угонят, к нему идут жаловаться. И если в милицию заявления не писал, обязательно вернет.

— Слыхал о процветании такого рода услуг? — спросил Елагин.

— Разберемся, — проглотил Лаврушкин. — Ну, продолжайте.

— А че? — развела руками женщина. — Все.

— Одна просьба. Сейчас вам покажут тело. Она? — произнес милиционер, приподнимая простыню.

— Не. Не она, — уверенно ответила женщина. — Люську я бы сразу признала. Молодая. Это что ж творится? Выходит, и на улицу не выйти!

Лаврушкин махнул рукой, мол, свободна. Однако Рюрик вновь обратился к свидетельнице:

— Опишите, пожалуйста, Степанцову.

— Ну, роста примерно с нее, — кивнула головой свидетельница. — Помоложе тогда была. Чернявая. Нос у этой как-то поострее, а брови у Людки погуще. О! А колечко... Людкино!

Лаврушкин, обращаясь к Рюрику, произнес:

— Мы за Кузьминым. Он, не он... Разберемся. Подъезжай к дежурной части.

Капитан, забрав одного из двоих милиционеров, вскочил в свое подобие джипа и умчался. Вскоре появился милиционер, посланный на опрос торговцев цветами. Он оглядел толпу в поисках Лаврушкина. Не обнаружив, подошел к Елагину. Взяв его за локоть, отвел к забору и произнес:

— Букет чайных роз покупал сегодня только Сеня Шарко.

— Кто он?

— Известен в городе. Ничего хорошего о нем сказать невозможно.

— Ну поехали в дежурную часть, — предложил Рюрик.

Кузьмина взяли тепленьким в постели. Капитан успел с ним пообщаться во время ареста. Ожидать, что бывалый рецидивист расколется в ходе предварительного допроса, было бы верхом наивности, но Лаврушкин радостно потирал руки. Увидев Елагина, произнес:

— Все. Спекся, голубчик.

— Знаешь, я хочу побеседовать с ним с глазу на глаз, — задумчиво произнес Елагин.

— Валяй, но я должен присутствовать, — заупрямился капитан.

— Пойми. Случай тяжелый. При тебе он не раскроется. Ты же уже беседовал с ним?

— Ну? — неопределенно ответил Лаврушкин.

— Я даже не спрашиваю о результатах, — теребя волосы, произнес Рюрик.

— Ничего. У нас есть такие улики, против которых

ему не устоять, — похвастался капитан, забыв, кому он обязан раскрытием преступления.

— Ты имеешь в виду нож? — зевнул Рюрик.

— Да, — растерялся опер. — Но откуда?..

— Я приехал за ним. И нужные показания я у него добуду, — пообещал Елагин. — А ты поразмысли. Зачем опытному рецидивисту оставлять на месте преступления такую улику, как всем известный нож?

— Только для того, чтобы его взяли, — предположил Лаврушкин. — А может, ревность глаза залила? Может, у него свидание с цветами, а она ничего в жизни не поняла, и он внезапно решил, что не должна она больше землю топтать? А знаешь, сколько убийств просто по дури происходит?

— Ты лучше скажи мне, кто такой Сеня Шарко? — спросил Елагин.

— Сеня? — Лаврушкин растерялся. — Есть такой отморозок.

— Его надо срочно проверить.

— Слушай, перестань умничать! — разозлился милиционер.

— Да ты не дал договорить. Сержант твой вернулся и доложил, что тот покупал цветы.

— Ладно, — задумчиво сказал Лаврушкин, — болтай.

Рюрик вошел в комнату без окон. Вмонтированные в потолок лампочки, стол, два стула. Несколько листов бумаги, пластмассовая авторучка. Со стороны следователя — кнопка вызова и встроенный магнитофон. Он нажал на кнопку. Ввели задержанного. Елагин кивнул на стул. Кузьмина посадили. Сняли наручники.

— Сержант, подожди за дверью, — произнес «важняк».

— Есть.

Человек должен иметь свое персональное пространство. Обычно оно определяется расстоянием вытянутой руки. Многие люди очень ревностно относятся к физическому вторжению в свое персональное пространство. Они выходят из общественного транспорта морально изнасилованными и долгое время приходят в себя. Им легче стоять часами в пробках, чем проехать несколько минут в метро. Все, что за пределами этой зоны, человека не касается. А вот на самой границе наступают чудеса психологии.

Рюрик взял стул и сел за стол напротив преступника на расстоянии вытянутой руки. Тот настороженно начал присматриваться. Елагин вытащил корочку и произнес:

— Следователь по особо важным делам Генеральной прокуратуры Елагин.

Заключенный лишь слегка приподнял и тут же опустил левую бровь.

— Не стоит удивляться. Я здесь не по твоему делу. Ничего, что на «ты»? Мы ведь одногодки.

— Мобай[1], начальник.

— С тобой, в принципе, все ясно. Любовь, предательство, наказание. Доказательства неоспоримы, а тяжесть наказания будет зависеть от судьи и адвоката. Я занимаюсь проверкой работы местной милиции. Слишком много нареканий. Не просыхают, вымогают взятки, избивают и калечат задержанных. Поэтому хочу задать вопрос относительно условий содержания, корректности задержания, не нарушаются ли конституционные права и свободы.

— Ну ты загнул, начальник! На зоне расскажу — ржать будут. Хотя взяли аккуратно и условия ничего. Может, тебе спасибо надо сказать, что зубы целы?

— А вообще, на работу местной милиции жалобы есть?

---

[1] Мобать — говорить (*жарг.*).

— Ты что хочешь, чтобы я дал раскладку[1]?

— Так ведь на ментов, — подмигнул Рюрик. — Или ты с ними сотрудничаешь? Так получается?

— Блин, совсем зафаловал[2], — растерялся Кузьмин. — Скажу — стукач, а промолчу — ссучусь[3]?

— Ладно, хрен с тобой, — смилостивился Елагин. — Если так трудно переступить свои принципы, считай, что я не задавал этого вопроса. Только вот просто как человеку скажи, для собственного понимания. Как же ты, такой правильный, у человека жизнь посмел отнять?

Рюрик впервые внимательно посмотрел в глаза собеседнику. Он знал, что творится на душе у преступника. Людей обычно тяготит молчание, внезапно наступающее среди напряженного разговора. Кузьмину просто некуда было деваться. Перед ним находился последний «живой» собеседник. Далее потянутся сухие казенные допросы скучающих следователей, мечтающих поскорей закончить формальности и закатиться к любовнице, рвануть попить пива с друзьями или собирать колорадских жуков на огороде. На зоне тоже сильно не пооткровенничаешь. Это не в чести. Он не вынес игры в молчанку и, театрально раздирая рубаху, заорал:

— Она ж, падла, жизнь мне переломала! — Затем, видя, что спектакль должного впечатления не производит, перешел на пониженный тон: — Сама жаловалась на издевательства. Поучить просила. А когда сел, жила у моих предков. Соблазнила отца и брата. Один грохнул другого, и я потерял обоих. Мать не выдержала, умерла. Стерва, еще и у сестры мужа увела. Узнав, что выхожу, исчезла на десять лет. Жизнь поломана. Три ходки... Веришь? Не трогал я ее. Не знал даже, что объ-

---

[1] Дать раскладку — все рассказать (*жарг.*).

[2] Зафаловать — запутать, обмануть (*жарг.*).

[3] Ссучиться — пойти на сговор с милицией (*жарг.*).

явилась. А выходит, роковая она для меня, за собой в могилу тащит. А может, она сама себя того?..

— А как нож к ней попал?

— Потерял я его. — Николай напряг лоб. — Когда не помню. Давно. Все его знали. Если бы у кого объявился, мне бы сразу стукнули.

— Сталь шикарная, — похвалил Елагин. — Звенит, как струна. Жаль — вещдок. Я ж охотник. А там знаешь, что главное? Ножом похвалиться. Не подскажешь, где такие делают?

— Один с Москвы сталюку притаранил. Ему тут умелец отковал пару штук. Он мне и подарил.

— Блин, а у него как-нибудь можно достать металл? — с досадой воскликнул следователь.

— Ну и как ты это представляешь? Привет, Коромысло, я, «важняк» Елагин, по наводке Кузьмы. Где у тебя сталь хранится?

— Похоже, ты парень догадливый.

— Я почему его сдаю? Зверье. А ты еще на человека похож. Но уходи из системы. Говном станешь быстро, — дал совет от души рецидивист.

— А мастер? — вспомнил Елагин.

— Он, к сожалению, умер в прошлом году.

— Ответ неверный, — вздохнув, проговорил Рюрик. — Анатольича мы вычислили по почерку. И твоего другана возьмем рано или поздно. Он же без тебя регулярно его навещает. Вот только правильно ты сказал: зверь. Людей невинных почем зря режет. И я с тебя не слезу, пока не узнаю все! Пойми, мне насрать на тебя с твоими соплями! Но чтоб сберечь еще одну невинную душу, я готов на все! Клянусь, когда возьмут, первое, что он узнает, что это ты его сдал. А тебя до тех пор подержат в нашем изоляторе, где никакая почта не работает.

Кузьмин напряженно молчал, вглядываясь в покрасневшее, внезапно покрывшееся многочисленными белыми шрамами лицо следователя.

— Я верю, что это не ты убил Степанцову. И могу это доказать. Сегодня же будешь спать в своей кровати. Но если не услышу то, за чем приехал, нары в три смены...

— Ну и чем ты отличаешься от нас тогда?

— Не волнуйся. Совесть меня мучить не будет. Я же тебя не от сохи отнял? — улыбаясь, произнес Елагин. — Под твой нынешний бизнес тоже статью подобрать можно.

— Знаешь, что такое сдать друга, с которым пять лет баланду хавал? — выдавил Кузьмин.

— Знаю. У нас половина «воров в законе» на окладе в МУРе состоит в качестве официальных осведомителей. Ну что, дальше будем строить девочку? А может, это он тебя подставил?

— Он бы не стал умничать, — произнес Кузьмин. — Ножом по горлу, как говорится, и в колодец.

— Значит, боишься? Слово даю, никто не узнает, — пообещал Елагин.

— Вынь из магнитофона пленку, — откинувшись назад, произнес Кузьмин.

Рюрик вытащил кассету и положил ее на стол. Задержанный взял ее. Начал вертеть в руках. Затем разломил пополам. Секунду молча смотрел на пластмассовые обломки. Неожиданно резко полоснул себя по горлу острым куском.

Медлительный Елагин в минуты опасности преображался. Ящерицей он метнулся на рецидивиста. Свалил на пол. Вырвал из рук осколок. В открывшуюся дверь ворвались два милиционера. Замотали горло бинтом из аптечки и, надев наручники, потащили его к автомобилю.

Через сорок минут к ожидавшему у двери перевязочной Елагину подошел долговязый хирург в темно-синем операционном костюме и произнес:

— Ну, молодой человек, можете смело продолжать твой допрос. Попытки суицида не было. Этим перерезать горло невозможно. У него слегка подрана шея.

Елагин вошел. Кузьмин, показав на горло, что-то невнятно прохрипел. Тогда Рюрик вынул блокнот. Вырвал лист и протянул его вместе с авторучкой.

«Атаман, Копылов Сергей Иванович», — написал Кузьмин. Затем, оглянувшись, начал быстро рвать бумагу на мелкие кусочки. После чего засунул их в рот и, разжевав, проглотил.

— Где его можно найти? — спросил Елагин.

— Не знаю, — шепотом произнес Кузьмин. — В Подмосковье у него тренировочный лагерь. Я там был один раз. Пьяный. Привозили ночью. Дорогу не помню.

— Кого он там тренирует?

— Малолетних киллеров...

— Еще два вопроса можно? — спросил изрядно уставший за сумасшедший день Рюрик.

Николай кивнул.

— Зачем спектакль?

— В ментовке жучков напихано до самой ж...

— А за что Шарко мог пришить Люську и подставить тебя, знаешь?

— Знаю. Но это другая история. Семейная, и тебя она не касается!

— Блин, ну и наворотили вы в своей деревне. Шекспир в гробу от зависти переворачивается.

# Часть третья

## Глава 1
## ГОНКИ НА РАЗДЕВАНИЕ

Профессор Чабанов чувствовал себя уверенно до того момента, как позвонил Маркиз. Тоном, не терпящим возражений, он распорядился:

— Сейчас подъедет от меня КамАЗ с номером четыреста пятьдесят. Дашь распоряжение пропустить на территорию. Он въедет в помещение производственного цеха. Затем выедет. Нигде не фиксировать. Разрешить вывоз без досмотра.

— А могу я узнать, как хозяин, что в нем?

— Нет. Это не твое дело. Сам же знаешь, ничего ценного в производственных цехах нет. Гарантирую, что это не станок и не товар со склада учтенной продукции.

— Хорошо, но я сам должен убедиться.

— Ребятам дано указание пристрелить всякого, кто попытается приблизиться к грузу. Сиди на месте.

Профессор понял, что в этой игре он разменная пешка, которой вряд ли суждено не только стать ферзем, но и дожить до конца партии. Он выполнил все указания.

Чабанов всегда считал себя неплохим игроком, старательно избегая слова «интриган». Он твердо верил, что интеллекта каждому человеку отпущено примерно одинаково. Просто одному дано глубоко уйти в дебри науки, другому предписано всестороннее развитие. «Ботаники», как правило, имели весьма примитивные взгляды на реальную жизнь. Ими легко было манипулировать, и на этом поприще Чабанов чувствовал себя, как санитар среди душевнобольных. Не имея никаких природных задатков, он сделал блестящую научную карьеру и теперь мечтал лишь о больших деньгах.

Он рано понял, что не желает трудиться, не имеет талантов, чтобы жить, не сильно напрягаясь, боится криминала. Выход был один. Он поступил в танковое военное училище. В армии в те времена неплохо платили.

Однако для карьерного роста надо было заканчивать академию. Оказавшись в другом мире, он внезапно понял, что можно восемь часов провести, занимаясь дуракаваляниeм и пойти вечером в театр или ресторан. А его по окончании академии опять ждали недельные полевые учения, после которых от вибрации танка не ощущаешь разницы между женщиной и батареей отопления, грохот и лязг поселяются в голове навсегда, легкие становятся существенно тяжелее от килограммов проглоченной пыли. Он женился на уродливой дочке начальника одной из кафедр. Остался в адъюнктуре. Защитил диссертацию.

Но времена изменились. Все, что творил до этого, относилось к разряду уголовно не наказуемого. Теперь же правили бал иные. Пришло твердое убеждение в безнаказанности большого капитала. Ни одного из крупных махинаторов и откровенных воров нового времени, пойманных с поличным, не наказали.

Он даже смог эмпирически вывести сумму, начиная с которой человек становился неподсуден. И эта сумма имелась в активах его предприятия. Однако, ввиду высокой степени секретности, приватизации и продаже оно не подлежало. Можно было немного приторговывать товаром и производственным оборудованием.

Чабанов проводил бесконечные маркетинговые исследования среди фирм, поставляющих оборудование за рубеж. Его товар интересовал лишь крупные государственные объединения, сжиравшие всю прибыль. Однажды на одном из совещаний-фуршетов сошелся с помощником депутата по прозвищу Маркиз, который жил явно не по средствам. Тот понял все с ходу. Они сделали несколько тайных поставок. Появились хорошие деньги. Доллары пьянили. Чабанов уже подсчитывал, сколько можно получать, развернув производство на полную мощность.

Единственным камнем преткновения был шеф. Чабанов начал собирать на него досье. И тут выяснил, что у Жбановского есть племянник, ненавидящий дядю. Он подбросил идею, зная, что помощнику приходится общаться и с криминалом тоже. Через некоторое время в доверительной беседе Чабанов узнал, что неуравновешенный наркоман Виктор Тур уже «заказал» дядю.

Выждав некоторое время, профессор побежал вниз. Подскочив к учетчице, прокричал:

— КамАЗ был?

— Был.

— Груз вывез?

— Вывез. Вы же сами распорядились.

— Номер хоть записала?

— Запомнила я его.

— А что за груз был?

— Степанов что-то с Марком Борисовичем ваяли последнее время. Ружье какое-то. У рабочих можно узнать.

— Что? — удивился Чабанов. — А где сам Степанов?

— Так его этот, жирный, из «плекуратуры», увез.

Чабанов почувствовал себя немцем в сорок пятом: русские вывезли заводы, американцы — чертежи и ученых.

Вернувшись в кабинет, набрал номер. Ответил голос пожилой женщины. Профессор произнес:

— Пятьдесят второй. Жду звонка тринадцатого.

Это был единственный способ связи с Маркизом. Несколько минут Чабанов походил по кабинету. Босс мог перезвонить и к вечеру, однако он среагировал оперативно.

— Ну чего тебе еще? — раздался встревоженный голос.

— Ты мне не скажешь, что вывез?

— Я и сам не знаю.

— А хочешь знать?

— Нет, — ответил Маркиз. — Я жить хочу, поэтому лишние тайны мне ни к чему.

— Придется все же кое-что выслушать. Едва твои орлы вывезли новое суперружье, как следователь из прокуратуры, я говорил, Курбатов, увез в неизвестном направлении соавтора проекта Степанова!

— Вот черт! — выругался Маркиз.

— Меня надо было ставить в известность! — вставил Чабанов.

— Ладно, как-нибудь выкрутимся. Вот что, попытайся выяснить осторожно, где он может быть, квартира там, дача, друзья-подруги? А следователя я беру на себя. Как появится, звони мне. Есть одна идея по этому поводу...

Турецкий задумчиво вошел в кабинет. Несколько раз обошел вокруг стола, словно не замечая сидевшего на его краю Елагина.

— Рюрик, а почему я никогда не вижу тебя сидящим за столом? Всегда на нем.

— По большому счету, это условность, как сидеть. В Риме было принято возлежать вокруг бассейнов. Я думаю, здесь дело, скорей всего, в подсознательной привычке копировать привычки лидера, — ответил Елагин, тем не менее слезая со стола и слегка краснея. — Ничего нового о Володьке, Александр Борисович?

— Нет.

— А по делу? Ну, по этому дерьму, кое-что...

Дверь распахнулась. Шумно ворвался Курбатов и начал вытворять нечто. Турецкий и Елагин невольно уселись практически симметрично на противоположные концы стола, изумленно созерцая танцующего Курбатова. Впрочем, его странные телодвижения с таким же успехом можно было назвать и эпилептическим припадком с потерей контроля над двигательными центрами.

— Грандиозно. Ничего подобного не видел, — не выдержал Турецкий. — Это как называется?

— Вероятно, танец живота, — предположил Елагин.

— Намекаешь, что я весь — сплошной живот? — задыхаясь, но не прекращая трясти избыточными жирами, произнес сын профессора. — Но готовьтесь морально, ибо вам предстоит лицезреть еще более потрясающее зрелище, и я провожу подготовку, опасаясь за вашу психику.

— Ты начнешь медленно раздеваться? — предположил Рюрик.

— Вот уж не знал о ваших наклонностях! — парировал Курбатов. — Но, но порнографити! — произнес он с сильным итальянским акцентом, сделав ряд ритмичных движений тазом. — Сексуале! — томно прошептал, начав круговые движения.

— Александр, тебе никто не говорил, что у тебя совершенно отсутствует понятие о координации движений? — заметил Турецкий.

— Борисович, вы жертва банальной закомплексованности. Набор заученных движений под музыку никакого отношения к танцам не имеет, — ответил разгоряченный Курбатов.

Затем, упав в кресло, продолжил мысль:

— Аргентинское танго принципиально ничем не отличается от прохода войск торжественным маршем под духовой оркестр. Танец — это единственная возможность физической реализации душевного состояния. И горе тем, кто под грузом собственной значимости теряет непосредственность. Его ждут страшные неврозы и полная импотенция.

— Ладно, вождь Тумбу-Юмбу, колись, как на допросе, — предложил Турецкий.

— Предположение о том, что человеку просто захотелось поднять настроение двум мизантропам, не прокатывает? — спросил Курбатов.

— Нет, — твердо ответил Рюрик.

— Ладно, посмотрим, способны ли вы радоваться за ближнего. Вот.

Курбатов вынул из заднего кармана смятую бумажку и положил на стол. Елагин и Турецкий склонились. Мгновенно все стало на свои места. Телеграмма оповещала гражданина Курбатова, что контейнер на его имя с грузом «автомобиль» прибыл на станцию Павелецкая-Товарная. И от него требовалось забрать его в течение трех дней.

— Я понял глубокий смысл языка танца, — догадался Турецкий. — Сегодня вечером ужинаем в «Узбекистане»!

— Наконец-то! — обрадовался Елагин.

— Ладно. Ближе к вечеру созвонимся. — Взглянув на часы, Турецкий перешел к делу. — Сейчас двенадцать. Информацию о Копылове, Атамане, мне должны накопать в МУРе в течение часа. Рюрик, берешь авто — и к своему умельцу. Оставишь ему этот аппарат. Он должен его замаскировать. Как только Атаман появится, пусть дважды жмет на эту кнопку и все. Вторую трубку держишь у себя. Проведи несколько раз тренировку на месте, затем с дороги и из Москвы. Осечки в этом случае мы допустить не должны. Сашок, тебе выделили «наружку»? Получаешь свое сокровище — и вжиком в Мытищи. Напротив окон объекта, у соседнего дома, тонированный фургон. Капитан Бочкин поступает в твое распоряжение. Поставишь ему задачу — и заканчивай свой институт.

— Я Рюрика на часок задействую? — попросил Курбатов.

— Не терпится похвастаться?

— Ну могу я иметь небольшой недостаток при таком объеме достоинств? — Курбатов погладил себя по животу. — А вообще, я же на «Таврии». Получу «тойоту». Извините, даже с моим задом на двух автомобилях никак не уехать. Тем более «таврюшу» я Елагину или Володьке отдаю, пока не созреют до чего-нибудь приличного. Мобильность нашей группы возрастает вдвое.

Курбатов еще раз посмотрел на Турецкого. Затем произнес:

— Александр Борисович, какой-то вы сам не свой. Может, поделитесь думами? Легче станет.

— Поремский из головы не выходит. Тут еще девчонка зеленая в гонках сделала.

— Ого! Ну вы даете! А мы вас чуть в утиль не списали! — удивленно воскликнул Рюрик.

— Лично я такого просто представить не могу, — произнес Курбатов.

— А ты вызывай всех подряд на гонки и рисуй на автомобиле звезды, — посоветовал Турецкий.

Елагин с Курбатовым вышли из здания прокуратуры. За нестройными рядами иномарок разглядеть шедевр отечественного автопрома «Таврию», ставший, впрочем, также иномаркой, было практически невозможно.

— Что-то не видно, — произнес Курбатов.

— Может, угнали? — предположил Елагин.

— Она давно перешла в разряд неугоняемых, — ответил Александр, направляясь вдоль автомобилей.

Вскоре «Таврия» цвета металлик, «мокрый асфальт», была найдена. Она несколько отличалась от привычных моделей грузовым вариантом задней дверцы. Елагин оглядел ее размеры и не без интереса уставился на Курбатова. Создавалось впечатление, что Александр больше автомобиля, и было интересно понаблюдать, как он в него поместится.

Курбатов не спеша открыл дверцу. Отодвинул сиденье назад до упора. Затем, надавив на живот руками, втиснулся сам, заняв практически все свободное пространство. Рыдающий от смеха Рюрик сел рядом.

— Саша, ты не туда пошел, деньги за это брать нужно.

— Плати! — раскрыл пепельницу Курбатов.

— Руль у тебя какой-то маленький? — перевел разговор Елагин.

— А это по спецзаказу делали. Чтобы в грудь не упирался! Между прочим, экспортный вариант, — начал нахваливать авто хозяин. — Движок фиатовский.

— Не знал, что такие делали, — удивился Рюрик.

— Был эксперимент на заводе. Так что моща бешеная, а вес почти как мой. Со светофора делаю всех. Потом, конечно, догоняют, но поздно.

Быстренько проскочили по Люсиновской. Повернули налево. Курбатов просто не умел ездить молча. Он вообще не умел ничего делать молча.

— Ну теперь мы этим сучкам покажем! Представляешь, еду вчера. Стоят две такие цацы. Голосуют. Торможу. Куда, говорю, красавицы? Типа, бесплатно домчу. Они так презрительно смерили взглядом и отвечают: «Мы на таком не поедем!» Представляешь. Я им, можно сказать, душу нараспашку, а мне туда насрали. Злой был, полночи гонял. Во, а это театр клоунады Терезы Дуровой. Ты был там?

— Нет, — ответил Елагин, — мне цирка в жизни хватает.

— Здесь клоунесса есть. Вместе на физмате учились. Хочешь познакомлю?

— Ты же знаешь, у меня повышенные запросы. Обостренное чувство красоты.

— Она Бабу-ягу без грима играет, — описал девицу Курбатов. — После такой любая за королеву красоты прокатит.

Автомобиль резко затормозил напротив металлических ворот. Друзья вышли и размяли затекшие мышцы.

— Рюрик, ты мне на самом деле вот зачем нужен, — обращаясь к Елагину, начал объяснение Александр. — На станции ведь можно проковыряться весь день. Смотри, очередь — человек двадцать. Я не могу пользоваться своим служебным положением. А ты сможешь. Сейчас подойдешь к начальнику контейнерной, предъявишь удостоверение и скажешь: я — подозреваемый, в интересах следствия необходимо быстро получить вещественное доказательство.

— Курбатов, тебе не стыдно?

— Нет. Потому что у нас с тобой труп мирового светила и исчезновение супероружия. А для чего добывают оружие? Может, одного из них уже «заказали»?

— А, так мы это делаем для их же блага! — радостно протянул Елагин. — Пойдем! Руки за спину!

Курбатов распахнул двери контейнера, с трудом протиснулся внутрь и выгнал машину серебристого цвета «Марк-2», универсал.

— Ну, как? — потребовал оваций Александр.

— Такого не видел! — восхитился Елагин.

— Их и в Японии двадцать штук всего! Эксклюзив. Три литра движок. «Марковник»! Знаешь анекдот про мужика, гоняющего из Японии автомобили? «Как живешь?» — «Ничего, трое детей — сын Марк и дочери, Королла и Карина».

— А как с правым рулем? — полюбопытствовал Рюрик. — Удобно?

— Ты что?! Правый руль — это круто! Во-первых, качество. Для себя делают. Во-вторых, парковка. С моей комплекцией обходить по улице автомобиль... Представляешь, заторы возникают на дороге. И главное, обратил внимание, сколько роскошных женщин в Москве за рулем? И все с левой стороны. Я раньше в пробках нервничал, переживал. От нервов знаешь как вес набирается? Потом полюбил. Сидишь, на девушек смотришь, автомобилями любуешься. Только на «таврюше» чувствуешь себя люмпен-пролетариатом. Ну а тут опустил стеклышко — и болтай. Да через две недели весь бардачок визитками будет забит. А сейчас надо засыпать резины побольше.

— Ладно, размечтался! А джип не потянул?

— Джип? Был у меня джип «исузу». Но я его перед отлетом поменял.

— И можно узнать мотивацию?

— Как говорит брат Фрейд, все поступки можно свести к двум движущим факторам: страху и сексуальным побуждениям.

— Ты боишься женщин на джипах? — предположил Рюрик.

— Не тот темперамент. Чем автомобиль спортивнее, тем женщина страстнее. Понимаешь, с моим весом активные физические упражнения просто жизненно необходимы. Но я настолько презираю спорт, зарядку и вообще любые бессмысленные движения, что это единственное спасение.

Елагин сел в «Таврию». Завел двигатель и, несколько раз дернувшись, тронулся.

Курбатов следом за ним выехал на извилистую дорогу. Вдавил педаль газа и, легко обойдя Елагина, помчался в Мытищи, испытывая удовольствие от слегка забытой мощи движка. Приятно управлять аппаратом, который не знает предела. Сколько притопишь, столько и выдаст. Он не смог отказать себе в слабости позаниматься немного слаломом на дороге. Проезжая мимо девушек на автомобилях, весело подмигивал и получал в свой адрес милые улыбки. А один раз даже обозвали дураком. Александр был практически счастлив.

Подъехав к дому Чабанова, обнаружил синий фургончик на колесах и дернул дверь. Она не открывалась. Тогда Курбатов постучал. Никакой реакции. Тогда предпринял последнее средство. Начал долбить кулаком. Из недр кузова послышались звуки. Курбатов приложил еще больше усилий. Отбив кулаки, опустил руки. Огляделся в поисках кирпича. Из-за угла дома вышел человек. Приблизившись, мужчина спросил:

— Тебе чего?

— Я Курбатов, — произнес Александр, проверяя осведомленность мужика.

— А я Бочкин, — расплылся в улыбке мужчина, вставляя ключ в дверцу фургона. — По нужде отходил.

Когда он ее открыл, обнаружил еще двоих операторов с ужасными выражениями лиц, едва сдерживающихся, чтобы не броситься в драку. Курбатову не надо было объяснять причину. С трудом втиснувшись в фургон, он произнес слегка заикающейся скороговоркой:

— Я следователь Генеральной прокуратуры по особо важным делам К-курбатов. К-курирую операцию. Цель — сканирование внутреннего пространства квартиры профессора Чабанова. Вот эти четыре окна, — произнес Александр, вынимая из кармана и обводя на фотографии фломастером объект наблюдения. — Завтра в девять я буду здесь. Надеюсь, какая-то информация появится?

— Не волнуйтесь, — успокоил его Бочкин, — как стемнеет, никакие шторы не смогут стать помехой.

— И еще. Будьте готовы к сильным потрясениям, — посчитал своим долгом предупредить «наружку» Курбатов, выскакивая и пожимая руки на прощание.

Александр заскочил в институт за бумагами. Поднявшись в кабинет, он забрал свою папку. Секретный волосок на ней был оборван. Это обстоятельство его устраивало. Обложка прежде была абсолютно стерильна, а теперь хранила информацию о любопытных пальчиках…

Профессор Чабанов выслушал доклад вахтерши. Схватил мобильный телефон и начал непослушными пальцами набирать номер. Он сильно волновался. Очки запотели, и обстановка кабинета стала таять в дымке. Борясь с комком в горле, он произнес:

— Обстоятельства меняются! Следователь не на «Таврии». Серебристая «тойота», номер еще бумажный на стекле семьсот сорок пять УЕ. Только что выехал…

Курбатов вышел и, сев в автомобиль, поехал, предвкушая обильное застолье с обильными же возлияниями. Следом немедленно двинулась неприметная серая «нексия». Сидевший рядом с водителем человек не отрывал от уха телефонный аппарат. Одновременно тронулся фиолетовый «мицубиси»-купе. Сидевшая за его рулем молодая женщина также безостановочно вела телефонный разговор. Ей было важно оказаться в нужном месте в нужное время.

Северянинский мост ремонтировался. Поэтому движение происходило в два ряда, черепашьими темпами.

Курбатов шел в крайнем правом, где воздух был почище. На съезде с моста по правую руку, с улицы летчика Бабушкина, втекало еще два ряда.

И тут Александр увидел ее. За рулем фиолетового спортивного автомобиля. Точеный вздернутый носик, аккуратные губки, нижнюю немедленно хотелось слегка прикусить, невероятно длинная шея. Резко очерченная линия скул придавала идеальному личику неповторимое очарование. На плечи спадали в тон автомобилю фиолетового оттенка волосы. Создавалось впечатление, что цвет машины она выбрала исключительно под прическу.

Сначала он ее услышал. Она вылетела с боковой улицы, сопровождаемая грохотом музыки. Девушка старательно подпевала Земфире. Внезапно они оказались на расстоянии нескольких сантиметров. Александр невольно заглянул в соседний салон. Ноги привели его в такой восторг, что он чуть не наделал глупостей. Втянув запах, одурманенный самец едва не чмокнул девушку в щечку. «Эх, раскрутить бы ее на гонки. Вот утереть можно было бы нос Турецкому!» — размечтался Курбатов.

Она повернула голову и испуганно заморгала, обнаружив постороннего мужчину практически в своей машине. Затем воскликнула:

— О господи! — Выключила музыку и недовольно добавила: — Ездят на чем попало.

Такого оскорбления Александр перенести не мог.

— Смеется над конем тот, кто не осмеливается посмеяться над его хозяином, — процитировал Курбатов французского тезку.

— Ого! — удивилась она. — Звучит как вызов. Уточняю: ездит что попало на чем попало.

Впереди пробка рассасывалась. Девица резко нажала на педаль газа и рванула вперед. Однако оторваться от Курбатова было непросто. На эстакаде он ее настиг.

Некоторое время шел наравне, со скоростью сто двадцать. Затем резко рванул и обошел. Но вскоре сбавил, испугавшись, что она может навсегда уйти направо на Сущевский вал. Подождал, и к светофору после «Рижской» подкатили одновременно. Там опять скопилась пробка. Александр решил продолжить:

— Для женщины вообще-то создана «Ока». Но не расстраивайтесь, ваша, по скоростным параметрам, недалеко ушла.

— Молодой человек, вы нахал и будете наказаны. А посему предлагаю поиграть в игру под названием: «Догони меня, если сможешь».

— На что заключаем пари?

— Естественно, на раздевание, — произнесла она, повернув хорошенькое личико.

— Мне это начинает нравиться. Место встречи?

— У памятника Пушкину.

— Идет.

— И запомните: приходит первым тот, у кого не здесь больше, — она показала на капот его автомобиля, — а здесь, — прикоснулась рукой к маленькому ушку.

Загорелся зеленый, и автомобили ринулись наперегонки. Курбатов, с двенадцати лет сидевший за рулем отцовской «восьмерки», быстро ушел вперед. Трехлитровый движок, знание Москвы до мельчайших переулков, опыт езды по сахалинским дорогам, вернее, их отсутствию что-то значили. А еще он бывал неоднократно участником команды МГУ по ночным гонкам. Правда, в те библейские времена носились исключительно парни. А девушки были призом победителю. Сейчас же феминизм, рванувшийся с американского экрана в жизнь, завоевал прочные позиции. И похоже, навсегда. Но приз остался прежним.

Курбатов выскочил на улицу Дурова, затем через Цветной бульвар повернул на Петровский. Неожиданно перед ним джип ублюдочного красного цвета не поделил дорогу с «пятеркой». Задержка была не больше чем на пять минут. Водитель иномарки просто вышел и начал отсчитывать доллары. Хозяин уничтоженных «Жигулей» из испуганного превращался с каждой бумажкой в очень счастливого человека. Автомобиль, несмотря на то что практически переломился пополам, смог продолжить движение в свой последний путь.

Курбатов выехал на финишную прямую. В этот миг он заметил, как с Тверской подкатывает на небольшую стояночку фиолетовое чудо. Ему не хватило нескольких секунд. Когда Курбатов подъехал, она уже ждала. Александр вздохнул и, расстегнув рубаху, кинул ее на заднее сиденье. Девушка сделала вид, что получила огромное удовольствие от созерцания дребезжащих наслоений. Курбатов предложил:

— Может, еще?

— Ты что, эксгибиционист?

— Нет, скорей гурман.

— Я люблю японскую кухню, — намекнула красотка.

— По японским блюдам я могу работать дегустатором, — похвалился Курбатов.

Зашли в ближайший ресторанчик. Саня проявил себя большим знатоком, заказав несколько блюд, приведших в замешательство обслуживавшую их одетую в кимоно калмычку. Получив же заказ, понял, что сильно проголодался и вдобавок соскучился по дальневосточной кухне. Она завороженно смотрела, как он, легко управляясь двумя палочками, отправлял в рот блюдо за блюдом. Затем произнесла:

— Знаешь, понимаю, что все это глупо, но испытываю какое-то дикое матриархальное удовольствие при виде хорошо кушающего мужчины. Иногда мне кажется, что ничего в жизни не надо, а только вот так сидеть и смотреть, как мужчина кушает.

— А мне тоже ужасно нравится, когда ты так смотришь. Я получаю двойное удовольствие. Это инстинкты патриархальных времен, когда мужчина был всем. Вы, девочки, слишком резко рванули со старта. Природа за вами не поспевает.

— Нет. Я же чувствую. Матриархат. Он гораздо древнее. И то, что происходит, это просто попытка природы вернуться в естественное русло.

— И что, униженных мужчин специально откармливали? — съязвил Курбатов.

— Конечно. Правда, не всегда. Когда появлялась неизвестная пища, мужчин, как наименее ценных членов племени, заставляли есть поганки, белену, жаб. А затем ждали. Если выживал, ело все племя. А ты думаешь откуда этот дух экспериментирования, жажды новых ощущений, первопроходства? Мы дали вам свободу прокладывать дорогу через терновые заросли и минные поля. Теперь вы нам нужны только для развлечения и размножения.

— Хорошо. Находитесь в самообмане относительно великого заговора по половому признаку. Но мы-то знаем, что женщинам еще долго догонять.

— И даже на трассе? — не преминула уколоть собеседница.

— Ты сколько за баранкой? — спросил, поднимая руки вверх, Александр.

— Года четыре. Раньше я тоже осторожно ездила. А застраховавшись, перестала бояться. Начала устраивать гонки. Ставить на место самодовольных хамов. Наверное, это жестоко. Но разве не жестоко считать женщину низшим существом, красивой продажной игрушкой, предназначенной только для утоления своей грязной похоти? Хотя, если честно, женщины сами виноваты. Мы заслужили такое отношение. За это я сама ненавижу баб. И еще больше ненавижу мужиков, которые ставят меня в ряд с этими дурами, думающими исключительно задницами.

Когда вышли из ресторанчика, Курбатов оглядел автомобиль новой знакомой и произнес:

— Так говоришь, застрахована? Прокатиться можно?

— Без проблем, — ответила она, протягивая висевшие на пальчике ключи.

Александр сел за руль. Она рядом. Минуту он смотрел на коленки и неожиданно резко сорвался с места. Светофор уже моргал. Вылетел на Тверскую, когда погас желтый. Со скрипом тормозов развернулся, оказавшись на встречной полосе. Она завизжала. Протанцевал мимо нескольких автомобилей. Опять, разогнавшись, затормозил, крутанув руль. Медленно повернул и припарковался.

— Хорошая машинка, — похвалил Курбатов. — Резвая.

— Дурак! — вскрикнула попутчица.

— Меня Сашей зовут.

— Даша, — ответила она, вылезая. — Знаешь, я люблю острые ощущения, но только когда контролирую ситуацию. Мне больше понравилось, как ты раздеваешься и ешь. Ладно, для первого раза достаточно.

— Мы увидимся?

— Вот мой мобильный. Соскучишься, звони.

— Я уже скучаю, — записывая номер в память своего аппарата, произнес Александр.

— Ты не понял. Я девушка, которой надо все и сразу. Я даю тебе время разобраться с той, которая у тебя сейчас. К моменту моего появления ничего не должно напоминать о ней. Особенно запахи. У меня очень тонкий нюх.

Расставшись с чудом природы, основательно подорвавшим его финансовую независимость в японском баре, Курбатов решил провести разведку боем. Он подъехал к ресторану «Узбекистан» на Неглинной.

Едва он остановился, выскочил услужливый парковщик. Александр терпеть не мог навязчивого сервиса. Если уж совсем деваться было некуда, принимал правила игры, затем предъявляя служебную корочку. Сейчас был вариант компромисса. Он прокатился тридцать метров вперед и спокойно стал на бесплатной стоянке.

Вернувшись, не без интереса оглядел вылепленные желтые башни с венчающими их голубыми куполами. Справа арабской вязью было выведено: «Белое солнце». Вероятно, также ресторан. Вошел, хлопнув по горбу деревянного верблюда, в полумрак застланного коврами и украшенного восточными орнаментами зала. Его встретила миловидная девушка в наряде а-ля принцесса Будур.

— Вам отдельный столик? — пропела она. — У нас есть зал. Там работают кондиционеры. Есть отдельные кабинеты, это там.

— А на улице это тоже ваш загончик? — спросил Курбатов.

— Да. Места на открытом воздухе. Это у нас общее с «Белым солнцем».

— Я сяду на воздухе.

Девушка проводила Курбатова на улицу. Посетителей было немного. Он сел напротив небольшого фонтана. Открыл лежавшее меню. Пробежался по нему взглядом. Плавно положил и, поднявшись, незаметно вышел через соседний ресторан.

По пути вынул мобильный телефон. Набрал номер Турецкого.

— Александр Борисович, — с ходу начал Курбатов, — я понимаю, что такое дело надо отметить. Но, как бы это выразиться? Я слегка поиздержался. И такое шикарное место просто не потяну финансово. Может, где-нибудь соберемся на природе?

— Сашок, не парься. Однажды известными тебе личностями Турецким и Грязновым хозяину «Узбекистана», уважаемому Рустаму Алиевичу, была оказана услуга, стоившая самого ресторанчика. А еще было спасение сына. Это восточные люди оценивают обычно в размерах пожизненного долга. И единственное, что мы согласились принять от него в подарок, иногда посещать сие заведение с друзьями в качестве дорогих гостей.

— Тогда несколько успокаивает. Во сколько сбор?

— Подтягивайся к восемнадцати. Скажешь, что от меня. Тебя проводят.

## Глава 2
## «УЗБЕКИСТАН»

Турецкий приоткрыл дверь в коридор и внезапно увидел пробегающего мимо человека. Он резко выбросил руку вперед и, схватив его за плечо, остановил. А через секунду втащил в кабинет и захлопнул дверь.

Перед помощником генерального прокурора стоял начальник Следственного управления Казанский. В свое время Турецкому пришлось достаточно натерпеться от его интриг. Сейчас же, когда он стал над Казанским, тот, оказывается, не прекратил своих делишек. Лицо у задержанного было таким, словно ему собирались набить морду.

Несмотря на то что Турецкому именно этого и хотелось больше всего, он подавил желание и произнес:

— Чтобы завтра Ямпишева и Сухоглинкина близко не было в следственной части. А тебя, если еще раз за какой-нибудь гадостью поймаю, просто размажу по стене.

В этот момент зазвонил местный телефон. Александр Борисович поднял трубку и сделал жест рукой. Обрадовавшись, что его уже отпускают, Казанский выскользнул за дверь. Докладывал дежурный с проходной:

— К вам ломится посетитель бомжеподобного вида, без документов. Смеет утверждать, что вы будете ему рады. Спуститесь или вызвать наряд?

— Бегу!

Увидев осунувшегося, небритого, с разбитыми губами и синяками под глазами Поремского, Турецкий едва не задохнулся. Обнял его и поволок с собой.

— Ну, рассказывай! — произнес Турецкий, наливая в стакан чай...

Курбатов издалека увидел, что бесплатно припарковаться, как днем, возможности нет. Несколько свободных мест были у желтых стен ресторана. Он поставил автомобиль. Мужчина в зеленом костюме подскочил и, записав время на бумажку, просунул ее под дворник. Александр вошел. Его встретила насмешливым взглядом та же девица. Она решительно подошла и произнесла:

— Если вы ходите по ресторанам для того, чтобы, просмотрев меню, сбежать, то у нас вы сегодня уже были.

— У вас хорошая память! Просто утром была тренировка. Теперь я собираюсь, — наклонившись, Курбатов перешел на шепот: — Заказать, поесть, а уже после — исчезнуть.

— У нас такое не проходит, — серьезно ответила девушка. — Вас немедленно задержит охрана.

— Вы меня плохо знаете, — улыбнулся Курбатов. — Я смогу.

— Даже не пытайтесь, — прозвучал совет.

— Давайте поспорим, я напою и накормлю трех человек, при этом не заплатив ни копейки?

— На что спорим? — осторожно поинтересовалась девушка.

— Вас как зовут? — спросил Курбатов.

— Эльвира.

— Эльвирочка, танец живота в прейскурант входит?

— Нет.

— Вы его для меня станцуете?

— Если вам такое удастся? — улыбнулась она. — Я сделаю стриптиз на столе!

— Тогда выбираю кабинет, — сказал Курбатов. — Такое зрелище не для всего зала.

Александр прошел зал. За ним располагались отдельные кабинеты. Навстречу ему вышел мужчина. Слегка поклонившись, предложил:

— Вам кабинет?

— Я с Турецким.

— А, тогда пойдемте. Для вас всегда есть свободный.

Расположившись в кабинете, Курбатов откинулся на спинку удобного кресла. Появился официант:

— Заказывать будете?

— Я подожду друзей. А пока принесите мне апельсинового сока. Граммов шестьсот.

Официант исчез. Но через минуту возник с графином, наполненным желтой жидкостью, и со стаканом с соломинкой. Поставил все на стол. Александр, подивившись такой метеоритной быстроте исполнения желаний клиента, не смог не пошутить:

— Ты что, бегал собирать апельсины, а затем сам выдавливал?

Растерявшийся официант с подобострастием поглядел на недовольного господина и произнес:

— Я больше не буду. Не жалуйтесь администратору.

Курбатов его благосклонно отпустил. Вскоре подтянулся Елагин. Александр обрадовался новой жертве. Рюрик, осматривая интерьер, произнес:

— Мне здесь нравится. Классное место. Словно апартаменты какого-нибудь бухарского эмира.

— Я здесь обычно ужинаю со своей девушкой, а

красотка на входе исполняет на столе танец живота, постепенно снимая одежду, — похвалился Курбатов.

— Надо как-нибудь тоже заехать, — произнес Елагин, раскрывая меню.

— Мы решили отметить в крутом месте, — сказал Курбатов, изучая реакцию друга. — Выпивка моя. А закуску каждый оплачивает сам.

Улыбка на лице Рюрика куда-то исчезла. Он растерянно посмотрел на собеседника и попросил:

— Саш, ты мне денег можешь одолжить немного?

— И остаться в такой день голодным?

— Блин, может, у Борисыча перехвачу? — расстроился Рюрик.

В этот момент появился Турецкий, рядом с ним был сам Володя Поремский, со слегка разукрашенным синяками и царапинами лицом, но отпаренный и выспавшийся. Курбатов с Елагиным радостно бросились его обнимать.

— Володька! Ну как ты, рассказывай!

— Потом, — хлопнув в ладони, произнес Турецкий.

На звук мгновенно появился официант. Он подобострастно наклонился и уставился на Курбатова.

— Тебя как зовут? — спросил Турецкий.

— Махмуд.

— Вот скажи, Махмуд, что ты так смотришь? Ты здесь недавно?

— Да.

— Откуда родом будешь?

— Ахангаран. Почти Ташкент.

— Знаешь, сходи к Ашурали Ибрагимовичу и скажи, что клиент пришел. Турецкий, почти Путин.

Когда официант удалился, Турецкий объяснил:

— Ашурали — это типа старший менеджер. Сейчас увидите разряд обслуживания. Здесь даже старина Питер забывает о своих бутербродах. Раньше старшим зала был Мухтар из Самарканда, с ним на подхвате две московские девочки Машка и Лилька. Так вот однажды у Мухтара случился день рождения, и девочки решили его поздравить. Скажите, что можно подарить человеку по имени Мухтар?

— Что угодно, кроме собаки, — произнес Поремский.

— Именно. Девочки фильма не видели. А он был постарше и вырос под постоянные насмешки. Когда они приволокли овчаренка, Мухтар чуть инсульт не получил. Потом все бегали, пытались пристроить щенка. Вот был душа компании. Рот не давал открыть.

— А сейчас он где?

— Кафе свое на ВДНХ открыл, «Ласточка».

— А девочки?

— Где-то учатся, работают. Переросли.

Неожиданно циновка откинулась, и официанты начали вносить и расставлять блюда. Затем появился низкорослый упитанный человек в смокинге и тюбетейке.

— Вай, кого я вижу! Александр Борисович, вас так давно не было!

— Рад тебя видеть, Ашурали Ибрагимович. Как дела? Как здоровье? Как жена? Как дети? Сын сестры поступил?

— Спасибо, хорошо. Нет, бестолковый он. Пусть на рынке торгует. Вам как обычно?

— Конечно. Самса, как на Алайском, есть?

— Для тебя всегда есть!

Узбек убежал. Иронично настроенный Курбатов развернулся вполоборота к Турецкому и произнес:

— Вы забыли справиться о здоровье осла его племянника и упомянуть о мудрости пророка!

— Саша, мы понимаем твое настроение, но надо знать меру. Не забывай, что мы в гостях.

Появился Махмуд. Он быстренько расставил пиалы и кейсайки. Поставил распространяющий запах полынной свежести чайник. Турецкий с видом знатока уверенно плеснул всем по полчашки зеленого напитка и первым пригубил:

— Если хочешь, чтобы завтра желудок не жаловался на сегодняшнее чрезмерное возлияние и чревоугодие, попользуй его сначала горячим зеленым чаем. Проверено веками.

— Александр Борисович, — произнес Поремский, — мусульмане не пили спиртного.

— Между прочим, узбеки были крещеными к тому времени, не буду загружать вас датами, когда хан Узбек увел часть татарского племени в Среднюю Азию, — счел нужным внести историческую справку Рюрик. — И в ислам они переходили чуть ли не два столетия. Это единственный восточный народ, у которого национальная одежда с открытым глубоким вырезом. Для того чтобы было видно, не носит ли крестик.

Наконец стол был сервирован. Турецкий потер руки и произнес:

— Сашок, давай за твою «ласточку». Чтобы скорей на корпусе появилась первая звезда.

— Знаешь, Борисович, а меня сегодня сделали.

— Что? В самом деле? Баба? — обрадовался Турецкий.

— Ощущение, будто девственность потерял, — понуро констатировал свое состояние Курбатов.

— Не грусти. Иногда маленькое поражение приносит большую победу. Она сейчас небось локти кусает от того, как тебя унизила, и готова на все, чтоб загладить рубец на твоем сердце.

Выпили. Курбатов подхватил самсу. Откусил половину. Пару раз прожевав, проглотил. Затем другую. Ее он смаковал немного дольше. Задумался и спросил:

— Борисыч, я что-то съел. Но никак не могу понять что?

— Вай, дорогой! — воскликнул Турецкий. — Это был кусочек курдюка.

— Дай-ка еще.

Он схватил очередной пирожок. И снова изобразил удивление и восторг.

— Странное ощущение. Ничего подобного не испытывал.

— Ты не останавливайся, — посоветовал Турецкий. — Сейчас Ашурали исполнит для тебя «Песнь о курдюке». Ашурали!

— Он не может, — ответил стоявший в ожидании приказаний человек. — В банк отъехал.

— Тогда ты. Знаешь ли, брат Махмуд, что такое курдюк?

— Курдюк? — протянул узбек. — Бараний жоп!

— Иди мой свои тарельки! — махнув рукой, воскликнул Турецкий. — Или нет. Тащи сюда дутар и тюбетейку. Сам исполню.

Махмуд с удивлением поглядел на голубоглазого Турецкого и побежал за реквизитом. Через пару минут принес. Протягивая головной убор и инструмент, произнес:

— Дутар не оказалось. Домбра!

— А нам после третьей все равно!

Турецкий надел на макушку тюбетейку. Прижал у груди народный инструмент и, начав отбивать ритм по струнам, запел:

— Ты-тыр-ты-тыр-дын ты-тыр дын. О-о-о! Описать курдючного барана невозможно. Его надо видеть! — перешел он на тягучую прозу под монотонный аккомпанемент. — Представь, баран, у которого сзади больше, чем впереди. Некоторые так отъедают курдюк, что не в силах передвигаться. Тогда ему приспосабливают самокат на подшипниках. Курдючный баран по своему строению ближе не к барану, а скорей к верблюду. В курдюке он делает запас питательных веществ на долгие переходы. Баран может питаться содержимым курдюка два месяца. Его кладут во все блюда. Шашлык.

Лагман. Манты. Узбечата сосут вместо соски. Однажды поехал на рыбалку в предгорья. Резко похолодало. Выпал снег. Бегают детишки с голыми писюнами босиком по снегу, а на шее кусочек курдюка болтается на нитке. И не болеют.

— Еще в восьмидесятые годы девятнадцатого столетия слово «баран» было девизом освоения земель Туркестана. Баран с курдюком в два пуда стоил рубль, в то время как машинист паровоза получал восемьдесят, а кондуктор шестьдесят рублей в месяц, — поделился исторической справкой Рюрик. — Я еще подумал, в каком это месте он находится.

— Тогда за курдюк! — предложил Поремский.

Выпили. Закусили треугольными пирожками из слоеного теста. Но теперь все были в курсе относительно полезных свойств курдючного жира. Ели не спеша, основательно пережевывая и многозначительно улыбаясь.

— Ну, мужики, видел бы кто вас сейчас! Просто тайная вечеря! — произнес Турецкий.

— Картина Ван Гога: «Едоки бараньева жопа», — опять вставил Курбатов.

— Ладно, есть предложение, — произнес Турецкий.

— Обсудить предварительные результаты на трезвую голову, — догадался Рюрик.

— Выпить, пока не остыла закусь! — парировал Турецкий. — Запомни, к делу мы перейдем все равно.

— Володя, а ты пьешь? — растерянно спросил Курбатов. — Может, не стоит переводить продукты?

— Да я лучше завтра весь день болеть буду, но сегодня душа погреется.

На столе появилось новое дымящееся блюдо.

— Махмуд, скажи, как это называется? — проэкзаменовал официанта Александр.

— Манты.

— Это типа большого пельменя? — высказал догадку Курбатов.

— Типа большого пельменя это у тебя уши, — снова взял инициативу Турецкий. — А манты? Махмуд, расскажи нам про манты.

— Едят их руками.

— Иди, Махмуд. Иди. Нет в тебе любви к своему делу. Рассказывать буду я. Ртом их едят. А еще ртом рассказывают байки, чтоб девушки слушали. Тут одну водил через день сюда и каждый раз повторял одну и ту же историю. Она каждый раз так удивлялась, что убила меня окончательно. Я понял, что ничего мы о них, о женщинах, не знаем.

— Борисович, такое ощущение, что ты отвлекся. Начал с мантов, а сбился на женщин, — произнес начавший приходить в себя после пережитого кошмара Поремский.

— Ну молодежь! Ничего вы не понимаете. Я плавно подвожу к тому, что настоящие манты может делать только мужчина.

— Странные ассоциации возникают в связи с услышанным, — усомнился Курбатов. — Он чем их делает?

— Так вот, если ты мужчина, — не обратив внимания на реплику, продолжал Турецкий, — то сначала совершаешь намаз. Затем снимаешь головной убор и повязываешь на голову бандану. Затем идешь в стадо и выбираешь самого жирного барашка.

— Борисович, давай сразу к мясу. Я же знаю, сколько длится разделка, — перебил начальника Курбатов.

— Уболтал. Итак, берешь вырезку свежего белого барашка. Придерживаешь мясо нежно, как чужую невесту. В другую руку берешь нож печак. Держишь его так твердо, словно собираешься делать себе обрезание. Настоящий печак режет шелк на весу после того, как им порубили моток колючей проволоки. Затем режешь мясо на ровные квадратики по полсантиметра. Затем много лука, тоже на квадратики. И наконец, курдюк!

— Опять курдюк?!

— Его кладут даже в чай. Затем все посыпаешь специями, солишь и мешаешь. Тесто, как на пельмени, но замешивается на весу. Это надо видеть. Описать невозможно. Можно попытаться станцевать балет, но не стоит. Тонким блином раскатал и порезал. Все. Лепи — и в мантышницу, на пар. А ты говоришь — пельмень!

— И этим произведением искусства мы будем сейчас закусывать? — удивился Елагин.

Наконец, когда блюдо и графинчик с водкой были практически опустошены, а следователи довольно откинулись на удобных креслах, Турецкий произнес:

— Вот теперь, Рюрик, давай. Какие у тебя выводы?

— Оружие убийства академика изготовлено из редкой стали американского производства СРМ-15. Суперпрочная, но недолговечная. Клинок режет практически все, кроме алмаза. Однако процесс кристаллизации наступает незамедлительно, и через пять лет клинок внезапно рассыпается. Ранее она считалась неактуальной и существовала лишь теоретически. Лабораторные образцы оказались недолговечными.

В Штатах только в этом году было принято решение о выпуске. Кортиками из нее решили оснащать морпех. Современные технологии позволяют быстро производить значительное количество ножей, которые после окончания контракта можно оставлять как сувениры... Каким-то образом несколько килограммов ее попали к нам. Тульский умелец Анатольич, по заказу некоего Копылова Сергея Ивановича, погонялово Атаман, сделал несколько ножей. Атаман же интересовался, способен ли самородок собрать некое техническое устройство по чертежам. Анатольич пошел на контакт. При появлении Атамана сбросит мне на мобильник сообщение. Относительно пистолета в арсенале начата негласная ревизия. Но там сам черт ногу сломит. Такой бардак. Результатов можно и не дождаться... Племянник Жбановского, люто ненавидевший дядюшку, исчез.

На картине изображен академик со смертью. Форма клинка косы красноречиво говорит о том, что он знал орудие убийства. В его мастерской я обнаружил комплект инструмента по дереву из той же стали. Моя версия: племянник «заказал» дядюшку. Атаман опасная личность и, по некоторым данным, содержит лагерь, где тренирует малолетних киллеров.

— Владимир, давай теперь ты, — предложил Турецкий.

— Пошел снимать показания у госпожи Жбановской. Однако ее не оказалось. Там проходила веселая вечеринка, при ближайшем рассмотрении оказавшаяся наркотическим притоном в классическом виде. Правил балом, естественно, племянничек, которому неожиданно свалились хорошие деньги. Я тоже обратил внимание на необычную косу. Но главное, этот клинок я видел. Помните нашу встречу в аэропорту? — обратился к Турецкому Владимир.

— Интересно! Такого поворота я не ожидал. Что же ты не сказал раньше? Парень сидит, дожидается, когда его попросят вывести на Атамана...

— Нигде он не сидит. Это он меня на вечеринке и узнал. Всадили мне какой-то дряни. Затем в бессознательном виде был доставлен в лагерь, замаскированный под дачи. В первый день на мне отрабатывали удары ногами. А вчера устроили игру «Бегущий человек» с боевыми игрушками типа ТТ и армейских минометов.

— Ничего себе! — воскликнул Рюрик. — Как же ты выбрался?

— Я быстро бегаю. Короче, устроил пожар и смотался. Не знаю, там ли они еще. Вряд ли. Старшой у них хитер. Морду мы с Борисычем воспроизвели. Вот.

Поремский вынул листок с фотороботом.

— Я связывался с Грязновым, — произнес Турецкий, выкладывая на стол фотографии. — Копылов Сергей Иванович, судим за преднамеренное убийство. А вчера километров десять западнее Чехова выгорел дачный поселок. Естественно, все обитатели исчезли. Вдоль забора уже найдено несколько захоронений. Сейчас там работает бригада местной прокуратуры. Если что нароют, нам сообщат немедленно.

— Так ведь разные люди! — воскликнул Курбатов. — Этот ваш Атаман вылитый китаец, а здесь рязанская морда!

— Быть может, действительно произошла подмена. Такое не раз случалось, — кивнул Турецкий. — Теперь ваша очередь, Александр-второй.

— Предварительные результаты таковы: в институте в режиме совершеннейшей секретности, такой, что даже грифа секретности не присваивалось, практически на факультативной основе разрабатывалось новейшее оружие. Пуля, способная передвигаться по заранее прописанной траектории, а при определенных условиях находить цель сама. Чертежи были только в двух экземплярах. Один из них пропал вместе с чемоданчиком академика. Другой был у соавтора разработки Степанова. Сейчас ученый на нашей служебной квартире, под охраной, чертежи и лазерные диски, вместе с устройством для программирования пули, в сейфе у Александра Борисовича. Профессор Чабанов о разработке не знал, однако тоже нечист на руку. В блокноте академика последняя запись знаете какая? «Дал Чабанову двести долларов США, до понедельника», дата и время девятнадцать ноль-ноль. Когда же я попросил описать последний день Жбановского, как-то про долг стыдливо забыл. Нехорошо, правда? А быть может, он и не собирался отдавать? Тогда серьезнее. Далее, вчера с территории был похищен опытный образец оружия. Правда, без мозгов Степанова и программ он недееспособен, но основной мотив налицо. А в режимную зону автомобиль был запущен по команде Чабанова!

И еще. Профессор Волобуев курировал разработку вещества, на которое реагировала пуля.

— По Волобуеву предварительные результаты такие, — произнес Турецкий. — Стрелял низкорослый человек: карлик или ребенок. Три пули вошли в ногу прямо, две в живот и три в грудь, когда профессор упал на колени. Рост метр сорок. Вероятно, жертва узнала убийцу либо догадалась о намерениях. Между ними завязалась драка. Правая рука профессора обильно полита кровью второй группы со следами ушной серы и несколькими волосами рыжего цвета. Похоже, Волобуев смог нанести убийце серьезную травму. Искать надо рыжего карлика или подростка с наполовину оторванным ухом. Володя, такого не встречал?

— Нет.

— Теперь я еще кое-что расскажу, — произнес Турецкий. — Саша, час назад на меня с информацией вышли ребята с «наружки». Я вообще давно живу, много видел, но не перестаю каждый раз поражаться разнообразию человеческих отношений. Удивительно, как это людям удается договариваться.

— Александр Борисович, философствования на нетрезвую голову вредны для пищеварения, — сказал Курбатов.

— Некоторым, для поддержания тела в форме, они, наоборот, показаны. Наш уважаемый заслуженный профессор Чабанов, хотя это его право, живет с...

— Обезьяной! — воскликнул Курбатов.

Поремский сделал красноречивый жест, повертев пальцем у виска.

— Какой обезьяной? — недоумевая, спросил Турецкий.

— Для гориллы мелковато. Пожалуй, орангутанг, — уверенно сделал прикидку Курбатов.

— Саш, не нравится мне твое сегодняшнее перевозбуждение. Как-то неадекватно ты сегодня воспринимаешь действительность, — произнес Турецкий. — Наблюдение зафиксировало гомосексуальный контакт между профессором Чабановым и Туром!

— А это кто? — полюбопытствовал Курбатов. — Шимпанзе?

— Родной племянник убиенного академика Жбановского! — пояснил Поремский.

— Ох е..! — не сдержавшись, воскликнул Курбатов. — Дайте переварить, слишком много эмоций!

— Предварительно картина выглядит следующим образом, — начал рассуждения Елагин. — Чабанов и Тур входят в сговор и «заказывают» некоему Атаману, имеющему банду киллеров, убийство академика Жбановского.

— А мне больше по душе версия о том, что про разработку нового оружия узнает некая сила, — возразил Поремский. — Она ведет охоту за образцом, материалами и убирает изобретателей. Тогда сюда вписывается и Волобуев. Не цэрэушные ли шалости?

— Ладно, с тонкостями разберемся после, — предложил Турецкий. — Сейчас действуем так: Сашок, ты с утра в Мытищи и организуешь со знакомыми тебе ребятами полную прослушку квартиры Чабанова и его кабинета.

— А ордерок на это имеется? — поинтересовался Курбатов.

Турецкий вздохнул, посмотрел на него своими голубыми глазами и, вынув из портфеля папку, молча раскрыл ее. Вытащил бланк ордера с печатью и начал заполнять его.

— Что ордер? — прокомментировал Курбатов, слегка переиначив крылатую фразу графа Монте-Кристо. — У меня всегда с собой есть ордер!

— А что вы еще умеете? — задал вопрос Поремский.

— Все, — многозначительно произнес Турецкий. — Продаю индульгенции, отпускаю грехи прелюбодеяния, спаиваю жаждущих, только мертвых не берусь воскрешать... Рюрик, давай сюда аппарат. Я уже дал задание Грязнову. Для нас в пятнадцатиминутной готовности вертолет и группа захвата. Возьмешь все материалы по Волобуеву и попытайся выяснить, кто мог проявлять интерес к его работам. Володя, с утра давай в Шереметьево. Выясни, как ушли те двое, нами задержанные, кто хлопотал и так далее. И еще один момент. Помнишь бумагомараку? А ведь он не в первый раз с ними встречался!

Когда основные направления были определены, у Турецкого зазвонил телефон.

— Саня, интересная для твоего дела информация поступила, — радостно оповестил Грязнов. — В Филатовскую доставили рыжего, мальчонку, покусанного крысенком. Парнишку раздуло словно бочку. А когда медики сделали анализ, у него обнаружилась аллергия на вещество, находящееся еще в стадии испытания в Институте медицинских и биологических препаратов имени Марасевича. Курировал испытания и разработку зверски убиенный низкорослым преступником профессор Волобуев!

— Слава! Целую тебя в твою светлую тонзуру! — радостно вскричал Турецкий.

Когда застолье подходило к концу, Курбатов вынул телефон и, выйдя из кабинета, произнес несколько слов.

Попрощавшись с хозяевами ресторана, следователи, слегка пошатываясь, вышли. Оглядевшись, Курбатов быстро попрощался и пошел к дороге. Возле него резко затормозила сиреневая иномарка. Сидевшая за рулем девица приоткрыла дверцу. Александр сел и умчался.

— Во дает! — восторженно произнес Рюрик.

Турецкий за его спиной вынул из бумажника купюру и незаметно отдал подошедшему Ашурали. Играть они в эту игру стали еще в стародавние времена, когда хитрый узбек предложил существенную скидку взамен подпольной расплаты. Криминальные структуры, выяснив, что ресторанчик под «крышей» прокуратуры, рэкетом его обкладывать побоялись.

## Глава 3
## КВАРТИРНЫЙ ВОПРОС

Утром следователи собрались в кабинете Турецкого. Несмотря на позднее завершение ужина, все выглядели, может, кроме Курбатова, как «огурчики». Сашок временами то давил зевок, то вдруг начинал загадочно улыбаться.

— Борисович, надо что-то предпринимать, — произнес Поремский. — Мы можем сколько угодно долго прослушивать, как воркуют голубки, а дело с точки не сдвинется.

— Что предлагаешь? — проведя рукой по лбу, спросил Турецкий. — Брать?

В этот момент зазвонил телефон. Турецкий поднял трубку и произнес:

— Да, я вас слушаю.

— Александр Борисович? — громко прозвучало на всю комнату.

— Да.

— Это Ямпишев звонит. Я из госпиталя.

— Здравствуй, Ямпишев. Как дела? — едва сдерживая саркастическую улыбку (все же с парнем случилось несчастье), спросил Турецкий.

— Ничего. Вроде все нормально. Завтра провокация. Пивом поить, говорят, будут...

— А что, если провокация, Борисыч? — предложил Рюрик.

— Провокация? — переспросил Турецкий, поворачиваясь к Елагину. — Минуту! Давай лечись и спасибо за дело. — И бросил трубку. — Ну?

— Да все элементарно просто. Из того, что Тур сидит безвылазно, а Чабанов продолжает выполнять указания, ясно, кто из них доминирует. Мало того, мы знаем, что Тура разыскивают. С другой стороны, Тур моложе, а это для секс-меньшинств очень важно. Предлагаю разыграть сцену измены Тура Чабанову. По идее, отвергнутый любовник должен потерять осторожность.

— Ну, что скажешь? — обращаясь к Курбатову, произнес Турецкий.

— Идея попахивает сумасшествием, а значит, может прокатить.

— А что это вы так смотрите на меня? — вдруг возмутился Елагин.

— Рюрик, разве ты не знаешь закона? Любая инициатива наказуема! — улыбнулся Турецкий. — Тебе поручается прошвырнуться по гей-клубам и подобрать «рокового красавчика», чтобы Туру никаких шансов не осталось. Александр! Не надо так улыбаться. Твоя задача — добровольное предоставление жильцами сверху своей квартиры на время операции…

Курбатов был в замечательном настроении. Стояло свежее, нежное утро перед замечательным жарким днем. Он встретил удивительную женщину, страстно терзавшую его всю ночь. Ехать в сторону области с утра было сплошным наслаждением. А огромнейшая встречная пробка лишь служила лишним напоминанием того, как ему повезло с направлением движения.

«Тойота» Курбатова резко затормозила у знакомого голубого фургона. Александр выскочил и машинально стукнул кулаком по двери. Затем сообразил, что погорячился, но было поздно. Дверь распахнулась. Выскочил всклокоченный Бочкин с красными глазами.

— Тебя что, не предупреждали?! Аппаратура у нас тонкая!

— Ладно, извини, случайно получилось, — примирительно произнес Курбатов. — Разговор есть. Выходи погуляем, а то задыхаться начинаю в вашей будке.

Бочкин, на ходу протирая кулаками глаза, вылез. Дверь за ним немедленно захлопнулась. Потянувшись, вынул из кармана пачку сигарет. Одну из них сунул в рот. Похлопал себя по карманам и спросил Курбатова:

— Куришь?

— Нет.

Тогда Бочкин подошел к фургону и начал долбить кулаком по стенке.

— Аппаратура, — напомнил Курбатов.

— Да ведь этих сурков хрен поднимешь иначе.

Замок щелкнул. Дверь приоткрылась. Из нее высунулась рука с горящей зажигалкой. Бочкин прикурил. Рука исчезла.

— У меня такой вопрос, — произнес Курбатов, — ваша суперсовременная аппаратура шарит только по квартире, на которую выписан ордер, или может прозондировать и соседние квартиры?

— Я уже предполагал подобный вариант развития событий и прозондировал почву, — с удовольствием затягиваясь сигаретой, обрисовал ситуацию Бочкин. — Соседи слева и справа — обычные семьи. В квартире под профессором живет вредная подозрительная бабка. А над ним пьяница и дебошир местного значения, у которого постоянно собирается всяческий сброд. Каждый приносящий бутылку может поселиться, пока его не выгонят.

— А взглянуть на это можно? — спросил Курбатов, влезая в душный фургон.

Бочкин пощелкал тумблерами. Загорелся экран видеомонитора. Курбатов увидел окна квартиры Чабанова. Они приблизились. Оператор покрутил регулятор, и в какой-то момент изображение пропало, но за миг до этого мелькнула внутренняя обстановка квартиры. Оператор повозился еще немного и наконец поймал четкое изображение. Шторы на окнах стали прозрачными. Перед мольбертом с чистым холстом не шевелясь стоял человек.

— А звука почему нет? — спросил, поеживаясь, Александр.

— Так он же молчит.

Курбатов, восторженно ругнувшись, покинул душный фургон. С наслаждением вдохнул свежий воздух.

— Чем вы там только дышите?

— Привычка. Но иногда такое кино показывают, обо всем на свете забываешь.

Курбатов сел в свой автомобиль и поехал.

Тормознув у подвижного поста дорожно-патрульной службы, выяснил месторасположение отделения милиции.

— Добрый день. Следователь по особо важным делам Генпрокуратуры Курбатов, — войдя в типовое двухэтажное здание, представился он сидевшему с раскрытой засаленной книгой сержанту. — Мне бы участкового, за которым закреплен дом по адресу: улица Мира, восемьдесят семь!

Сержант, перевернув, отложил в сторону рассыпающееся издание в мягкой обложке. «Менты против братвы», — прочитал название Курбатов, и по названию он решил, что книга на стороне закона. Изучив удостоверение и сделав запись в журнале, дежурный произнес:

— Девятая комната. Это наверх.

Курбатов поднялся на второй этаж. Вошел в помещение, видевшее капитальный ремонт еще при советской власти. Вновь представился.

— Чем можем помочь прокуратуре? — спросил мужчина лет сорока в джинсовом костюме.

— Улица Мира, восемьдесят семь, к-квартира двадцать пять, — слегка заикаясь, спросил Курбатов, — некий Подметков Иван Степанович, ваша епархия?

— А? Ну, это известная личность. У нас есть несколько постоянных маршрутов. Выезды в этот притон давно стали плановым мероприятием. По этому адресу уже зафиксировано два убийства и несколько телесных повреждений. Но хозяин чист. Гости шалят. Это раньше можно было посадить на годик и — на сто первый. А сейчас? Хата приватизирована. Он домовладелец. Кого хочет, того и пускает. Соседей жалко. Они лишь на одно надеются, что в психушку его скоро навсегда определят.

— Что? Живет одинокий алкаш и его еще фиктивно не оженили?

— Давно бы. Не могут. Он в группу риска входит. На учете в психдиспансере состоит. Без разрешения медкомиссии не распишут. А они его не дадут. Нас боятся. Мы же обязаны его оберегать от квартирных махинаторов. У него одна особенность: пьет, пьет, когда начинает чувствовать, что едет крыша, сам звонит в больницу. Его забирают и принудительно лечат с месяцок. Затем отпускают. Некоторое время живет тихо. Вскоре все повторяется.

— Квартира уж больно большая для одного, — рассудил Курбатов.

— Да. Я ее хорошо изучил. Раньше там жили мать, отец, два сына, дочь. Девка вышла замуж и уехала, навсегда забыв родственников. Старший брат, Петр, имел две ходки. Второй раз сидел за убийство. В зоне потерял ногу. Несколько лет тихо пил. Затем отца порубил топором. Старик не выжил. Петра посадили. Года три назад выпустили. Прошлой зимой сгорел на диване от окурка. Старушка умерла через год после деда. Остался один Иван. Он тоже сидел. За что, точно не помню. Можно уточнить статьи. Но, кажется, тоже убийство. Или я что-то путаю? Наконец догадались провести экспертизу. Обнаружился весь набор шизы. Когда трезвый, может сам прийти, поговорить. Вроде и не дурак.

Главное — осознает, что есть проблема. Я же, говорит, слаб на голову. Психически неуравновешен. Поэтому никакой силы воли, тормозов у меня нет. Сам боюсь что-нибудь натворить. Так вы меня по первому звонку в обезьянник или психушку. Мы так и делаем. Его забираем. А всех гостей гоним из квартиры под тем предлогом, что находятся без письменного разрешения. А это можно расценивать как проникновение в жилище.

— Ладно, спасибо. Все, что мне было нужно, я выяснил.

— Если что, забегайте, — гостеприимно попрощался участковый.

— Знаете, — на пороге обернулся Курбатов, — а кому вы обычно звоните в больнице?

— Рядоулина Гузаль Рашидовна. Она хоть и молода, но дело знает прекрасно. Телефон знают все психи района: 581-66-66.

— Обождите, — вынимая блокнот, пропыхтел Курбатов, — такие имена я обычно записываю. Отсюда далеко?

— В сторону Пироговского водохранилища. Поселок Дубки. Раньше электричка бегала. А теперь не пойму, кому потребовалось снимать ее с направления. Так удобно было. Три остановки — и ты на пляже. Уже и рельсы дачники растащили.

— Ничего, — успокоил его Курбатов. — Я на автомобиле. Спасибо.

Курбатов спустился вниз. Дежурный сержант вновь отложил книгу и уставился на Александра, ожидая указаний. «Братва против ментов», — прочитал следователь. Немного задумавшись, наклонился к окошку и произнес:

— Телефончиком московским можно воспользоваться?

— Диктуйте номер, — произнес сержант, протягивая Курбатову трубку.

После нескольких срывов наконец послышались длинные гудки.

— Двенадцатое отделение. Слушаю вас, — прозвучал женский голос.

— Девушка, а могу я пообщаться с Гузалью Рашидовной? — произнес Курбатов, оттопыривая нижнюю губу.

— Она на обеде.

— До к-которого времени она сегодня работает?

— Сегодня она дежурит до утра, — прозвучал четкий ответ. — Вас еще что-нибудь интересует?

— Да. Что у вас сегодня на обед?

— Пельмени! — ответила трубка, прежде чем начала издавать короткие гудки.

Курбатов почувствовал, как засосало в желудке. Его организм затребовал именно пельменей. Обычно для себя Александр варил килограммовую пачку, но сейчас устроила бы и стандартная порция.

Он вернул трубку дежурному.

— Слушай, друг, — кивнул он головой на книжку, — а когда я входил, ты эту книгу читал?

— Нет, — повеселев, ответил дежурный, — эту!

Неожиданно он вынул две потрепанные книжонки карманного формата: «Менты становятся братвой» и «Братва мстит за ментов».

— Так есть еще один томик, — не сумев преодолеть соблазна, произнес Курбатов. — «Как менты с братвой всех поимели».

Сержант принялся записывать. Курбатов покинул отделение милиции. Автомобиль помчался в сторону поселка Пирогово. Поворот на Дубки, не заметив, проскочил. Поэтому пришлось спрашивать у прохожих. Разворачиваться, возвращаться. Но это нисколько не испортило настроения.

Курбатову приходилось бывать в подобных заведениях. Но то, что он увидел, на дурдом совсем не походило. Во-первых, цвет. То, что он может отличаться от желтого, настолько поразило, что не удивило отсутствие обязательного глухого забора. За невысокими металлическими прутьями спокойно разгуливали в больничных пижамах и халатах больные. Ржавые ворота были открыты нараспашку. Но никто через них не бежал.

Подошедший к ограде мужчина долго смотрел на Курбатова. Затем наклонился. Поднял с земли шишку и поднес ее к лицу. Следователь почему-то решил, что сейчас он начнет ее грызть. Однако тот неожиданно резко ее кинул. Попал Александру в лоб. Курбатов выругался, но понял, что сам спровоцировал несчастного. Сумасшедшим, кошкам и собакам смотреть в глаза нельзя. Вернулся к автомобилю и решил оставить его где-нибудь подальше от заведения со свободными нравами.

Невдалеке стояли пятиэтажки. Он припарковал «тойоту» на площадке перед жилым домом. Вылез и огляделся. Подошел к женщине, сидевшей на лавочке. Вздохнул и, сев рядом, спросил:

— Как вам здесь обитатели вон того заведения, не мешают?

— Да нет. Привыкли. В темноте других бояться надо.

— Но ведь они же непредсказуемы, — продолжал допытываться сыщик.

— Это когда мало общаешься. У них тоже есть логика. Но просто она непостижима. А так, что они могут? Ну подойдет и будет лупить железкой по мусорному контейнеру или машине какой-нибудь, пока санитары не спеленают. Ладно, мне пора. Опоздаю на обед. Поставят во вторую очередь.

Женщина встала и скользнула мимо следователя глазами, полными мутной пустоты. Затем медленно заковыляла в сторону здания веселенького голубого цвета. Курбатову неожиданно стало не по себе, словно столкнулся со смертью близкого или долго смотрел в ночное небо, пытаясь разгадать вечность и бесконечность. Он вынул футлярчик с неприкосновенным запасом. Там находились две сигареты и зажигалка. Александр закурил.

Передохнув, вошел в помещение больницы. Небольшие столовые были сделаны так, чтобы все хорошо просматривалось. За стеклянными стенами больные сидели и ели пельмени.

Он быстро дошел до поста и узнал, где можно найти дежурного доктора. Послали на третий этаж. Взбежав, увидел такую же прозрачную перегородку и трех девушек в белых халатах за столом. Уверенно вошел и спросил, усаживаясь на свободный стул:

— А для меня двойная порция найдется?

— Больные у нас питаются этажом ниже, — прозвучал ответ.

— Я что, произвожу впечатление ненормального?

— Да.

— Это окончательный диагноз? — поинтересовался Курбатов.

— Нет. Предварительный. На самом деле весьма трудно с ходу различить параноидально-шизофренический психоз от маниакально-депрессивного, — произнесла одна из них.

— Подойдите на раздачу. У нас самообслуживание, — смилостивилась вторая.

Курбатов встал. Определить, кто же из них татарочка, он не смог. Явные черты отсутствовали у всех, а вторичные, наоборот, были присущи каждой. Он подошел к окошку и прокричал:

— Есть кто? Нового доктора накормите!

Выскочившая плотная женщина так обрадовалась, что наложила ему чуть не тройную порцию. Когда вернулся к столу, девушки прыснули. Он быстро проглотил несколько штук и продолжил беседу:

— Вкусные!

— Это наши больные лепят, — похвасталась сидевшая слева.

— Зачем вы это сказали? — укоризненно глядя в глаза, спросил вмиг утративший аппетит Курбатов.

— А чтобы не жадничали! — прозвучал ответ.

— Жила девочка, — начал рассказ Курбатов печальным голосом. — И была она от рождения слепая, но страшно жадная! И вот положат ей родители на тарелку пельмени, а она руками потрогает их и говорит: «У, как мало вы мне положили!» Ей больше положат, а она опять то же самое: «У, как мало вы мне положили!» Пошли родители девочки к доктору за помощью. Тот говорит: «Сварите полное ведро пельменей, вывалите их на огромное блюдо и посмотрите, что будет!» Родители так и сделали. Сварили ведро пельменей, вывалили на огромное блюдо, посадили за стол девочку. Она уселась, запустила руки в кучу пельменей и говорит: «У, как много пельменей! Я представляю, сколько вы себе положили!»

Двое женщин засмеялись, а одна сильно погрустнела. Курбатов спросил:

— Что-то не так? Гузаль Рашидовна, мне бы пообщаться с вами наедине.

Женщины многозначительно переглянулись. Одна спросила:

— Вы меня знаете?

— Нет. Просто я рассказал глупый анекдот, для того чтобы определить, кто из вас троих вы.

— Вы изучали психиатрию?

— Психологию. Я могу доказать, что Ахиллес никогда не догонит черепаху и что если лошадь белая, то это вовсе не лошадь. Однако здесь я по служебной необходимости.

Курбатов протянул ей удостоверение. Она слегка прикоснулась к нему правой рукой. Безымянный палец был не окольцован. Внимательно прочитала и, встав, пригласила за собой. В кабинете уселась за стол, предложив ему удобное кресло.

— Ну? Чем я могу помочь нашим доблестным органам?

Курбатов слегка закашлялся. Она его откровенно провоцировала на пошлые шутки относительно органов. Поэтому решил не поддаваться и произнес:

— Иван Подметков ваш клиент?

— Пациент! Клиент он ваш. Да, есть такой. Ярко выраженный синдром Корсакова. Разновидность «делирум тременс».

— Как в «Кавказской пленнице»?

— Именно. Мания преследования под воздействием спиртного. Ему кажется, что некие темные личности плетут заговор с единственной целью: лишить его жилья. Ведь квартира для него — это источник и пропитания, и выпивки. Самое ужасное, у Подметкова настолько слабая психика, что тормоза практически отсутствуют. Он легко поддается лечению, но так же легко сходит с колеи. Если бы не наша клиника, давно был бы на том свете. А так две недели реабилитации позволяют с месяц воздерживаться, затем пару месяцев беспробудно пить. Еще он своеобразен тем, что, когда чувствует приступ, сам напрашивается на лечение.

— Вы сейчас готовы его принять? — спросил Курбатов.

— Мест свободных нет, — ответила Гузаль.

— Давайте так. Завтра с утра прибудет бригада ремонтников и начнет к-красить ваш забор.

— Присылайте вашего Подметкова, — неожиданно согласилась врач. — Только не надо маляров. У больных от запахов начинается обострение. Все пациенты будут ходить перепачканные краской. У некоторых пошатнется неустойчивая стабильность при обнаружении изменения среды обитания.

— Хорошо, — обрадовался он. — Договорились. Когда мы встретимся?

— Его примут в любое время.

— Я имел в виду, вы и я, — уточнил, улыбаясь, следователь.

— Знаете, возможно, даже раньше, чем вы сами предполагаете. У вас всегда так безвольно опускается нижняя губа?

— Что вы хотите сказать? — насторожился Курбатов.

— У вас в роду не было душевнобольных или великих математиков? — произнесла врач, привставая и внимательно вглядываясь в лицо Александра.

— Ну все, прощайте! — воскликнул он, покидая уютный кабинет.

— До свиданья!

Курбатов вернулся в Мытищи на улицу Мира. Бросив автомобиль за два квартала, чтобы случайно не попался на глаза профессору, поднялся на третий этаж и нажал грязную кнопку. Звонка не услышал. Тогда толкнул дверь. Она отворилась. К подобным обиталищам он уже привык. Классическое место для совершения бытового преступления. Отличия бывают только в хламе, который обычно тащится с мусорников.

У Подметкова обнаружился целый склад бэушных автозапчастей. Прогоревшие глушители, наполовину сточенные тормозные колодки, ржавые амортизаторы. Вокруг стола с низко отпиленными ножками располагалось несколько грязных драных сидений от автомобилей. На одном из них спал человек. Судя по остаткам закуски, употреблялась водка, хлеб, селедочка.

Курбатов вынул бутылку водки. Молча откупорил ее. Достал два пластиковых стакана. Вынул из нагрудного кармана плоскую флягу. В один налил из нее воды.

В другой водки. Хотел выбрать кресло почище, но показалось, что по нему ползает какая-то живность. Поэтому просто присел на корточки. Постучал костяшкой пальца по столу. Иван встрепенулся и открыл глаза.

— Ты кто? — обдав перегаром, задал он привычный вопрос, но было понятно, что интересует его исключительно содержимое стакана.

— Твой ангел-хранитель.

— Водка?

— Водка.

— С нечистью не чокаюсь, — произнес Иван, поднося стакан ко рту.

— С к-каких это пор ангелы перешли в разряд нечисти? — выпивая воду, поинтересовался Курбатов.

— Еще задолго до падения. Тут заходил один знакомый бог. Рассказывал. Ангелы, оказывается, не импотенты. Они просто кастрированные с рождения. И любого можно совратить с пути истинного, стоит только предложить яйца взамен крыльев. И летают они, несчастные, и ищут.

— Находят?

— Хрен! Вот ты отдашь свои за крылья?

— Нет.

— Видишь, значит, наш, чертяка! Ну, давай еще по одной.

— Знаешь, я тут недавно перечитывал письма Плиния Младшего... — начал втягиваться в разговор с философствующим алкоголиком Курбатов. Ему захотелось блеснуть университетскими познаниями.

— Дерьмо.

— Что именно? — попросил уточнить Александр.

— Да все эти ваши философы, — объяснил Подметков. — Самодостаточный человек не нуждается ни в каких вливаниях извне, кроме вот этого. Нет ни одной мысли, до которой невозможно додуматься самому.

— Например, давай определим, что здесь делаю я?

— Без проблем. Хотя этот вопрос имеет две стороны: общефилософский взгляд на вопросы бытия и частный. С точки зрения основного вопроса философии ты просто частица плесени, обладающей неким самосознанием и покрывшей на бесконечно короткий миг одну из планет. Если брать частности, будем вести самодопрос. Значит, так. Я тебя знаю? Нет. А ты меня? Да. Ты мне нужен? Нет. А я тебе? Да. Ты мой собутыльник? Нет. Что тебе с меня надо? Моя квартира или моя память. По вопросам распоряжения жильем я недееспособен. Спрашивай, мент. Но, предупреждаю, у меня склеротические провалы.

— Великолепно. Вот мое удостоверение. Старший следователь по особо важным делам. — Курбатов сделал паузу, для того чтобы дать Подметкову переварить информацию. — Я здесь ради вашей безопасности. Мы вышли на банду, орудующую нагло и безжалостно. Они выискивают одиноких, склонных к употреблению спиртного людей. Убивают, чаще всего просто травят или доводят до сердечного приступа конской дозой клофелина. Затем оформляют фальшивые документы и выставляют жилье на продажу. Получают задаток в размере десяти процентов. Причем на одну квартиру могут попасть до пяти покупателей. И исчезают. Когда все выясняется, оказывается, хозяин пропал без вести либо пошел за грибами и объелся мухоморами. У нас есть оперативная информация, что вы их очередная жертва.

— Что же делать? — растерялся хозяин квартиры.

— Сейчас же отправляйтесь погостить к девушке с романтическим именем Гузаль. А здесь на неделю устраивается засада. Бумага какая-нибудь есть?

— Вот, — промычал Иван, предпринимая попытку стащить со стола газету, выполнявшую роль скатерти.

— На, возьми, — Курбатов протянул ему лист, вырванный из записной книжки, — пиши: «Я, Подметков Иван Степанович, находясь в здравом уме и трезвой памяти, предоставляю свою квартиру по адресу: улица Мира, восемьдесят семь, квартира двадцать пять, следователю Генеральной прокуратуры Курбатову А. М. для выполнения оперативных мероприятий. Дата. Подпись». Отлично. У вас прекрасный почерк ученика третьего класса! Это комплимент! Собирайтесь, санитарная карета уже у входа...

## Глава 4
## СОЛЬ ЖИЗНИ

Поремский подъехал к аэропорту Шереметьево-2. Зашел в отделение милиции. Стоявший у входа милиционер, скользнув взглядом по лицу со следами побоев, насторожился. Владимир подошел и, предъявив служебное удостоверение, представился.

— Слушаю вас, — изменил отношение служитель правопорядка.

— Такое дело. В начале мая вам в отделение были сданы две личности со стволом и ножом, хотелось бы узнать, куда их отправили? — тряхнув соломенными волосами, спросил Владимир.

Милиционер предложил следовать за ним.

— Так. Сейчас, — пробормотал он, сев за стол и начав листать толстый журнал. — Вот. Отпустили.

— Как отпустили? — изумился Поремский.

— Они предъявили паспорта, из которых следовало, что им по пятнадцать лет.

— Что? Им по пятнадцать? Я не ослышался? Ну и дальше?

— Писатель от своего заявления тогда отказался. А за ношение огнестрельного и холодного оружия наказание следует с шестнадцати.

— Где вещдоки и их паспорта? — спросил Поремский.

— У нас. Мы сделали запрос по месту жительства для передачи дел в комиссию по делам несовершеннолетних. Пока молчат.

— Хорошо. Я все забираю в Генпрокуратуру. Подготовьте передаточную ведомость, — проворчал Владимир. — Но вообще полезно иногда головой думать. Здоровый двадцатилетний жлоб, судя по наколкам, трижды судимый, взят при попытке ограбления с огнестрельным оружием. Предъявляет фальшивую писульку, из которой следует, что он ходит в детский садик. Что делают наши доблестные органы? Ему грозят пальчиком и отпускают под честное слово домой, в углу постоять! А может, вы не так тупы, как кажетесь? В наше время глупость щедро проплачивается.

Чтобы не таскаться с уликами по городу весь день, Поремский забежал в Следственное управление Генеральной прокуратуры. После сдачи оружия и паспортов на экспертизу заскочил к Турецкому.

— Ну, есть чем обрадовать? — спросил тот.

— Скорей есть чем удивить! — ответил, наклонив голову и практически спрятав глаза под неподдающимися прямыми волосами, Поремский. — Судя по документам, им по... пятнадцать лет.

— Да брось, у меня дочь тринадцатилетняя. Ты видел. Этих пятнадцатилетних приходится выметать из квартиры каждый день. По развитию как раз на два года и отстают от девок.

— Мне кажется, тут нечисто. А у вас есть что?

— Да. Взгляни. — Турецкий протянул несколько фотографий.

— Это кто? — растерянно спросил Поремский.

— Это подозреваемый в деле профессора Волобуева. По крайней мере, на портфеле найдены его пальчики. А анализ химического состава ушной серы на руках профессора показал, что она из его ушей. Тем более ухо у парня действительно слегка надорвано. Опять же, несколько волос, прилипших к руке убитого, огненно-рыжего цвета, как у парня. Однако допросить его невозможно. Больной пребывает в состоянии овоща. Его сильно разнесло. Не может говорить, сидит на энтеральном питании. И, похоже, из-за обширнейшего отека подавлен мозг. Сейчас ситуация стабилизировалась. Есть надежда, что, когда полегчает, сознание к нему вернется.

— Борисыч, но за ним уже должна начаться охота. Кроме того, едва придя в себя, он попытается сбежать или покончить с собой.

— Он переведен в госпиталь МВД. У палаты выставлена охрана. Ребята проинструктированы относительно опасности, — успокоил Турецкий. — И вот что я думаю, может статься, что он останется нашей последней ниточкой к Атаману. Если не выйдет из комы, придется давать заметку с фотографией в желтую прессу и ловить «на живца».

— Ну, я полетел как раз общаться с представителями желтой прессы, — вставая, произнес Поремский. — Когда-нибудь открывал газетенку «Соль жизни»?

— Нет, а что?

— Дрянь редкостная! — раскладывая на столе цветные листы, покрытые обнаженными телами, скривился Владимир. — Наш Елагин же в ней прославился! Комок к горлу подступает. Я, честно говоря, пожалел, что мы вернули орудие труда господину Белобокину. Вот его последнее интервью с начальником кафедры диетологии института Востока. В статье, претендующей на серьезный научный обзор, ученый советует домашним хозяйкам не жарить домашних тараканов в микроволновой печи по той причине, что насекомые просто лопаются и их останки трудно соскребать со стенок. А вот, слушай: «Господин Польский, почитатели экзотической кухни часто жалуются на боли в желудке и ухудшение самочувствия после потребления насекомых неизвестного происхождения». Ответ: «Нашей стране предстоит долгий путь до признания ее цивилизованной. Поверьте, ни в одной восточной культуре не используются такие варварские методы борьбы с домашними животными, как ядохимикаты. Поймите, они не враги нам. Они нас не ненавидят. Тараканы просто попутчики по жизни. А пришедших от соседей рекомендую выдерживать в стеклянной банке с солью две недели для вывода ядов».

— Хватит, — поморщился Турецкий. — Отваливай отсюда со своими мерзостями. У меня обед скоро.

Поремский покинул кабинет начальника. Вынул телефон и выбрал из памяти номер Елагина.

— Да, слушаю, — прозвучал ответ.

— Рюрик, у тебя название газеты «Соль жизни» никаких отрицательных эмоций не вызывает? — поинтересовался Поремский. — А то я вынужден нанести туда дружеский визит. Может, надо кого пристрелить?

— Володя, встретишь Вербовскую, не убивай ее. Она моя! — усмехнулся Елагин.

Поремский вошел в душное, несмотря на вращающиеся на потолке пропеллеры, помещение. Остановился, выискивая знакомое лицо.

Редакция газеты «Соль жизни» представляла собой огромный офис, разделенный прозрачными перегородками на звуконепроницаемые отсеки, в которых сидели и неустанно били по клавиатурам наборщицы, верстальщики, корректоры и редакторы. Между ними сновали различного рода менеджеры.

Над редакцией возвышалась небольшая надстройка, откуда тянуло запахом хорошего кофе. Там, скрытый за тонированным стеклом, наблюдал за процессом, потягивая чашечку напитка, сам главный редактор и владелец издания господин Иванов. Армянин с азербайджанской фамилией, подписывающийся русским псевдонимом, в редакторы газеты вышел из поваров. Поэтому и издание представляло собой невероятную смесь из острых приправ, экзотических блюд и прочих ингредиентов. И ничего, находились люди, которые это кушали!

Разглядев свидетеля, Поремский двинулся по лабиринту проходов. Успешный журналист Белобокин обладал такой роскошью, как персональное рабочее место. Большинство его коллег не имели и этого. Сейчас он работал над статьей о грибах-мутантах, селившихся в человеческой печени и мозге. Статья должна была выйти в вечернем выпуске. А пока получалось не совсем правдоподобно, поэтому он недовольно оторвался от материала.

— Вы меня узнаете? — спросил стоявший перед ним высокий молодой человек с копной прямых платиновых волос.

— Вы тот юноша, что меня сильно выручил! — вздохнул Белобокин, поняв, что отпираться бессмысленно.

Он быстро провернул в голове возможные причины, заставившие прийти молодого человека. Конечно, следовало в аэропорту, когда ему вернули компьютер стоимостью в три тысячи долларов, предложить вознаграждение. Но тогда ста долларов было жалко. Сейчас же за неразглашение он готов был заплатить и тысячу. Дело в том, что ноутбук был редакционный. Придя на следующий день к шефу со следами побоев на лице, журналист рассказал, как его ограбили. Иванов лишь махнул рукой. Он привык к разбитым фотоаппаратам и камерам, перевернутым автомобилям, побитым журналистам. Острота газеты требовала материальных жертв.

— О, у вас новый аппарат! — отметил Поремский, разглядывая чудо японской техники. — У меня к вам пара вопросов. Вы тех дебилов ведь встречаете не впервые. Вы их знаете?

— В первый раз видел! — испугался Белобокин. — А почему это вас так интересует?

— Извините, не представился. Следователь по особо важным делам Генеральной прокуратуры Поремский, — произнес Владимир, изучая странную реакцию нервно заерзавшего на стуле Белобокина. — А они дали показания, что вас знают давно. Уже грабили. Предупреждали. Но вы не послушались.

— К чему тогда весь этот спектакль? — развел руками Белобокин. — Вы же знаете все.

— Спектакль, положим, в нашем случае разыгрывается не мной, а вами. Чего вы боитесь?

Чего может бояться журналист? Белобокин вспомнил времена своей голодной, шакальей юности, когда он с такой же сворой циничных подонков конкурирующих изданий несся туда, где пахло свежей кровью. Еще не остыл труп, а репортаж со своей версией был готов. Он врывался в квартиры глядевших безумными глазами родителей и делал снимки жертвы прямо в гробу. Умудрялся скрытой камерой снимать уголовников, выпивающих с депутатами, и загулявших с любовниками звезд.

Делалось это, конечно, не в угоду искусству, а исключительно из-за весьма неплохих гонораров. Однажды Белобокина, младшего редактора нищего отдела «краденых новостей», за отсутствием под рукой журналистов высоко оплачиваемого отдела «расследований и криминальной хроники» послали на громкую разборку. Восемь трупов из трех известных криминальных сообществ были изрешечены автоматными очередями. Вот тогда он, сделав несколько снимков, впервые столкнулся с настоящей братвой. Бритый наголо «шкаф» подошел, на секунду задумался: убить или забрать оптику. Белобокин, быстро сообразив, вскрыл фотоаппарат и начал вытаскивать, засвечивая, пленку. Бугай, потеряв интерес, отошел. Белобокин впервые наделал прямо в штаны. Однако, отбежав на несколько метров, присел, выхватил блокнот и принялся покрывать его текстами. Были исписаны даже те страницы, которые планировалось вырвать и хорошенько помять. Репортаж был признан статьей года. После него журналист вознесся. Однако эта странная зависимость осталась.

Вот и сейчас при слове «прокуратура» ему срочно потребовалось в туалет. Да еще зазвонил телефон. На проводе был вездесущий шеф:

— Что это у тебя за посетитель?

— Шеф, — прикрыв рукой трубку, шепнул Белобокин, — следователь, «важняк» из Генпрокуратуры.

— Молодец, — похвалил Иванов, — потом ко мне заведи.

— Без проблем, — ответил, кладя трубку, журналист. Затем обратился к следователю: — Вы можете гарантировать, что обстоятельства того контакта не станут достоянием гласности?

— Боже! Вы тут совсем помешались на компроматах, — вздохнул Владимир. — Все, что вы скажете, будет использовано только с целью задержания особо опасных преступников. Расскажите подробно, где, при каких обстоятельствах и когда вы с нападавшими ранее контактировали?

— Полтора месяца назад я зашел в туалет стадиона «Динамо». Ворвались эти двое. Забрали старенький личный ноутбук и пригрозили, чтобы я там больше не появлялся.

— Были ли в их облике какие-нибудь особенности?

— Да нет. Одеты, как все фанаты «Спартака», — ответил Белобокин.

— Часто вы посещали сие заведение до ограбления?

— Почти каждый день.

— У вас что, диарея?

— Вроде того, — оглядываясь, кивнул головой Белобокин. — Я сейчас отбегу. С вами очень хочет побеседовать главный редактор. Это там, видите затемненное стекло? Прошу, ни слова об обстоятельствах нашего знакомства.

— Ладно. Не волнуйтесь, — успокоил его Владимир. — Да. Небольшая личная просьба. У вас еще работает такая активная девушка, Юлия Вербовская?

— А! — усмехнулся Белобокин. — Она пользуется спросом. Но для вас сделаем.

— Мне бы кабинетик отдельный! — высказал пожелание следователь.

— Без проблем. Вот там, — указал в сторону нескольких дверей Белобокин, — кабины для переговоров. Подождите пару минут. Она зайдет.

Поремский вошел в кабину размерами чуть больше телефонной будки и уселся на один из двух стульев. Через несколько минут дверь отворилась. Вошла чуть настороженная девушка. Из-за скромных размеров кабинета обстановка мгновенно стала интимной. Воздух наполнился всеми оттенками ароматов ее косметики. Владимир скользнул взглядом по огромным карим глазам, чуть заметной россыпи веснушек, остренькому подбородку и задержался на шнуровке в районе декольте. Репортерша, видимо, спешила и теперь глубоко дышала. При каждом вдохе невольно создавалось ощущение, что тесемки лопнут и ее женское естество вырвется наружу...

Владимир тряхнул головой, снимая наваждение, и произнес:

— Вам сказали, кто я?

— Нет, — ответила она.

— Я представитель Генеральной прокуратуры. Вот мои документы, — протягивая удостоверение, представился Поремский. — Репортаж со свиньей, в котором все вывернуто наизнанку, — ваша работа?

— Да! — по-боевому вспыхнув, ответила девушка.

— Не радуйтесь, — ровным тоном продолжил Поремский. — Скандала не будет. Я просто иду сейчас к вашему генеральному и беру его за одно место по результатам финансовой проверки. А в качестве откупного выдвигаю требование об увольнении журналистки Вербовской за непрофессионализм...

— Так ведь он же сам приказал! — надув губки, воскликнула Юлия. — И человека указал, которого необходимо подставить!

— Спасибо, — откинулся на спинку стула Владимир. — Вы мне очень помогли. О нашем разговоре, естественно, никто не узнает. Можете спокойно идти ковыряться в грязном белье.

— Знаете, на вашем месте я бы сильно не задавалась, — успокоившись, произнесла девушка. — Вам по роду службы приходится ковыряться не в меньшем дерьме!

— Значит, мы похожи и можем найти общий язык? — спросил Владимир, с трудом отрываясь от бюста и поднимая взгляд на уровень глаз.

— Не сомневайтесь, мы его найдем!

Владимир поднялся по прорезиненной лестнице с удобными пластиковыми перилами к двери с надписью золотыми буквами: «Главный редактор». Дважды стукнув, отворил дверь. В царящем прохладном полумраке сидел хорошо упитанный, гладко выбритый мужчина.

— Садитесь, — предложил Иванов. — Кофе, коньяк?

Поремский, отрицательно мотнув головой, утонул в мягком кресле. Редактор, оглядев его, удовлетворенно откинулся назад.

— Молодой человек, у меня к вам небольшое предложение. Вы по долгу службы владеете информацией. А мы за ней ведем охоту. Я прекрасно понимаю, что вам ее не на блюдечке приносят. И мне не требуются секретные материалы по ведущемуся следствию. Но есть открытая информация, ценность которой лишь в ее оперативности. А вам лишние деньги не помешают.

— И что, многие соглашаются?

— А вы посмотрите, кто на месте преступления оказывается раньше?

— Ну это милиция, — произнес, понимающе кивнув, Поремский. — А по нашему ведомству у вас в штате кто-то тоже есть?

— И даже очень высокие чины, — самодовольно улыбнулся редактор.

— Знаете, я недавно в Генеральной прокуратуре. Всех порядков, принятых в столице, не знаю. Пожалуй, посоветуюсь с начальством.

— Ни в коем случае! — возразил Иванов. — Во-первых, вам не разрешат. А если и позволят, то львиную долю прибыли заберет себе начальство. Кто стоит над вами?

— О, вы владеете информацией относительно нашей иерархии? Фамилия Казанский ни о чем не говорит?

— Начальник Следственного управления? Смело идите к нему и беседуйте на эту тему. Больше тридцати процентов гонорара не уступайте, впрочем, мы можем договориться, и я сам буду выплачивать ему. А ваш доход останется покрыт тайной.

— Точно? Я ничем не рискую?

— Да! С господином Казанским у нас взаимовыгодное сотрудничество уже несколько лет, — быстро затараторил Иванов. — Мы не только получаем от него информацию, но и сами ее поставляем, участвуем в спецоперациях: прикрытие и провокации.

— Недавно у нас шумели по поводу одной вашей статьи! Подозреваю, что без согласования с Казанским она не прошла бы.

— Вы очень проницательны. Чистой воды заказ! Ну что, по рукам?

— Простите, но дальнейший разговор перспектив не имеет. Я пойду, — произнес, вставая, Поремский.

— Ну что же, — вздохнул главный редактор, — надеюсь, с Белобокиным вы в хороших отношениях...

Поремский вернулся в Генеральную прокуратуру. Турецкого он застал сидящим на углу стола и разговаривающим по местному телефону. Тот кивнул Владимиру на кресло и продолжил:

— Ладно. Сам заскочу. Да, еще одна просьба. Три гильзы для отчета нужны Клавдии Сергеевне.

На другом конце провода задали вопрос, и Турецкий охотно пояснил:

— Участвовала в задержании. Прикрывала меня огнем. А ты не знал? Ну сам занеси. Ей будет приятно. Заверни во что-нибудь и не ори открытым текстом. А так намекни, мол, слышали, как вы отличились на той неделе ночью.

Александр Борисович нажал отбой и пояснил:

— Идиотизм. Мало того что требуют отчет по каждому выстрелу, так им и гильзы сдай! Представляешь: идет задержание, перестрелка, погоня, и опер, как последний кретин, бросается за гильзой после каждого выстрела! Хорошо, тут у одного дядюшка комендант полигона. Так он всю прокуратуру снабжает!

— Борисыч, у меня есть кой-какая информация. Сначала по мелочи. Помнишь, в газетенке Рюрика и всю Генпрокуратуру с нехорошим продуктом мешали? Провокация по заказу Казанского!

— Сдается мне, что и все остальное не случайность. Что ж, будем давить гадину твердой рукой Меркулова. А теперь давай о главном.

Поремский поделился информацией, добытой у Белобокина. Турецкий немного задумался и произнес:

— Фанаты «Спартака» — это странное сообщество со своей иерархией. Если наши друзья вхожи в него, то, думаю, занимают определенное место. Надо внедрять своего человека, но не знаю кого. Ребят много, однако чужака не примут. Необходимо годами тусоваться, чтобы войти в боевую дружину.

— Есть у меня один раздолбай, — произнес Поремский. — После моего ухода его тоже из училища выперли. Вовка Мовчан, кликуха у него Зека.

— Сидел? — сразу спросил Турецкий.

— Сидел, — кивнул Поремский.

— Надежный человек?

— Абсолютно ненадежный. Принципов никаких. Асоциальный тип. Продает с легкостью Иуды. Меня подставлял запросто. У него словно шило в одном месте. Мужику уже за тридцать, а все скачет, словно чертик. Жить ему, видите ли, скучно.

— И ты ему веришь?

— Как бы это объяснить? Да. До того момента, пока опасность будет щекотать нервы.

— Какая статья?

— Ну, там целый букет. Бзик у него на почве футбола. Кроме спортивных газет ничего не читает. Вечно тусуется среди фанатов. Так вот, как-то после матча в Питере стащил мента из оцепления с лошади и скакал, размахивая знаменем «Зенита», по набережным. Ему инкриминировали нападение на должностное лицо при исполнении служебных обязанностей, злостное хулиганство, угон транспорта, жестокое обращение с животными. Отсидел восемь месяцев. Успел нахвататься. Организовал чемпионат между колониями Северо-Запада. Погонялово в блатном мире Футболист. Сейчас живет в Москве.

— Ну поехали посмотрим твоего уникума, — заинтересовался Турецкий.

...Служебный автомобиль остановился у белой девятиэтажки на углу Панферова и Вавилова. Мовчан жил на шестом этаже. Поэтому следователи, не сговариваясь, проигнорировали лифт. В пролете между третьим и четвертым этажами Турецкий спросил:

— Сколько иголок валялось в подъезде?

— Шесть. Запах какой-то дряни из второй квартиры.

— Надо связаться со Славкой, — сам себе дал задание Турецкий. — Пусть пробьет по базе.

Дверь открыла миловидная девушка с огромными глазами. Поремский спросил:

— Вы меня не помните? В прошлом году заезжал.

— А, Володя из училища? Это вы тогда его из милиции вытащили?

— Да-да. Мы к Владимиру.

— Заходите, — ответила она. — А Вовы нет.

— А где его можно найти? — поинтересовался Турецкий, оглядывая квартиру, напоминавшую спортивную раздевалку.

— Где можно найти человека, помешанного на футболе? Представляете? Выходила замуж, думала: «Ну, любит футбол. С кем не бывает. Сходит разок-другой на матч, посмотрит по телику, почитает свой «Спорт-экспресс». Оказалось, футбол — это диагноз. Патология полнейшая. Вот смотрите.

Она распахнула дверь в комнату. Турецкому и Поремскому открылась поистине грандиозная картина. Все стены были увешаны знаменами, шапочками, шарфиками, прочей атрибутикой различных футбольных клубов. В углу были свалены альбомы, где он был сфотографирован со многими известными футболистами. Открытый шкаф являл изобилие спортивной формы. Пол украшали штук двадцать мячей, а с потолка вместо люстры свешивалась бронзовая бутса.

— Вообще он же питерский, — стала старательно

объяснять жена. — Болеет за «Зенит», но когда играют другие, то надевает униформу команды, за которую решает болеть только по ему одному ведомым признакам. Сегодня он против «Динамо», завтра — за. А это!

Она выдвинула ящик стола. Он доверху был набит документами, удостоверяющими, что он журналист, тренер, запасной игрок молодежной сборной...

— Фальшивки? — догадался Поремский.

— Половина подлинники, — ответила жена. — Здесь только то, что не забрал с собой.

— Извините, когда он вернется? — поинтересовался Турецкий.

— Не знаю. Последний раз я очень сильно разозлилась и выгнала его. Ладно, когда просыпаюсь вся в синяках. Ему, видите ли, приснилось, что играл в футбол, и он меня всю испинал. Но позавчера ночью он вскочил с диким криком и схватился за сердце. Я проснулась и, испугавшись, спросила: «Что случилось?» — «Ужасный сон. Сначала мне приснилось, что умер Славка Симаков, потом умерла твоя мать. А затем самое ужасное». Я ору: «Что, не тяни!» — «Зенит» — проиграл». Ну и можно с таким жить?

— Да... Ладно, еще раз простите за беспокойство. Мы пойдем.

Спускаясь, Турецкий спросил:

— А на что он живет? Не похоже, чтобы парень трудился.

— Папаша, бывший генерал, хорошо сидит. Гостиницу Дома офицеров приватизировал. Вот и отстегивает сыночку на жизнь.

Турецкий взглянул на часы и произнес:

— Сегодня матч века. «Зенит» — «Спартак» в девятнадцать. Питерцы — народ крутой. Так что наши друзья там наверняка будут.

— Я думаю, мне надо слегка замаскироваться, — предложил Поремский.

— Логично. У меня есть в театре Вахтангова хорошая знакомая. Замаскирует, родная мать не узнает.

Следователи приехали на Арбат и направились к театру. Вся маскировка заняла пятнадцать минут. Опытная визажистка, взглянув на Поремского, протянула ему черный парик и наложила слой искусственного загара.

Выйдя на улицу в новом обличии, Поремский предложил:

— Александр Борисович, здесь недалеко Рюрик работает. Пока есть время, давай заскочим на Сивцев Вражек. Может, что прояснилось.

Предложение было принято. Они направились к переулку, ведущему к Институту медицинских и биологических препаратов. Зашли в арку. Неожиданно мимо прошли два милиционера, ведя избитого, грязного человека с заломленными назад руками. Из обуви на одной ноге у него был домашний тапочек. Другая шлепала по асфальту беззащитной ступней. Едва они скрылись, Поремский крикнул:

— За мной!

И понесся по переулкам. Турецкий не отставал. Они взлетели по лестнице на четвертый этаж. Поремский толкнул дверь. Она открылась. Зашли в квартиру. Там никого не было, лишь в беспорядке разбросанные вещи командировочного. Владимир пояснил:

— Та самая квартира. Меня здесь обули, когда приехал. Они работают бригадой. Сдают жилье приезжим. Затем, имея комплект ключей и инсценируя мелкую кражу, выманивают человека. Здесь его берут менты и сажают для выяснения личности в кутузку. Когда я вернулся сюда в прошлый раз, то не обнаружил ничего, кроме засады. Еле ушел. Теперь понимаю, как они узнали.

— Тогда есть резон подождать, — загорелся Турецкий. — Я на площадку. Ты здесь. Двоим не спрятаться.

— Если честно, и одному проблематично, — озираясь, произнес Поремский.

— Ну, давай! — выскакивая, пожелал Турецкий.

Владимир стал за плотную штору. Дверь распахнулась. Вошли, судя по голосам, трое. Они начали методично просматривать вещи, рассуждая, что из них можно сдать. Ждать больше не было смысла. Поремский резко сорвал штору. Она упала. Обернувшиеся на шум, бандиты увидели высокого спортивного брюнета с лицом, покрытым ровным бронзовым загаром. В руке отливал вороненой сталью пистолет. Красавчик заорал:

— Уголовный розыск! Всем на пол!

Стоявший у входа член преступной группировки в милицейской форме бросился бежать, но неожиданно влетел обратно в комнату и первым рухнул на пол. Остальные тут же медленно опустились. Милиционер очнулся и изумленно уставился на Владимира:

— Я при исполнении.

— Уже нет, — произнес Поремский. — Я же говорил тебе, что твоя звезда закатилась.

— Постой, я тебя где-то видел. Ах, так это ты? Замаскировался! — узнал его сержант. — Да ты знаешь, что ты в розыске?

— Я уже нашелся, — произнес Поремский, показывая корочку.

Турецкий, проверив затяжку ремня на руках последнего бандита, вынул телефон:

— Алло, Слава? Готовь пузырь... Конечно, за повышение раскрываемости преступлений... записывай адрес и присылай своих орлов. А то у нас времени мало. Дело одно есть... Нет, бутылку с ними не надо. Сам как-нибудь привезешь...

К Рюрику они уже не успевали. До начала матча было два часа. Самое подходящее время для друзей. Сев в автомобиль, Поремский с Турецким поехали в сторону стадиона «Динамо».

Несмотря на то что на матч их привел исключительно служебный интерес, в кармане у Александра Борисовича лежало два билета на трибуну ВИП. Поэтому стояла задача: максимально быстро найти Мовчана, желательно кого-нибудь из «знакомых» Поремского и потом успеть на свои места. Ведь может же так случиться, что любимая команда именно сегодня будет в звездном ударе и наконец доставит своей игрой истинное удовольствие. И никакой опыт, подсказывающий, что в течение последних десятилетий ничего, кроме разочарования, она не приносила, здесь не советчик.

Сначала Поремский увидел одного из своих мучителей по лагерю. Указав на него Турецкому, пошел разыскивать Мовчана. Своего друга он увидел среди шумной разномастной толпы. Тот пытался перекричать всех, споря о прогнозах на матч. Поремский подошел и произнес:

— Вова, я Поремский. Не делай удивленное лицо. Пойдем поговорим.

Мовчан прекратил спор. Молча вынул пачку сигарет. Затянулся и отошел в сторонку.

— Привет, — с интересом произнес Мовчан. — У тебя что, конспиративная встреча?

— Вроде того. Минутку подожди. — Набрав номер, спросил: — Борисыч, ты где?

— Палатки у выхода из метро в сторону аэровокзала.

Вскоре Поремский с Мовчаном присоединились к Турецкому. Он, медленно развернувшись, кивком дал понять направление наблюдения. Скользнув взглядом, Поремский узнал в распивавших водку на поваленном стволе дерева нескольких человек. И произнес, обращаясь к Мовчану:

— Вот ту компанию сфотографировал?

— Да.

— Пойдем пивка пососем. Знакомьтесь. Это мой шеф Александр Борисович, а это Владимир, мой училищный друг.

Когда отошли подальше, Мовчан спросил:

— Что, банду Антона пасете?

— Знаешь их? — спросил Турецкий.

— Его бригада всегда на выезде работает, — жуя сорванную травинку, ответил Мовчан. — Большой авторитет.

— А войти в доверие слабо? — подмигнул Поремский.

— Как два пальца об асфальт, — не моргнув, парировал Мовчан.

— У тебя есть проблемы? — поинтересовался Поремский.

— Так, по мелочам. У кого их нет.

— Помощь нужна?

— Сам разберусь, хотя за банду Антона попрошу об одной небольшой услуге. Загранпаспорт получить поможешь. Не могу даже в Польшу на футбол съездить.

— Считай, что он у тебя уже в кармане, — ответил Турецкий. — Так, держи на память зажигалку. Здесь на ручке зеркальная накладка. За ней объектив цифрового фотоаппарата. Каждое высекание искры — фото. Можно сделать триста штук. А вот эта клепка — клавиша диктофона. Восемь часов разговора в формате МР-3. И главное, это очень опасно для жизни.

— Вот это по мне! Когда еще представится случай немного развлечься и знать, что родное государство все спишет.

— Ты это, сильно не увлекайся, — встревожился Поремский. — Знаю я твои выходки!

## Глава 5
## ПРОВОКАЦИЯ

— Клавочка, — произнес Меркулов, — пригласи-ка ко мне Казанского.

Через несколько минут начальник Следственного

управления был в кабинете. Он не мигая уставился на стол Меркулова. На нем лежал выпуск газеты «Соль жизни» с фотографией Рюрика.

— Вызывали, Константин Дмитриевич?

— Ну что, догадываешься, о чем пойдет речь?

— Нет, — ответил Казанский.

— Представляешь, внезапно открылись все подробности организации этой гнусной провокации, — устало произнес Меркулов. — Мало того что грязью облил талантливого следователя, так еще и всю Генеральную прокуратуру извалял! На ставке, значит, у продажной прессы состоишь? Уволить тебя я не могу, но жизнь отныне меняется кардинально! Распоряжение сдавать мобильный в здании прокуратуры относится и к тебе. Любая отлучка с рабочего места — только с моего личного разрешения. Кстати, где твой личный шофер?.. Молчишь? Я и так знаю. Супругу по магазинам раскатывает. Чтоб сидел в шоферской! Отлучится без моего разрешения — вылетит в две секунды! Прямой городской телефон убираю. Отныне будешь общаться через коммутатор...

Когда через полчаса Казанский покинул кабинет Меркулова, Клавдия его не узнала. Начальник Следственного управления постарел лет на пятнадцать. Он попросил у нее валидол и, с удивлением посмотрев на большую таблетку, кинул ее в рот и запил водой...

Турецкий оглядел помощников и торжественно произнес:

— Сегодня приступаем к операции под кодовым названием «Пиво для Ямпишева». Как прошла подготовка?

— Квартира над профессорской в нашем полном распоряжении. Все почтовые ящики подъезда были завалены рекламными плакатами с указаниями полезных служб, — начал доклад Курбатов. — Сам, между прочим, печатал. Наружка доложила, что Чабанов забрал листовку из своего ящика. Мало того, заинтересовавшись, открыл соседний, не запертый, и вынул из него тоже.

— Рюрик, как твои успехи? — улыбнувшись, спросил Турецкий.

— Я в такое заведение ходил в первый и последний раз! — ответил Елагин.

— Что такое? Ты не пользовался успехом? — засмеялся Курбатов.

— Сашок, а вид у тебя какой-то неважный, — пришел на выручку Турецкий. — Похоже ты как раз пользовался успехом шикарной женщины, мелькнувшей за рулем фиолетового автомобиля.

— Борисыч, — устало вздохнул Курбатов. — Она превратила мою жизнь в какой-то кошмар. Набрасывается среди ночи и терзает до утра. Устал от нее, сил нет.

— Так подари ее мне! — предложил Поремский.

— Знаешь, Володя, ты будешь смеяться, но я об этом уже думал. Вот только, к сожалению, как дальше жить без нее, не представляю, — вполне серьезно вздохнул Курбатов.

— Ладно, мы уходим от плана операции, — произнес Турецкий.

— В общем, есть один молодой человек, — продолжил Рюрик. — Считается, что «роковой мужчина». Из-за него, между прочим, попытки суицида бывали. В назначенное время он будет на месте.

Курбатов открыл на кухне кран и начал поливать пол. Прошло полчаса. Тур выскочил из квартиры и понесся звонить в дверь квартиры над ним. Ответом было молчание. Поднялся выше. У соседей было сухо.

Тогда он спустился обратно. Влетел в свою квартиру и начал лихорадочно набирать номер рабочего телефона своего сожителя. Неожиданно его взгляд упал на появившуюся, пока бегал по этажам, бумажку «Куда звонить в экстренных случаях?». Он набрал номер. Ответивший пьяный слесарь с трудом подбирал слова. Злой Тур буквально прокричал:

— Соседи сверху заливают, а дома никого нет!

— Ждите, — прозвучал ответ, — уже выехали.

— Как выехали? — возмутился художник. — Вы даже адреса не спросили!

— Соседи с четвертого этажа сообщили, что прибегал молодой человек со второго.

Тур положил трубку. Через несколько минут раздался звонок в дверь. Виктор настороженно спросил:

— Кто?

— Сантехника вызывали?

Приоткрыл дверь. На пороге, сияя розовыми щечками, стоял голубоглазый молодой человек. На нем была практически новая униформа, элегантно обтягивающая фигуру. Невольно залюбовавшись, Тур пропустил его в квартиру. Сантехник произнес:

— Это наша вина. Мы летом проверяем повышенным давлением системы отопления. Обычно предупреждаем жильцов, чтоб находились дома и сообщали о протечках. А на этот раз вышла оплошность. В квартире над вами трубу разорвало. Мы уже перекрыли ее. Видите, не капает. Я здесь как представитель страховой компании, лишь для составления протокола о причиненном ущербе. Затем ответственный квартиросъемщик сможет зайти в бухгалтерию и получить компенсацию, либо по его желанию наша бригада проведет ремонт.

— Проходите сюда. Вот, смотрите, пострадала одна кухня, — произнес Тур, напряженно внюхиваясь.

— Потолок, стены, мебель цела, электрооборудование не пострадало, — пробормотал парень, помечая. — Все, спасибо. Вот ваш экземпляр. Это мой. Черкните подпись. Пока, приятно было иметь с вами дело.

— Молодой человек, у меня странное ощущение, что мы с вами уже встречались. Один вопрос можно? — напрягся Тур. — Вы в каком клубе обычно проводите вечера?

В двери неожиданно появился неопрятный толстый мужлан, не помещающийся в такой же зеленый комбинезон. Он недовольно произнес:

— Ну скоро? У нас еще два вызова.

Приятный молодой человек, вынув визитку, обронил ее и, опустив глаза, тихо произнес:

— «Голубое сияние». Позвоните после пяти.

От наблюдательного Тура не ускользнул неприязненный взгляд толстяка. Он пропустил красавчика мимо себя и грубо закрыл дверь. Затем оба сели в автофургон и уехали.

Тур, наклонившись, поднял визитку. Она имела голубой цвет и запах тонких духов. Художник почувствовал, что в его жизни наступают некоторые перемены.

Фургон остановился за углом. «Сантехник» вышел уже переодевшимся. К нему подошел Турецкий и произнес:

— Ну как?

— Какие могут быть вопросы? Вам не понять, но передо мной ему не устоять, как вам перед вульгарной блондинкой! — ответил юноша, рассматривая ногти.

— Хорошо, — произнес Турецкий, — сейчас вас отвезут в ваш клуб, но запомните: с семнадцати до двадцати разговаривайте о чем угодно, но разговаривайте.

Тур в последнее время страдал от вынужденного одиночества. Раньше он мечтал о минутах, когда его оставляли в покое и появлялась возможность творить. Сейчас же вдохновение его покинуло. Загнанный в ловушку, не знавший, как из нее выбраться, он целыми днями просиживал перед чистым холстом.

Ему хотелось нанести на него состояние опустошенности своей души. Но чем больше размышлял над сюжетом, тем сильней понимал, что нетронутость полотна красками как раз и есть та великая идея.

Чабанов рассказывал о пластических операциях, о возможности безбедно жить где-нибудь в Португалии, об искуснейших адвокатах. Тур все пропускал мимо. Он стал осознавать, что его ничто в этом мире не держит. Оказывается, люди не просто суетятся, заводя семьи и любовниц, рожая детей, организуя предприятия и банды, начиная бесконечные монографии и съемки сериалов, строя дачи и сажая огороды, они обрастают якорями, которые позволяют сохранять некую стабильность своего положения. Они даже не пытаются искать оправдания своего существования. Просто им нельзя умирать, пока не доделаны все дела.

Тур же был абсолютно свободен. Он ничего не был должен никому, даже женщине, его родившей. Однако небольшое приключение несколько его взбодрило. Теперь все мысли были о телефонном звонке. Тур упал в кресло и уставился на часы.

Заглянувший в кабинет профессора Чабанова симпатичный молодой человек доложил:

— Виталий Игоревич, к вам следователь Генпрокуратуры Курбатов.

— Пусть заходит.

Александр шумно вошел и с ходу произнес:

— Я только на пять минут. Попрощаться.

— Версия относительно профессиональной деятельности, надо понимать, отпадает? — обрадовался Чабанов.

— Ну, скажем, остается небольшой вопросик. Что же за документы были в том чемоданчике Марка Борисовича? Но, похоже, мы нащупали ниточку.

— Что ж, хотелось бы, чтобы справедливость восторжествовала. Буду рад помочь чем могу, — кивнул профессор.

— Ну тогда ответьте. Вы не были знакомы с семьей Жбановского?

— Несколько раз имел честь общаться с женой по телефону. Однажды видел фотографию. У нас на вечеринки по праздникам многие приходят с женами, но Марк Борисович — никогда.

— Да, знаете, как ни позвоню вам домой, все время занято. У вас есть Интернет?

— Нет, — ответил Чабанов, меняясь в лице.

— Тогда виртуальные свидания отпадают. Одно из двух: либо ваша супруга очень общительный человек, либо сломался аппарат, — быстро произнес Курбатов. — А имя Виктор Тур, конечно, ничего вам не говорит?

— Н-нет, — промямлил Чабанов. — Это кто?

— Родной племянник. Не удивлюсь, если он лежит где-нибудь в лесу с перерезанным горлом. Ну все, спасибо за помощь. В суде увидимся!

— Ч-что? — рассеянно спросил Чабанов.

— Знаете, у следователей, как и у патологоанатомов, вырабатывается свой профессионально обусловленный черный юмор. Те, прощаясь, говорят: «До встречи на столе!»

Едва Курбатов вышел, профессор бросился к телефону. Естественно, он был занят. Задумчиво послушал короткие гудки. Затем набрал номер местной линии. Через минуту у него в кабинете «морж», кивая головой, выслушивал задание...

...«Наружка» зафиксировала, как в восемнадцать пятнадцать в подъезд вошел человек плотного телосложения с бритой головой и моржовыми усами. Он раскрыл чемоданчик и собрал из деталей, находившихся в нем, небольшую стремянку. Встав на нее, снял крышку распределительного телефонного щитка. Подсоединил двумя «крокодилами» телефонную трубку и принялся подслушивать чужой разговор. Через полчаса он понесся в сторону института.

Чабанов выслушал эмоциональный доклад своего помощника. Отпустил его. Сам же стал, ломая руки, наматывать километры по кабинету. Подошел к столу, набрал московский номер и произнес:

— Пятьдесят второй. Жду звонка тринадцатого.

Положил трубку, неуверенно полез в карман. Вынул монетку и бросил. Поймал, но смотреть не стал, так как заверещал мобильный телефон. В этот момент он принял решение.

— Привет, Виталий Игоревич, какие срочные дела заставили вас вырвать меня из кабинета, заметьте, замминистра?

— Здравствуйте Ан... извините, Маркиз. Дело вот в чем. Дней пять назад прибежал ко мне весь взмыленный Тур. Сообщил, что его ищет прокуратура, друзья-кредиторы и киллеры. Попросил убежища.

— Так он у тебя? — удивился человек, названный Маркизом.

— Да.

— Сейчас он сидит у тебя в квартире?

— Да. И я этого опасаюсь. Каждый день доставляю ему очередную дозу наркотиков, которую беру у разных подозрительных типов. Боюсь, не выдержит парень ломки. Расколется.

— Не волнуйся. Скоро его мучениям придет конец. Мы с ног сбились. А он вот, под боком.

— Жалко парня.

— Жалко, — согласился Маркиз. — Но он сам судьбу свою выбрал.

— Можно не в моем доме? — попросил Чабанов.

— Конечно. Ключи от квартиры завтра оставишь в почтовом ящике. Когда вернешься, обнаружишь их на месте. А вашего гения увезет «скорая» прямо на кладбище...

Когда таинственный незнакомец сообщил, что больше не может продолжать беседу, Тур даже всплакнул. Четыре часа разговоров о живописи, истории, человеческих отношениях пролетели незаметно. Виктора сильно удивило бы интеллектуальное развитие сантехника, если бы тот не сообщил, что просто подрабатывает, пока учится в аспирантуре. Едва Тур успел распрощаться, как щелкнул замок и вошел Чабанов. Профессор развалился в кресле и якобы случайно положил руку на телефон. Трубка оказалась горячей.

Наступило утро. Наконец настал момент истины. Турецкий, едва профессор покинул жилище, вынул ключи из почтового ящика и открыл дверь. Вошел в квартиру. Тур спал. Александр Борисович подвинул кресло к кровати и произнес:

— Господин Тур, вставайте, а то можно проспать свою смерть.

Виктор проснулся и, испугавшись, прижал подушку к животу.

— Вы кто? — робко спросил он.

— Я тот, кого вы должны хотеть видеть сильней

всего. Старший следователь Генеральной прокуратуры. И знаете? Моя фамилия включет вашу. Турецкий. Мне надо услышать все, что вы знаете об убийстве академика Жбановского.

— Во-первых, без своего адвоката я ничего рассказывать не намерен. Во-вторых, я уже все, что знал, рассказал следователю. В-третьих, подозреваю, что ваше проникновение в частное жилье не санкционировано, и прошу предъявить ордер на обыск и постановление на арест.

— Ну эти формальности мы можем оформить прямо в вашем присутствии. Вы же знаете, что стоит в наше время иметь с собой несколько чистых бланков с подписью и печатью. Но мы не станем этого делать, просто уйдем и все. Однако прежде прошу прослушать эту запись. Она поможет объяснить причины нашего визита. Дверь я, между прочим, открыл личными ключами профессора, — произнес Турецкий, бросая ключи и нажимая воспроизведение на миниатюрном магнитофоне.

Побледнев, Тур взял связку со знакомым брелком в руки и прослушал разговор Чабанова и Маркиза. Затем произнес:

— У меня нет шансов?

— Вы стоите на распутье. Три дороги: в тюрьму, в психиатрическую лечебницу, в могилу.

— Я выбираю тюрьму. Заберите меня. Я готов все рассказать. Убийство заказал...

В этот момент звякнуло стекло. Тур свалился набок с аккуратным пулевым отверстием во лбу. Турецкий бросился на пол и скатился к батарее. Однако выстрелов больше не последовало. Он выскочил из дома.

Ребята из «наружки» уже карабкались по пожарной лестнице на крышу пятиэтажки, стоявшей метрах в ста пятидесяти. Турецкий поднялся за ними. Увиденного было достаточно для того, чтобы понять, что снайпер дежурил не один час. Бычки от выкуренных сигарет были аккуратно, словно солдатики, выстроены вдоль стены. На плоской крыше лежало орудие убийства, ватный матрац и армейская плащ-накидка.

Турецкий укоризненно обвел взглядом «лучших» агентов. Они допустили явный промах в своей работе. Как бы оправдываясь, один из них произнес:

— Либо профессионал высокого ранга, либо дилетант.

На крышу взобрался Елагин. Турецкий скомандовал:

— Всем отойти подальше.

Рюрик, крадучись, проскользнул по залитому смолой рубероиду. Дошел до отброшенного люка с вскрытым замком, присел и задал вопрос:

— Кто поднимался по этому стояку?

— Я и Дмитрий, — ответил один из сыщиков.

— Кто вам попался по пути? — вновь спросил Елагин.

— Никого. Только мальчишка. Такой, лет десяти, в шортиках и с кляссером.

— Да, — подтвердил второй, — такой щупленький, в огромных очках и с альбомом для марок. Мы его еще спросили, не видел ли кого? Ответил, что нет. Ну, решили мальца не пугать. Все-таки киллер не маньяк.

Рюрик повернулся к Турецкому и произнес:

— Замок был открыт заранее отмычкой. Киллер поджидал жертву с вечера. Трижды мочился, прямо здесь, не вставая. Лишь переворачиваясь на бок. Ему ничего не мешало произвести выстрел раньше. Однако он дождался сигнала. Дальше, рост его примерно метр сорок. Вот вмятина от локтя, а здесь выбито коленями. Возраст: лет тринадцать-четырнадцать. Приклад у винтовки спилен. Прицел в самом нижнем положении. Шортики и очки с увеличенными диоптриями обычно вызывают чувство безопасности и участия, как шмыганье носом, неуклюжая сутулость и прыжки через две ступеньки. Прыгал через две?

— Да, — ошарашенно произнес Дмитрий, — я еще подумал: «Не по погоде короткие штанишки, застудится малец. И коленки посиневшие».

Турецкий внезапно ринулся к люку. Когда на уровне крыши осталась одна голова, распорядился:

— Вызывайте криминалистов. Елагин, за мной!

По дороге подхватив Поремского, вскочили в автомобиль Курбатова. Турецкий скомандовал:

— В институт.

— За профессором? — обрадовался Курбатов.

— Что-то мне подсказывает, что на поиски его тела, — ответил Турецкий.

Интуиция не подвела. Вахтерша показала, что в институте Чабанов так и не появлялся. Курбатов на мгновение задумался и произнес:

— Секундочку.

Бросился по лестнице наверх и вскоре вернулся, волоча жалкую, оплывшую пародию на моржа с лысой головой, украшенной длинными хохляцкими усами. Ткнул его легонько в район явно увеличенной печени и произнес:

— Мы все поняли и осознали. Мы желаем сотрудничать со следствием и совсем не хотим в Бутырку. Мы боимся, что там нас опустят.

«Морж» выдавил:

— Да.

— Дорогу, которой профессор ходил на работу, знаешь? — спросил Турецкий.

— Да.

— Веди, Сусанин.

«Морж» уверенно засеменил между домами. Обошел утонувшую в неухоженных зарослях котельную и ринулся было через дорогу. Однако Елагин вдруг закричал:

— Стоп машина!

Все остановились. Он пробормотал:

— Я бы спрятал здесь.

Вдоль забора между кустами сирени и кленами располагались разнокалиберные гаражи. Рюрик полез в непролазные заросли. Недовольно выбрался. Затем подошел к углу забора котельной, который огибала тропинка. Присел. Привыкшие к его методу работы следователи терпеливо ждали.

Курбатов посмотрел на часы. Уже почти два. Дашка должна была наконец проснуться. Он вынул телефон и, набрав свой домашний номер, произнес:

— Алло. Это я.

— Привет, — ответила Дашка. — Что звонишь?

— Да вот, собираюсь пригласить тебя на ужин.

— Наверное, что-то случилось? — предположила девушка. — Кто-то умер?

Рюрик поднял кверху палец.

— Ой, подожди минутку, — произнес Курбатов.

Елагин начал рассуждать вслух. А это говорило о том, что он уже все знает и лишь пытается логически объяснить то, что увидел в подсознании:

— Самое удобное место для засады здесь! Метод известен: один отвлекает, другой бьет. Следов крови нет. Значит, скорей всего оглушили. А вот здесь волокли тело. Это следы от ног. И травка примята двумя полосками.

Неожиданно после минуты молчания в трубке раздался голос:

— Ну ты где? Ты не умер? А, я догадалась! Мы идем на твои похороны!..

Курбатов раздраженно нажал отбой и произнес:

— Похоже, что в этой «ракушке»?

— На ней, — прошептал Рюрик.

— Ну-ка, — попросил Турецкий Владимира, немедленно подставившего руки замком, и взобрался на соседний гараж.

С высоты ему открылась ужасная картина. Обезглавленное тело Чабанова лежало на крыше «ракушки». Голова была аккуратно установлена на груди. Веки со вставленными спичками широко открывали казавшиеся удивленными глаза.

Позади уже стояли помощники. Снизу, пыхтя, пытался влезть любимец профессора. Турецкий одобрительно кивнул, и Поремский с Курбатовым буквально выдернули того на крышу. «Морж» встал и остолбенел. От него сильно запахло потом. Лысина посинела, как в промозглую погоду, и покрылась крупными каплями. С кончиков усов потекли тонкие струйки.

Турецкий, обращаясь к нему, заорал:

— Что ты знаешь? Быстро!

— В партиях с игрушками «Поймай рыбку» он отправлял в район Персидского залива системы наведения тактических ракет и управляемых бомб. А больше я ничего не знаю, — произнес «морж», присаживаясь на колени. — Выполнял мелкие поручения.

— Иди в кабинет, ни с кем не разговаривая, и запиши на бумаге все, что тебе когда-либо поручали! — скомандовал Турецкий.

Затем вынул телефон. Набрал знакомый номер и произнес:

— Слава, как проверка?

— В общем, так. Живет, как в том фильме, одинокая бабулька. Однако у нее то ли еще телефон есть, то ли мобильник, непонятно на кого зарегистрированный. Короче, звонка со своего аппарата она не совершала. А твоему профессору звонил неизвестный с городского автомата где-то в районе Нового Арбата.

— Под наблюдение ее брали?

— Зачем?

— Тогда вышли наряд. У меня нехорошее предчувствие. Похоже, волк следы заметает. Режет всех свидетелей.

Вскоре выяснилось, что и здесь Турецкий не заблуждался. Соседи показали, что старушка умерла сегодня утром от сердечного приступа.

## Глава 6
## ДЕБЮТНАЯ ГАСТРОЛЬ ФУТБОЛИСТА

Скорый поезд 238 Москва — Новороссийск отходил от Казанского вокзала в 14.38. Елена Степашкина на южном направлении работала уже шесть лет. За это время повидала много, и не было проблемы, с которой она не могла бы справиться. Это неискушенному человеку кажется, что он едет в полнейшем хаосе из вечной чехарды сходов, подсадок и бесконечных передвижений пассажиров. На самом деле все всегда под контролем. Проводница безошибочно определяла, сколько взять с человека за передачку родственникам, за какую сумму и где можно провести левого пассажира. Одному достаточно третьей полки, другому придется уступать свое место. Она видела насквозь вагонных воров, гастролирующие бригады карточных кидал, безошибочно определяла представителей всяческих комиссий и проверок.

Под Ростовом к ней неизменно подсаживался неопределенного возраста подтянутый мужчина с загорелой лысиной. Сначала она запиралась с ним в своем купе на некоторое время. Затем устраивала на свободное место в вагоне. С чувством превосходства разъясняла напарнице, как надо жить:

— У меня всегда были и муж, и любовник, и деньги!

Напарница же, напротив, была дура дурой. Ничего этого не имела никогда. Науку же постигать упорно не желала.

— Пойми, с таким отношением к жизни ты никогда не поднимешься выше разноса белья и мытья туалетов.

Но, видимо, это была ее судьба. Между тем пассажир оказывался довольно общительным. Быстро заводил знакомство. Иногда играл в карты, иногда просто рассказывал анекдоты и байки, а бывало, ложился спать и вдруг, неожиданно соскакивая, исчезал. Самое интересное, транспортная милиция ее ни разу по этому поводу не терзала. Не было случая, чтобы пассажиры, оставшиеся без крупной суммы, заявляли в органы. И было это заслугой Елены. Она с выработавшимся годами профессиональным подходом чувствовала, где едут деньги и, главное, насколько они чисты. Елена никогда бы не позволила обобрать работягу, копившего на отпуск для семьи. Но бомбануть торгаша, спекулянта, банкира казалось почти святым делом.

Впрочем, это не мешало ей быть женщиной религиозной и богобоязненной. В церковь ходила с чистой совестью, ставя Богу свечки: за здравие мужа, любовника и неплохие левые деньги.

В этот день было суждено случиться событию, заставившему не только полагаться на судьбу, а еще перед планированием рейса покупать футбольные газеты, внимательно изучая расписание и географию матчей.

Степашкина прохаживалась по пустому, вымытому в депо вагону. Она с наслаждением втягивала пахнущий жженым эбонитом вокзальный воздух. Сейчас начнется самое интересное. Появятся новые люди. Поедут отдыхать к морю болтливые студенты, мамаши с испорченными фигурами и нервами, вечно пытающиеся пасти своих отпрысков, бесстыдные любовники и почтившие за благо достать в сезон отпусков билет на верхнюю боковушку в плацкарте работяги.

Поэтому, когда неожиданно вагон наполнился орущими странные речевки, одетыми в одинаковую красно-белую униформу молодыми людьми, Елена растерялась. Она предприняла попытку стать грудью на пути пьяных фанатов. Но была буквально сметена стихийным потоком. Пока воевала у входной двери, красно-белые наполняли вагон через окна. Это напоминало какой-то кошмарный фильм. Она металась по проходу. Пыталась найти пассажиров с билетами, но они были у мифических старших групп, отыскать которых было невозможно.

Вскоре оказалось, что их очень много. Их было раза в три больше, чем могло поместиться в вагон. И в какой-то момент они, сами это осознав, стали на ее сторону, выталкивая своих соратников. Это был какой-то кошмар. Стоило ей отвернуться, как тут же какой-нибудь мелкий бросался на пол, под нижнюю боковую полку, и маскировался рюкзаком. Туалеты неожиданно оказались вскрытыми, и из них было выдворено по пять-шесть человек. Фанаты были везде. Они беспрерывно сновали вверх-вниз и взад-вперед. Они лезли на третьи полки, под нижние, холодильник в полу уместил троих. Провожающие смешались с отъезжающими. Все пошло кругом. Проводница начала задыхаться от сильнейшего перегарного воздуха, от криков раскалывалась голова. Вдобавок исчезла напарница. Елена попыталась ее разыскать, но тщетно. Гневно отодвинула дверь своего купе — Милетеева билась в истерике.

— Ты чего? Работать надо! — выволакивая ее, заорала проводница.

— У меня голова болит! Я больше не могу все это выносить! — орала помощница. — Они меня всю облапали!

— Ой, господи! Блин, бабе под сорок, она девочку из себя строит! Быстро вскочила! Метлу в руки и гони их отсюда!

Степашкина схватила ее буквально в охапку и вышвырнула в проход. Достала ключи, чтоб закрыть дверь, но неожиданно замерла. Приоткрыв дверь, вошла в купе. Резко подняла сиденье. На стопках свежевыстиранных полотенец лежал парень. Она бы могла понять, если бы он быстренько бросился наутек, если б заплакал и попытался попроситься довести его бесплатно, потому что жить без футбола не может, а денег нет. Парень просто лежал и тупо смотрел. Она схватила его за руку и потащила. Он молча сопротивлялся, но был вытолкнут из вагона под одобрительные возгласы своих же дружков. Тут же смешался с толпой и растворился в ней.

Они так интенсивно передвигались, что вскоре Елене надоело бороться с превосходящими силами противника. Махнув рукой, проводница вышла из вагона и закурила. В конце концов все образуется и утрясется. Больше, чем предъявят билетов, не проедет. А на зайца можно и милицию натравить. Однако колоброжение продолжилось и после того, как поезд тронулся. Фанаты постоянно перемещались в пространстве. Менялись местами, бегали из вагона в вагон. Они выскакивали на каждой остановке и, размахивая флагами, скандировали лозунги относительно непобедимости древнеримского гладиатора, выжирая невероятное количество водки. Бутылки катались по всему вагону.

Елена, безнадежно запершись в своем купе с напарницей и электриком состава, откупорила бутылку «Гжелки». Когда водка кончилась, проводница почувствовала себя гораздо увереннее. Она вышла в коридор и громогласно произнесла:

— Если старший с билетами не появится у меня через

пятнадцать минут, в Рязани все будут сняты ОМОНом как безбилетники.

Повернулась и ушла. Вскоре раздался стук в ее дверь. Явились два громилы с бритыми головами. Один из них достал пачку билетов и бросил на стол. Степашкина, быстро оценив, что их вполовину меньше, чем пассажиров, потянулась было к проездным документам, но из пакета извлеклась бутылка водки и банка икры. Все это было взгромождено на стопку билетов.

— Я думаю, мы сможем договориться! — обаятельно улыбнувшись, произнес парламентер. — За все будет заплачено. Мы едем до Ростова.

— А как же пассажиры? — начала торговаться Елена. — Они же будут жаловаться!

— Вот их мы берем на себя, — мрачно произнес второй. — Ни одна сука пикнуть не посмеет.

— Тогда вы здесь до первой жалобы! — выдвинула условие проводница.

— Обсудим финансовую сторону. Чек, наливай. Мадам, с вас закусь.

Елена небрежно бросила банку с икрой в шкафчик и извлекла из него шмат подтаявшего сала и буханку бородинского хлеба. На югах почему-то не пекут черного. И она всегда закупала его впрок.

Когда проводница вышла в тамбур покурить с симпатичным молодым человеком, она уже относилась к этим придуркам более терпимо. Конечно, возлюбить их было невозможно, но ненавидеть тихо можно было. Догадливый Антон быстро понял, кто в доме хозяин. Он предложил хорошую сумму наедине, причем показывать ее подруге было совсем не обязательно. Елена тоже сообразила, что делиться с дурой придется по минимуму.

Но главное творилось сейчас в жизни Милетеевой. Пьяный Чек сдуру захотел женщину, но он не мог знать, что баба, годившаяся ему в матери, уже два года не видела мужика. Даже стук колес, истошные вопли болельщиков и плотно закрытая дверь не могли заглушить ритмичного скрипа, перемежаемого невероятными стонами. До самого Ростова купе так ни разу и не открылось.

Степашкина прошлась по вагону. Скучковавшиеся фанаты отчаянно спорили на футбольные темы. Некоторые, напившись до бессознательного состояния, валялись где придется. Обычные пассажиры, собравшись в конце вагона, смотрели на все затравленными глазами. Антон знал свое дело.

Около часу ночи поезд остановился на небольшой станции Мичуринец на пять минут. Несколько бодрствующих болельщиков, схватив знамена и шарфики, выскочили на перрон и начали орать:

— «Спартак» — чемпион! «Спартак» — чемпион! В России нет еще пока команды лучше «Спартака»! Московский «Спартак»! Московский «Спартак»!

Впереди, через несколько вагонов, другая группа так же орала подобные речевки. Неожиданно эта группа бросилась к стоявшему напротив них памятнику. Фанаты изобразили нечто типа пирамиды, и напоминавший движениями обезьяну человек быстро вскарабкался на постамент. Поезд тронулся. Болельщики быстро покинули перрон. Лишь оставшийся наедине с памятником продолжал возиться. Наконец он соскользнул с постамента и успел заскочить в вагон Степашкиной. Он был узнан и принят на ура.

— Зека! Ну ты ваще! Давай к нам! — восторженно вопили придурки.

На привокзальной площади, ко всеобщему восторгу, оставался памятник Ленину, одетый в футболку с надписью крупными буквами «СПАРТАК». Вокруг шеи заботливо был накручен красно-белый шарфик. На ногах красовались красные спортивные трусы.

— Ты трусы-то как одел? — недоумевали свидетели.

— Антон, видал? — орали пацаны, волоча героя с собой. — Зека с нами. Видал, что выкинул!

— Пойдем, Зека, покалякаем! — предложил Антон.

Они уединились. Заочно уже были наслышаны друг о друге. Антон налил в пластиковый стакан водки. Мовчан выпил ее одним глотком. Антон одобрительно мотнул головой и сделал то же самое. Они внимательно посмотрели в глаза друг другу и поняли, что прошли одну школу.

— Погонялово?

— Футболист.

— Слыхал. А я — Мерин.

— Боец?

На что Антон снял майку и обнажил торс. На левой стороне груди был выколот Арнольд Шварценеггер в роли Терминатора в тот момент, когда тот был наполовину человеком, но уже с торчащими металлоконструкциями. Все стало понятно. Перед Мовчаном стоял исполнитель приговоров.

Зеке не понадобилось никаких усилий для естественного вливания в группировку. Он давно был среди фанатов в большом авторитете.

— Пять лет работаю на выезде, — хвастливо заявил паренек лет четырнадцати.

— Тебя как зовут?

— Сом.

— Не слышал, — произнес Зека. — Вот как Антона мочили в девяносто пятом, помню. В девяносто пятом был Киев!

— Да, было дело. У меня девять шрамов от блях хохлятских на голове осталось. Почти год ничего не соображал, — кивнул довольный Антон.

— Так я тогда в садик ходил, — протянул Сом.

— Да ладно, — улыбнулся Антон. — Сомик — славный боец. Мы его вперед посылаем.

— Ребят, выпить есть? — раздался тонкий голосок.

— Ты кто? — повернул голову Антон.

— Я Юлька.

— Ты где была? — поинтересовался кто-то из сидевших на полке.

— А меня Треня везет.

— Первый раз на выезде?

— Первый.

— Налейте девке! — распорядился Антон. — Юлька, а сколько тебе лет?

— Скоро тринадцать.

— Месячные есть?

— Нет еще.

— Так. Братва, Юлька — наш человек. Кто не понял? Все поняли. — Антон обратился к девочке, но так, чтоб слышали все: — Можешь не бояться, кто захочет тебя трахнуть, пускай сначала попробует меня.

До Ростова-папы доехали без особых эксцессов. Слегка набили морду одному лоху, пытавшемуся возмутиться тем, что не спавшей сутки женщине стало плохо с сердцем после увиденного. Да еще Антон, «сойдя с рельс», выбил ногой окно в туалете.

Встреча была организована по всем правилам. У каждого вагона стоял наряд милиции. Фанатов постарались организовать и предложили занимать места в специально подогнанных автобусах. Затем с мигалками прокатили по городу. Зрелище колонны с развевающимися из окон красно-белыми стягами было действительно потрясающим. Видимо, власти основательно готовились.

Затем их выгрузили в специально приготовленном закрытом отстойнике. Устроили настоящий обыск. Заставляли раздеваться до трусов. Впрочем, и их необходимо было приспустить, чтобы продемонстрировать полную безопасность. Все металлические предметы, включая часы, очки, ручки, зажигалки и деньги, свалились в кучу на стол. С собой разрешалось брать документы и деньги. Мовчан подошел к Юльке и сунул ей свою «зажигалку».

— Тебя обыскивать не станут. Я с ней не расстаюсь никогда.

— Память о девушке? — спросила она, слегка прищурившись.

— Да, — кивнул Мовчан.

— С тебя история.

Кроме Юльки в сторонке толпилось еще несколько девчонок. Она стояла первой. Наглый почти двухметровый сержант подошел и, ткнув дубинкой произнес:

— А тебе шо? Не ясно? Раздягайся.

— Я — девочка, — ответила Юлька.

— Заодно и проверим! — заржал сержант.

Толпившиеся подростки, похабно ухмыляясь, ожидали стрип-шоу со своими боевыми подругами. В моральном отношении они все же представляли не лучшую часть населения.

— Девчонку оставь! — раздался голос Зеки.

— Шо?

— У тебя плохо со слухом, козел? Может, ты меня проверишь? — добавил Антон, снимая футболку. На накачанном теле синела наколка.

То, что ростовские милиционеры все из дворовой шпаны, было видно даже по их повадкам. Сержант, невольно почувствовав уважение, сплюнул и жестом дал команду пропустить девок. После обыска спартаковцев, как скот, под свист загнали на трибуну.

«Спартак» победил один — ноль. А это означало одно — драки не избежать. Менты в провинциальных городах быстро привыкают к безнаказанности. Оцепление жаждало боя, быть может, сильней, чем толпа, от которой они должны были защищать. Стражи порядка решили выместить гнев за поражение любимой команды на болельщиках. На выходе со стадиона их ждал строй. Фанатам «Спартака» пришлось проходить сквозь шеренгу со снятыми по этому поводу ремнями.

О том, чтобы вернуть вещи, не могло идти и речи. Слегка потрепанных спартаковцев отдали на растерзание местным. «Деревенские» бросились в атаку первыми. Но они не знали, что такое боевой отряд гастролеров, у которых несколько лет выездов. Равных спартаковским бойцам просто не было. Здесь дерется не каждый за себя, а страхует соседа. Провинциальной шпане не понять, что такое стратегия и тактика уличного боя.

Маленький бесстрашный отряд смело выступал против любого количества противника и, нанося серьезный урон, отделывался лишь легкими потерями. Это было равносильно атаке греческой фаланги против неорганизованной толпы варваров. Победа всегда была за более продвинутой стороной. Вскоре грозные с виду ростовчане были повержены и рассеяны. Тогда в дело ввязалась тяжелая пехота. В принципе, сценарий был практически везде один. Хулиганы и милиция всегда объединялись против общего врага. Поэтому спартаковцы готовились к этому повороту. Кроме того, бой с милицией и был самым кульминационным моментом.

Закончилось тем, что фанатов развезли по нескольким отделениям милиции. Затем мелкими партиями вывозили на вокзал и сажали на поезда, следующие в Москву. Мовчан, помня о задании, умудрился попасть за решетку с Сомом, Юлькой, Треней и еще несколькими ребятами. На скамейке бредил Антон.

Наконец их погрузили в автобус и отвезли на вокзал. Начальник специально выделенного наряда проследил, чтобы все взяли билеты и сели в поезд. До отправления оставалось десять минут.

Сплюнув, Сом произнес:

— Самые поганые менты.

— Ты еще не бодался с хохляцкими, — возразил Треня.

— А ментовка не самая поганая? — спросил Сом.

— Ментовку было бы чем, взорвал бы, — вздохнул Зека.

— А у меня есть взрыв-пакет, — неожиданно произнесла Юля.

План у Мовчана созрел моментально. Он подбежал к урне и вытащил из нее бумажный литровый пакет из-под молока. Затем, оставив Антона, не приходящего в себя, на попечение Юльки, выскочил из вагона вместе с Сомом и Треней. Исчезнув, вернулся с сильно потяжелевшим пакетом и рулоном скотча. Аккуратно воткнул в середину взрыв-пакет и обмотал скотчем.

— Что там? — спросила Юлька.

— Ну, конечно, дерьмо! — закатился смехом Мовчан.

Скинувшись на тачку, втроем подъехали к шестьдесят седьмому отделению. Водитель с Треней остались ждать. Зека с Сомом подошли к раскрытым настежь окнам. Зека подпалил фитиль. И стал ждать.

— Кидай! — закричал Сом.

— Рано.

— Все, кидай!

— Рано.

— Смотри, уже догорает, сейчас в руках рванет. Я побежал.

Наконец бомба влетела в открытое окно. Взрыв раздался до того, как она приземлилась. Зека с Сомом подбежали к не выключавшему двигателя такси.

Поезд в Новочеркасске делал остановку на две минуты. Этого времени хватило, чтобы подобрать троих отставших молодых людей в мятых и грязных красно-белых футболках.

## Глава 7
## ЖЕСТОКИЕ ИГРЫ

Курбатов, помня о предстоящем походе в ресторанчик, летел к дому в приподнятом настроении. Несмотря на то что зрелище профессора без головы несколько испортило настроение, на аппетите это не сказывалось. Он предвкушал двойное удовольствие от еды и любви. Однако едва открыл дверь, весь подъем куда-то улетучился. В доме творился полнейший бардак. Дашка не только не вымыла посуду, но и не удосужилась застелить постель. Сама же могла мыться через каждые два часа. Вот и сейчас раздавался шум воды из ванной.

Курбатов терпеть не мог беспорядка. Он вздохнул, подошел к раковине. «Никакой труд не может унизить человеческое достоинство», — произнес Александр, с ненавистью нанося средство для мытья посуды на губку. Нога во что-то уперлась. Он заглянул под раковину. Там стояло переполненное мусорное ведро. Над ним парили мошки. Он включил воду: «Пусть ей будет стыдно».

Наконец душ смолк. Через пару минут в комнате появилась разъяренная Дашка. Она тут же набросилась на него:

— Ты что, это специально делал?

— Что?

— Краны крутил на кухне.

— Я, между прочим, посуду перемыл, — ответил уязвленный Курбатов.

— Запомни, когда я в душе, близко к воде не подходи.

— Знаешь что я тебе скажу? Сколько не мойся, более неряшливой женщины я на свете не встречал!

— Не нравится? Уматывай!

— Я пошел. Вернусь через полчаса, и, если не будет идеального порядка, можешь собирать вещи, — произнес Александр, прежде чем хлопнуть дверью.

Курбатов решил немного прогуляться, чтобы остыть. По пути ему попался рынок. Он так привык к дальневосточной кухне, что не представлял без нее существования. На Сахалине у него были знакомые продавцы, которые всегда накладывали невероятное ассорти из минимум двух десятков салатов. Названий продуктов, из которых производилось множество блюд, он даже не знал.

Здесь, в Москве, также на каждом рынке стояли корейцы. И лотки у них были завалены салатиками, но вкус был не тот. Что могли приготовить люди, никогда не бывавшие на Дальнем Востоке?

Он подошел к лотку, выбирая, что бы взять. Взгляд задержался на бамбуке и папоротнике. По привычке тихо задал вопрос:

— Хе есть?

Лицензию на мясные и рыбные блюда получить было практически невозможно. Поэтому хе понемногу продавали, но не всем, а только понимающим.

— Саша?

Он поднял глаза. Перед ним стояла кореяночка с огромными раскосыми глазами. На широкой скуле был чуть заметный шрамик в виде миниатюрного крестика. И только он знал историю его происхождения. В груди вдруг всколыхнулась теплая волна.

— Света! Светка, ты откуда?

— Я два года здесь.

— А живешь где?

— Тут есть небольшое поселение. Поехали, должны привезти рыбу.

Автомобиль пролетел Щелковское шоссе и, свернув вправо сразу после Балашихи, въехал в открывшиеся ворота частного дома. Во дворе в состоянии восточной полудремы сидели люди. К Свете подошел пожилой кореец и негромко что-то спросил на своем языке. Она ответила по-русски:

— Это Саша. Сейчас он приготовит такое хе, которого здесь многие не ели.

Курбатов усмехнулся. Он знал, о чем говорит эта маленькая бестия. Ведь готовить учил ее отец...

Когда молодой зеленый лейтенант юстиции прибыл на остров, он тут же стал жертвой дальневосточного гостеприимства. Гость в Москве — это обыденность, крест, который суждено нести столичным жителям. На Сахалин гости тоже приезжают, но не чаще одного раза в жизни. Поэтому отношение к новому человеку практически такое же, как у индейцев во времена посещения их Христофором Колумбом.

На третий день пожирания красной икры под китайскую водку Курбатов неосторожно поинтересовался:

— Что это мы все дома, дома? А где знаменитая дальневосточная тайга?

Оказалось, слово гостя закон. Через пятнадцать минут три джипа, груженных водкой, скакали наперегонки по грунтовому подобию дороги.

Остановились на полянке, вдали от деревьев. Вышедший пожилой азиат, обсосав палец, определил направление и силу ветра. Затем взял косу и выкосил поляну. Тщательно сгреб всю траву. Подпалил. На этом представление не закончилось. Он достал аэрозольные баллончики и обработал место. Это послужило сигналом для начала пикника. К Курбатову подошел старший товарищ и по-дружески объяснил:

— Ты это, паря, если помочиться захочешь, в лес не ходи. И в траву не забредай. Просто стань на краю поляны и отлей.

— А что такое? — поинтересовался Курбатов, которому как раз это и требовалось.

— Клещ свирепствует, — сонно произнес местный житель. Затем, как бы желая успокоить, уточнил: —

Правда, кусает лишь каждого третьего. Но и здесь не все так плохо, энцефалитом заболевает только каждый третий из укушенных. Ну и умирают не все, а только один из трех заболевших.

— А остальные? — чувствуя, как по ногам с земли начинают карабкаться членистоногие твари, уточнил москвич.

— Им хорошо, — довольно кивнул головой собеседник.

— В смысле?

— Дураками остаются.

Предупреждения оказалось достаточно, чтобы испортить весь отдых.

Поначалу Курбатов наивно считал, что все монголоиды на острове и есть коренное население нивхи. Однако оказалось, что их численность свелась к нескольким сотням.

Зато социальную нишу очень быстро заняли активные корейцы, которых на острове уже было процентов десять. Они оказались умными, не склонными к преступности, трудолюбивыми. Ненависть если и вызывали, то только у пьянчуг и бездельников.

Курбатов неожиданно близко сошелся с одной молоденькой девушкой. Внезапно понял восточную красоту. А в постели открыл неведомый мир Азии с ее вековыми традициями.

Света познакомила его с отцом. Нравы народа соответствовали природной терпеливости. Ни социальных, ни национальных, ни религиозных либо каких еще предрассудков они не испытывали. Получала дочь удовольствие от этого парня, напоминавшего борца сумо, и прекрасно.

Отец даже к нему привязался и учил основным премудростям выживания в тайге.

Они вместе ходили в мае за папоротником. Предварительно смастерив рубашки из женских колготок. Затем надевали колготки на ноги поверх брюк, на туловище, на голову. Клещ, обладающий прирожденной способностью цепляться к любой одежде и терпеливо путешествовать, пока не доберется до подмышек, паховой области или места за ухом, такого плода цивилизации, как капрон, вынести не мог. Поэтому, едва попав, скатывался на землю. К июлю он практически исчезал. Тогда Виктор Пак и Александр Курбатов отправлялись на рыбалку, охоту или на поиски мест для медитации.

Однажды отец с дочкой, не сказав ни слова, собрались и исчезли.

Оставшись без мудрого наставника, Курбатов полюбил ходить в тайгу в одиночку. Выпотрошит, бывало, все нервы, наговорится, устанет как собака, домой придет, наденет камуфляж, сапоги резиновые, ружьишко за спину — и в тайгу. Через полчаса усталости как не бывало. Пробежит километров сорок по бездорожью и домой возвращается уставший физически, но с умиротворенной душой.

Тайга словно помогала. Существуют, допустим, три версии. А в лесу поверку природой выдерживает одна. Остальные рассыпаются в прах, настолько нелепыми и надуманными оказываются.

Вскоре к прозрениям в тайге настолько привыкли, что пошел слух, будто место он знает тайное, где приходят откровения, и показал его старый шаман. Курбатов не раз, отправляясь в лес, обнаруживал за собой «хвост» из любопытствующих преследователей. Но проследить до конца никому не удалось...

Саша подошел к нескольким огромным рыбинам, лежащим на столе. Отогнул жабры, оценил цвет и степень заилистости. Принюхался и выбрал белого амура килограммов на пять. Затем, взяв крюк, изготовленный из электрода, подвесил рыбину на ближайшем дереве. Перебрал несколько ножей. Скептически отложил в сторону. Полез в барсетку и вынул подарок Рюрика работы Анатольича. Подошедший узкоглазый юноша откровенно сморщился и, взяв в руку тяжелый блестящий тесак, произнес:

— Рыба разделывается этим.

Курбатов посмотрел на парня, сильно прищурившись, словно передразнивая, и, развернув свой нож кверху лезвием, произнес:

— Руби!

Кореец замахнулся и ударил своим ножом по центру клинка. Его лезвие оказалось прорубленным на сантиметр. На курбатовском же не осталось и следа зазубрин. Наблюдатели встретили шоу аплодисментами.

Вдохновленный первым успехом, Курбатов дальше орудовал как артист. Он подрезал вокруг головы и плавников шкуру и снял ее вместе с чешуей, словно чулок. Затем начал срезать тонкие кусочки и бросать их в небольшой тазик. Вскоре от рыбины остался лишь хребет. К этому времени Света принесла зелень, овощи, пряности. Саша нарезал огурцы, помидоры, лук и перец. Затем в трехлитровую банку засыпал рыбу и влил две столовые ложки уксусной эссенции. Подняв банку, принялся, пританцовывая, потряхивать содержимое. Через пятнадцать минут оно в уксусе сварилось и побелело. Тогда туда пошли порезанные овощи, много жгучего перца и вместо соли соевый соус. Несколько мгновений повторного перемешивания — и блюдо готово.

Желающие принять участие в дегустации уселись за стол. На нем появились рисовые лепешки и несколько бутылок водки. Водка разливалась по пятидесятиграммовым стаканчикам. Не утруждая себя вставанием, упитанный кореец неопределенного возраста произнес:

— Ну за хе!

Потребление хе также особый ритуал. Выпивается водка. Затем ожидается, пока алкоголь растечется по жилам и слегка отдаст в голову. После можно брать палочками несколько кусочков блюда. Оно острое и обладает настолько непостижимым вкусовым букетом, что весь эффект, произведенный алкоголем, гасится мгновенно. Затем процедура повторяется. Человечеством еще не придумано блюда, более сочетаемого с водкой. О хе говорят, что оно хорошее, если после того, как кончится водка, из-за стола встаешь более трезвым, чем садился. Несмотря на то что русская душа начинала протестовать против бессмысленного перевода такого ценного продукта, как водка, забыть вкус хе было совершенно невозможно. Саша знавал язвенников, которые потребляли это блюдо килограммами.

Курбатов наконец понял, что обрел то, чего так долго искал. Он повернулся к Свете и произнес:

— Не замужем?

— И даже без парня.

— Что так?

— Сказать честно? — развернулась она. — Меня никто не ценил так, как ты. А это оказалось очень важно. У нас европейское воспитание, менталитет, привычки, но где-то в глубине вопят азиатские гены. Женщина создана дарить радость мужчине, и, чем он удовлетвореннее, тем она счастливей. Мы начисто лишены понятия «жить в свое удовольствие». Счастье женщины тем сильней, чем сильней ее ценят и любят.

— Завтра я заеду за тобой на рынок. Во сколько заканчиваешь?

— В восемь, — ответила она, пристально глядя в глаза. — У тебя кто-то есть?

— Нет.

— Приезжай за мной сегодня сюда когда сможешь...

...В состоянии легкого головокружения Курбатов вернулся домой. Как и следовало ожидать, Дашка ни к чему не притронулась. По всей квартире были разбросаны ее вещи. На балконе третий день болтались трусики и лифчики.

Она спала, бесстыдно раскинув ноги. Одежды на ней не было. Простынка лишь слегка прикрывала часть животика. «Как же она красива, когда спит! — залюбовавшись, невольно подумал Курбатов. — Ее необходимо погрузить в летаргический сон и выставить на публичное обозрение».

Внезапно Дашка проснулась. Очарование сняло как рукой. Потянувшись, уставилась в глаза и произнесла:

— У тебя такой зверский взгляд, словно собрался устроить скандал.

— Нет. Просто мне надоело.

— Что надоело?

— Все надоело. Надоели эти разбросанные по всему дому прокладки и трусики, надоел вечный срач на кухне. Я хочу это тело, но оно недоступно! Мы занимаемся любовью, только когда приспичит тебе.

— Ты высказался? Мне тоже надоели твои вечные придирки, твое постоянное занудство, твоя невероятная прожорливость и всеядность. Твоя сексуальная ненасытность. Слушай, тебе надо просто найти дуру и жениться. Поверь, их много таких, которые будут испытывать счастье от мытья посуды и стирки твоих носков. А ты сможешь в любой момент пристраиваться сзади и удовлетворять свою похоть. Неужели, Саша, ты так и не понял? Я не та девушка, которая будет гладить твои носовые платки. Я создана для праздника! Мое призвание — дарить радость. Мне тоже надоел этот бардак, но если ты не способен заработать на домработницу, я для тебя слишком дорогая игрушка. Все, я ухожу.

— Ну и прекрасно. Вещички помочь собрать?

— Нет. Просто подумай, куда ты меня сейчас отвезешь.

— Как это?

— Я теперь девушка бездомная. Ради тебя ушла от обеспеченной жизни. Боже, ради кого я бросила все!

— Ничего, — успокоил ее Курбатов, — девушка с таким талантом быстро найдет достойную замену.

— Конечно, я не пропаду. Но мне необходимо несколько дней где-нибудь перекантоваться. Лучше, если это будет интеллигентный, не лишенный вкуса молодой мужчина.

— Одевайся. У меня есть на примете старая волосатая лесбиянка.

Курбатов побросал вещи Дарьи в автомобиль и повез ее по направлению к дому Поремского.

Оставив девушку внизу, Александр поднялся. Позвонил в дверь. Она приоткрылась.

— А, Саша! — сказал Владимир. — Случилось что?

— Да ничего особенного, — ответил Курбатов. — У тебя кто-нибудь в квартире есть?

— Нет. Один как перст.

— Ну и отлично. Володька, с тебя пузырь. Помнишь свою просьбу? Я тебе ее дарю.

Дверь захлопнулась. Курбатов принялся барабанить. Снова появилась щель.

— Ей всего-то надо переспать пару ночей, — начал объяснять ситуацию Александр. — Не на вокзал же девчонку гнать. Вспомни, как сам приехал в Москву?

— Ну посели у себя, — посоветовал Поремский.

— Ага, когда там уже другая?

— Ладно, веди, но предупреждаю: на две ночи!

Курбатов побежал вниз и вернулся с девушкой. Она подняла глаза.

— Здрасте! — внезапно произнес Поремский.

Дашка нанесла Курбатову удар между ног и бросилась вниз. Поремский выскочил следом. Догнав девицу, Владимир прыгнул. Обхватив ее руками, рухнул на землю. Мгновения ей оказалось достаточно, чтобы впиться зубами ему в нижнюю губу. Несмотря на появившийся солоноватый вкус крови во рту, Поремский объятий не разжимал. Прихрамывая, появился Курбатов. Он замер в недоумении. Повел плечами и удивленно спросил:

— Может, объяснишь, в чем дело?

— Помнишь, я рассказывал о своих приключениях в лесном лагере, когда из меня пытались сделать мишень «Бегущий кабан»? Была там в банде девица-вампир, — объяснил Поремский. — Это она!

— Ах ты, ё..! — Курбатов выматерился.

Владимир отпустил девушку и встал. Дашка откинулась назад, показывая свою беззащитность. Следователи подняли и, удерживая за руки, втащили девицу в дом. Курбатов прихватил из автомобиля наручники. Ее приковали за руку к батарее отопления.

Вдруг Александр сел, снял ботинок и принялся его осматривать. Поманил молча Поремского и указал на тонкий, аккуратный кольцевидный шов. Поремский уловил. Жучок был вмонтирован в подошву. Он снял обувь, выставил на балкон. Затем произнес:

— Ну что, Дашенька? Твои хозяева уже знают, что ты в наших руках? Как они поступают с носителями ценной информации? Два варианта: либо сейчас на крышу вон того дома уже карабкается малолетний снайпер, а тебя мы оставляем напротив окна. Либо мы просто беседуем. Больше червонца не получишь и выйдешь лет через семь еще желанной и помудревшей.

— Лучше умереть молодой и красивой, — прозвучал ответ.

— Она знает, что мы блефуем, — произнес Владимир. — Конечно, мы сделаем все для того, чтобы защитить твою жизнь. Но ты должна знать: мы сделаем все и для того, чтобы защитить жизни других невинных людей. Прости, но это вынужденный шаг. Чего ты боишься больше всего? Старости и уродства?

— Володя, это шанс! — вскрикнул Курбатов. — Таблетки Волобуева!

— Правильно мыслишь! — подтвердил догадку Поремский. — Сейчас я девочке все разъясню! Деточка, профессор Волобуев на вашей совести? Не отвечай, я это знаю. Так вот, он занимался разработками в области новых медицинских препаратов. Одним из них была сыворотка против чрезмерного истощения. Один укольчик — и человек каждый день, практически ничего не съедая, набирает два килограмма. Делается она раз в неделю. И похудеть после практически невозможно.

— Да, вот фотография. — Курбатов сунул ей под нос фото лежащего в коме предполагаемого убийцы профессора. — Приглядись. Этого юношу ты должна знать. Профессор перед смертью успел вколоть вакцину.

— Рыжик... — выдавила изумившаяся Даша.

Поремский тем временем принес табурет. Постелил на него газетку. Поставил баночку со спиртом, ватку. Вскрыл упаковку с одноразовым шприцем, достал иголку. Сделав пропил, вскрыл ампулу с новокаином. Вобрал содержимое и выпустил в пузырек. Тщательно размешал. Втянул обратно в шприц.

— Саня, подержи, — попросил Поремский, — этого достаточно для прибавки десяти килограммов. С твоим ростом вполне нормально. Появятся небольшие галифе, слегка отвиснет задница и раза в два потолстеют руки. Ничего бесчеловечного я не делаю. Моя совесть чиста.

С этими словами он мазнул по руке, смоченной в спирте ватой. Она вдруг забилась и заорала:

— Не смей! Я все расскажу! Уроды!

— Ну давай.

— А сыворотку? — обиженно спросил Курбатов. — Куда?

— Я придумал. Мы поймаем тощего кота на улице и вколем ему. Пусть смотрит!

— Ладно, спрашивай... — сдалась она.

— Тот, узкоглазый, кто он? — задал вопрос Поремский.

— Это Атаман. Он долго жил в Китае. В монастыре. Постигал смысл жизни. Он святой, окруженный нами, грязными грешниками. Он нашел способ управлять людьми. Он станет нашим президентом, и страна поднимется из грязи. Он насквозь видит воров и взяточников. Он абсолютно бескорыстен и объявил священную войну тем, кто мешает нам жить. Он сам выносит приговор и приводит его в исполнение.

— А как же невинные жертвы? — спросил Курбатов.

— Совершенно невинных не бывает. Если человек не способен защитить себя, это его вина. И наказывать за нее необходимо. Люди деградируют, когда перестают испытывать чувство опасности.

— Но ты же женщина, — попытался достучаться до нее Поремский, — должна иметь сердце.

— Ничего никому я не должна. Я просто плохая девочка. Я порочная, жестокая, циничная штучка. Я попробовала все. Я убивала и не испытывала мук совести!

— Что тебе известно по делу Жбановского? — задал вопрос Курбатов.

— Академик изобрел новое античеловечное оружие и должен был умереть.

— А похищенный у убитого чемоданчик где? — спросил Поремский.

— Его передали Маркизу, — ответила Даша.

— Имя у него есть, фамилия, где работает? — подсказал Курбатов.

— Знаю, что где-то около Думы крутится.

— Команда следить за мной от кого поступила? — спросил Курбатов.

— От Атамана, — тяжело вздохнула она, взглянув на Курбатова. — Моей задачей было просто распихать «жучки» и исчезнуть, но ты мне понравился своей ненасытностью!

— «Жучки» где стоят?

— В обуви, галстуке, верхняя пуговица костюма, в телефонной трубке, в мобиле, машине.

— Значит, они все слышат? Атаман знает о твоем положении? — забеспокоился Владимир. — Что предпримут?

— Думаю, постараются вытащить или убрать. А может, вытащить, чтобы убрать.

— Тогда зачем меня в лагерь свой заволокли? — спросил Поремский.

— Тебя узнал один. Ты его в ментовку в Шереметьеве сдал. Я тогда силу почувствовала и запала. А обычно тренировка происходит на социально неполноценных членах общества, бомжах, насильниках, сутенерах, зверье.

— Там что, сплошные малолетки? — вновь спросил Поремский.

— Да. Он находит их на вокзалах и свалках и направляет в эту жестокую жизнь. Многих ничему учить не надо. Они давно прошли все круги ада. Тем более что пробелы закона не позволяют осуждать малолеток. А тому, которого ты взял тогда, — двадцать три. Он уже несколько лет живет не взрослея.

— Как найти Атамана? — задал вопрос, задергивая штору, Поремский.

— Он всегда сам находит того, кто ему нужен. Если я понадоблюсь, он позвонит прямо сейчас.

Раздался звонок мобильного. Курбатов протянул ей телефонную трубку и сел рядом. Она ответила:

— Да, учитель. Да. Я все рассказала. Ты же слышал!

— ... — о чем-то тихо спросил собеседник.

— А это не спрашивали.

Затем раздался громкий голос, который было слышно даже следователям:

— Прощай, моя девочка.

В этот миг в голове Поремского мелькнула догадка. Он бросился вперед, чтобы выбить из руки Дашки телефонный аппарат. Раздался оглушительный взрыв. Его отбросило к стене. Из окон вылетели стекла. Комната утонула в дыму. Первым, тряся головой, на четвереньки встал Курбатов. Из левого уха у него бежала тоненькая струйка крови. Затем приподнялся Поремский. Он мысленно пробежался по своему телу и удовлетворенно отметил, что все цело. Подошел к замершему над сидящей в углу девушкой Курбатову. Владимир сразу все понял. Глаза ее остались широко раскрытыми, но в них уже не было жизни. Вся левая сторона головы представляла собой рваную рану. Поремский опустил ее веки и отстегнул наручники.

## Глава 8
## ДОМ С НАЧИНКОЙ

Фанаты «Спартака» возвращались. В Москве, естественно, «героев» никто цветами не встречал. Не встречали их и просто, без цветов. И даже проходящий по перрону милицейский наряд не посчитал нужным обратить внимание на жалкую кучку истощенных подростков. Помогая не способным на самостоятельное передвижение, они миновали привокзальную площадь и, наняв микроавтобус, покатили в сторону области. Несколько дней беспробудного пьянства во время «гастрольной» поездки сроднили компанию.

Зека открыл глаза. Попытался поднять голову. Не смог. Она была словно налита свинцом. Скосил глаз. Незнакомая обстановка. Ряд железных кроватей. На какой-то миг показалось, что вновь попал в военно-морское училище, где ему пришлось отслужить два года, пока не исключили за систематическое нарушение воинской дисциплины. Рядом постанывал в пластиковом корсете Антон. Мовчан машинально коснулся кармана. «Зажигалка» была на месте. Чуть полегчало. Сбоку шел разговор:

— Вот здесь, в основании черепа, где первый позвонок начинается. Если грамотно ударить, все двигательные центры отказывают. Голова смотрит, моргает, губами шевелит, а сказать ничего не может.

— Почему?

— Я же говорю, все, что ниже, вырубается.

— И что? Ты так делал?

— Несколько раз. Америкоса помнишь, что вели с Арбата?

— Который к профессору грохнутому с Рыжиком приезжал?

— Да. Я подхожу, говорю: «Дяденька, там тетя молодая в канализационный люк упала. На помощь зовет». Он как петух взъерепенился, грудь колесом и за мной. Подвел я его. Костюмчик белый. Он платочек носовой вынул, под коленки постелил. Голову в люк опустил. Я только по черепушке стукнул, он сам и свалился. Чистая работа. Вот только крышку за собой не закрыл. Пришлось немного потрудиться. А ты все в тире по полдня загораешь...

Мовчан снова забылся.

Проснувшись, решил полежать еще, послушать, хотя за короткое время он стал настолько своим, что частенько в пьяном угаре молодые убийцы обсуждали грязные дела, нисколько его не стесняясь. Мовчан уже успел достаточно насобирать информации о банде. Единственным белым пятном оставался мифический Атаман.

Раздался булькающий кашель. Один из находящихся в комнате произнес:

— Может, надо его в больничку?

— Атаман не разрешает. К нему уже доктор приезжал. Два ребра сломаны. Сами срастутся. А там на наркоту посадят, лишнего под глюком болтнуть может.

— Что же он сейчас молчит?

— Так ему чего вкололи? Настоящий кайф! В больнице совсем другое дерьмо.

— Да, — вздохнул невидимый собеседник. — Зеку будут крестить, как думаешь?

— Не. Не станет. Зека пацан правильный. Ходку имел. Атаман закон знает. Зека масть менять не станет. Он ему для другого нужен.

Мовчан полежал еще с полчаса и резко «проснулся». Обвел мутным взглядом обстановку, не узнавая никого. Наконец остановился на столе с выпивкой. Душа и тело давно требовали отдыха, однако надо было держать марку. Он встал. Подошел к столу. Дрожащей рукой взял початую бутылку водки и изобразил свой коронный номер: влил в себя все, что оставалось, не производя глотательных движений. Поставил ее и, резко обернувшись к притихшим свидетелям столь необычного пробуждения, заорал:

— А! Чек! Морда ты прыщавая! Треня! Совратитель малолеток! Вы что здесь делаете? Сомик!

Враз зашумевшие пацаны наперебой бросились вспоминать гастрольную поездку и проделки Зеки. Познакомили его с несколькими пацанами, остававшимися дома. До Зеки плохо доходило. Он, достав зажигалку, закурил, и то с третьей попытки, и вновь попросил рассказать кто есть кто.

Вышел во двор. Огляделся. Большой, огороженный

глухим забором участок. Несколько строений. Посередине стоял запертый на висячий замок домик, вероятно начальства. За ним длинный барак, в котором размещалось нечто напоминавшее казарму.

Во двор въехал черный «лендкрузер». Вышедшего из него мужчину Мовчан узнал по ранее показанному фотороботу, мгновенно. Он прошел, шлепая по-отцовски встречных детишек. Встретился взглядом с закурившим Мовчаном. Затем зашел в барак. Мовчан, докурив сигарету, последовал за ним. Атаман сидел на стуле у кровати Антона.

— Ну как? — спросил Атаман. — Хреново?

— Да фигня. Заживет как на собаке, — прошептал Антон.

— Когда сможешь работать? — спросил Атаман.

— Хоть сейчас, — кисло улыбнулся киллер.

— Нет, — мотнул головой мужчина. — Я спрашиваю, когда по-настоящему вернешься в форму? Ты мне нужен в деле. Потребуется полная физическая выкладка. Эти не потянут.

— Тогда через две-три недели.

— Ничего. Заказ не срочный. Клиент потерпит. Главное — чистота.

На самом деле никакого заказа не было. Просто он решил прощупать своего основного бойца. Прозондировав Антона, понял, что киллер в таком состоянии годится лишь на подставу.

Отошел в угол. Скрестив ноги, сел на циновку. Положил руки ладонями кверху на колени и ушел в медитацию. Подростки свято считали, что он жил долгое время в монастырях Тибета, где впитал всю мудрость Востока. На самом деле его посещение буддийских мест ограничилось пятилетним пребыванием в исправительно-трудовой колонии на юге Бурятии.

Дела в последнее время обстояли неважно. Ребята

работали чисто. Но заказчики подводили. Не выдержав прессинга со стороны напористых следаков, наделали ошибок. Пришлось срочно заметать следы. Нет свидетеля — нет преступления. Он всегда чтил эту формулировку. Но последние сутки подорвали его окончательно. Ему пришлось убрать Дашку. Он понимал, что замены ей не будет никогда. Эту креативную девочку он воспитывал с тринадцати лет и смог вылепить из нее то, чего боялся порой сам. Но где-то ошибся.

Киллера все время было необходимо контролировать и в случае необходимости ликвидировать. Он снабдил всю банду однотипными мобильными телефонами и строго контролировал, чтобы не было в этом самодеятельности. В аппараты были встроены небольшие микрофончики, позволяющие вести прослушку не только разговоров по телефону, но и просто бесед, и заряд пластида с радиоуправляемым детонатором. Когда она сдала его с такой легкостью, он не выдержал и сделал непоправимое.

Впервые он жалел о необдуманном поступке. Оказывается, ей можно было простить все. Даже предательство и измену. Но поздно. Ее больше нет. Он чувствовал, что и значительной части его самого тоже уже нет.

Другой неприятной новостью стал недобитый мент, уничтоживший лучший из лагерей, знавший его в лицо, связанный с прокуратурой, и даже хуже. Он шел по его следу. Он раскрыл Дарью. Теперь Копылов, как загнанный волк, не мог думать ни о чем, кроме своей шкуры. Давно не получал такой дозы адреналина. Наконец встретил достойного противника. Мало того, чуял, что враг доберется, если успеет по времени. Все «жучки», раскиданные помощницей, замолкли. Наверняка провели чистку спецсредствами. Опять же настораживало появление нового лица, Он был в курсе всех «подвигов» Зеки и даже прозондировал, кто же такой Футболист. Впрочем, по его поводу Атаман уже принял решение. И это становилось не важно.

Теперь оставалось одно: необходимо было выиграть время для сбора денег, не вызывающего любопытства со стороны хозяев и заказчиков. Оставалось незаконченным последнее, самое денежное дело. Надо брать Маркиза за жабры.

Резким движением Атаман привел себя в состояние готовности. Встал. Проходя мимо Мовчана, остановился и произнес:

— Футболист?

— Было такое дело.

— Выйди. Есть базар.

Мовчан молча покинул домик. Копылов его еще раз оценил. Легкое, как облачко, сомнение пролетело и растаяло. Время играло на чужой стороне. Выбора не оставалось. Он сел на корточки и тихо спросил:

— На мокруху подпишешься?

— Я не по этому делу, — также садясь, мотнул головой Мовчан.

— Сто штук.

— За десять я найду того, кто это сделает за сорок. Чисто и профессионально.

— Ладно, молодец. Мне импонируют мужики с принципами. А отморозков, готовых на все за пару штук, и так хватает. Поехали со мной. Покажу одно место.

Мовчан уселся на заднее сиденье джипа и со скучающим видом старался фиксировать дорогу. Доехали до деревни Малые Усищи и свернули налево по грунтовке. Она привела к небольшому дачному поселку. Остановились возле одного из домов. Атаман отпер висячий замок на воротах. Позвал жестом Зеку. Тот, покинув просторное заднее сиденье, подошел. Кивнув на здание, Атаман произнес:

— Слава о тебе катит как о пиротехнике.

— Так, баловство, — произнес Мовчан, прикуривая от своей знаменитой «зажигалки».

— В наличии есть четыре толовые шашки и несколько пластиковых емкостей с бензином. Необходимо за день дом заминировать так, чтобы он сгорел до приезда пожарных со всеми документами и компроматом.

— Дело нехитрое.

— Провода от детонаторов выведешь к этой коробочке, — продолжил инструктаж Атаман. — Вот зажимы.

— Сколько? — сонно спросил Мовчан.

— Четыре детонатора.

— Вы человек не бедный. Не притворяйтесь несообразительным.

— Пятьсот, — поняв намек, назначил цену Атаман.

— Два счетчика за конфиденциальность, — стал шантажировать Мовчан, — штука сразу, и желательно крупными купюрами.

Улыбнувшись, Атаман вынул бумажник и отслюнявил пять бледно-зеленых бумажек.

— Остальное, когда сделаешь работу, — произнес шеф. — Я подъеду к девяти. Справишься?

— Не вопрос, — сплюнув, ответил Мовчан. — А как проверять будешь? Рванем?

— Я тебе на слово поверю.

В восемь сорок пять черный «лендкрузер», мягко шурша по щебенке, подкатил и остановился у ворот. Сидевший на лавочке Мовчан тут же подбежал. Извинившись, бесцеремонно открыл заднюю дверь и полез в салон автомобиля. Атаман вышел и терпеливо ожидал. Наконец Зека радостно выматерился и вынырнул с зажигалкой в руке.

— Вот! Дорога как память. Обронил. Еле дождался. Думал с ума сойду.

— Посмотреть можно? — завладел подарком Турецкого Атаман. — Действительно, интересная вещица. Ручная работа! А ведь ты прикуривал у ворот?

— А! Так это я вот этим, — протягивая обыкновенную пластиковую зажигалку, заулыбался Мовчан. — Иногда берегу газ.

Атаман, щелкнув, убедился, что она работоспособна, и вернул хозяину. На самом деле Зека ничего не терял в салоне автомобиля. Ему просто было необходимо просчитать возможные действия хитрого противника. Он получил информацию. Заднее сиденье оказалось теплым. Это могло означать только одно. С ним приехал еще человек. Однако он был выброшен на подъезде. Скорей всего киллер. Мовчан провел Атамана по дому и предъявил работу. Тот остался доволен и немедленно отсчитал недостающую половину. Мовчан произнес:

— Знаешь, мне сейчас необходимо ехать. Тут через лесок деревушка. От нее каждые два часа автобус бегает до Москвы.

Глядя прямо в бесцветные глаза, он молча пожал руку и направился в лесок. Обернувшись, увидел, как Атаман разговаривает по телефону. «Предупрежден, значит, вооружен», — подумал Мовчан. Едва попав в заросли, он приметил дерево с непроглядной кроной и, в секунду вскарабкавшись, притаился над тропинкой. «Сейчас стрелок начнет нервничать. Пускай поволнуется».

Прошло полчаса. Мовчан услышал хруст сломанной ветки. Затем повисла напряженная тишина. Неосмотрительно сделавший ошибку замер, пытаясь обмануть случайного слушателя. Вскоре он увидел совсем юного пацана. Зека знал его как Артурика-дурика. Этот мальчишка, с виду лет тринадцати, вечно лазал по двору со своей рогаткой. Мовчан даже показал ему несколько не ведомых кибернетическому поколению приемов стрельбы из нее.

На этот раз в руках у Артурика была мелкокалиберная винтовка с лазерным прицелом. Когда парнишка проходил под ним, Мовчан прыгнул. Сбив пацана, принялся душить винтовкой. У того от ужаса широко раскрылись глаза. Изо рта стал вылезать язык. Мовчан немного ослабил давление. Пацан стал со свистом втягивать воздух в сдавленную грудь.

— Ну что, Дурик? Решил своего дружка Зеку завалить?

— Мне Атаман приказал, — простонал киллер.

— Ну и что мне с тобой сейчас делать?

— Отпусти, — предложил Артурик. — Я ему скажу, что все сделал.

— А что ты должен сделать?

— Подстрелить тебя. Сделать контрольный выстрел. Забрать штуку баксов и зажигалку. Оттащить с тропинки. Затем позвонить ему и доложить о выполнении. У меня есть деньги. Я тебе вдвое больше заплачу!

Мовчан поднялся, осмотрел винтовку. Поверженного парнишку била дрожь. Наведя на него бегающий красный лучик, Зека спросил:

— Ты думаешь, мне нужны деньги? Я просто считаю, что люди, с которыми сидел за одним столом, жрал водку, откусывал после них колбасу и способные убить просто так, за бабки, жить не должны. Сколько смертей на твоей совести?

— Пять. Я еще не самый пропащий.

Мовчан выстрелил. Пуля прошла возле самого уха. Малолетний киллер заплакал. Мовчан перевел ствол ко второму уху и также нажал на спуск. Затем горячим стволом отодвинул губу и вставил дуло в рот. Пацан конвульсивно задергался. Мовчан убрал ствол. Произнес:

— Звони!

Тот быстро нажал на две кнопки. Выслушал ответ и произнес:

— Все в порядке.

— Почему так долго? — отчетливо нарушили тишину слова.

— Почему? — шепотом переспросил Артурик.

— Понос у меня, — подсказал Мовчан.

— Да пронесло клиента, — бодро повторил в трубку киллер.

— Все, — распорядился Атаман. — Давай на место.

Артурик отключил телефон и спросил:

— А теперь что?

— Теперь? Теперь ты у меня на крючке. Вот это «жучок», а это приемник. Я буду слушать все. А сюда лепим пластид.

Мовчан обмазал пятидесятикопеечную монету жевательной резинкой и, засунув в нагрудный карман Артурика, прилепил ее к рубашке. Для убедительности поднес зажигалку к уху. Покивал головой.

— Взорвется, как только прекратится стук сердца. Так что лучше не снимай рубаху. А деньги?

— Лежат в конвертике в почтовом ящике по адресу: Востряковский проезд, дом 15, квартира 136, две штуки. Это в Бирюлево.

Мовчан проводил Артурика до опушки леса. Отдал тому доллары. Затем, пнув ногой, выбил ком земли. Взяв ее в руку, насыпал в ствол и затвор. После чего попытался выстрелить. Она не действовала.

— Если спросят, скажешь упал. А про зажигалку забыл или не нашел, а лучше — потерял.

После поставил Артурика на краю леса и дал хорошего пинка. Пацан побежал, петляя, как заяц. Он еще не верил, что его так просто отпустили, и ждал выстрела в спину. Подъехавший автомобиль забрал его и скрылся.

Мовчан вернулся к дачному поселку. Он хотел обезвредить бомбу и заодно провести небольшой шмон. Однако за забором бегали два ротвейлера. Вероятно, Атаман держал их у соседей по даче. «Ладно, пусть этим делом займутся профессионалы», — решил Мовчан.

Узнав у женщины, копавшейся в огороде, направление, где можно поймать тачку, побежал по лесной дорожке.

## Глава 9
## НОЧНОЙ КОШМАР

Рюрик, съездив в Тулу еще раз, оставил Анатольичу телефонный аппарат, в память которого был занесен один номер. Для вызова абонента достаточно было дважды нажать на одну кнопку. Другой аппарат с этим номером был передан самому Турецкому. Поначалу возникла идея оставить ее у ответственного дежурного. Но он в часы пик был вынужден одновременно отвечать на несколько звонков, а после, в редкие тихие минуты, какой-нибудь безответственный, вроде Ямпишева, мог и соснуть.

Турецкий, придя домой, заскочил в ванную и, раздевшись, потянулся к крану. Сегодня он позволил себе роскошь: прийти к точно назначенному времени, и Ирина по такому поводу приготовила свинину с грибами. Запах стоял уже на лестничной клетке. Как это всегда бывает, когда пребываешь в постоянном ожидании, звонок раздался совершенно неожиданно и не вовремя. Вместо регулятора воды рука схватила телефонный аппарат.

Тут же в ванной он сделал еще три коротких звонка.

Через минуту полуодетый Турецкий выскочил, так и не помывшись. Чмокнул жену. Схватил со стола кусок мяса и, застегивая рубаху на ходу, побежал вниз.

...Курбатова, вопреки его воле, положили в госпиталь. Ухо практически не слышало. Однако аудиограмма показала, что барабанная перепонка цела и возвращение слуха — дело времени.

Дверь в палату отворилась. На пороге стоял Поремский, сжимая в руке пакет, в котором явственно проступали очертания бутылки водки.

Курбатов молча кивнул. Владимир прошел к столу. Поставил бутылку и вынул два стакана. Быстренько соорудил закуску. Саша открыл бутылку и в один из стаканов налил до краев, а в другой поменьше. Курбатов жестом показал, что надо добавить.

— Хуже не будет?

— Хуже не бывает. Ладно, Дашка, — вздохнул Курбатов. — Спи, дуреха.

Не чокаясь выпили. Посидели несколько минут, думая о своем. Наконец Владимир нарушил молчание:

— Никогда не пойму этого. Пусть стерва, пусть испорченная, но молодые не должны уходить. Понимаешь, она же безумно красива. Как можно красоту убить?

— Я ничего не слышу. Поэтому не обращай внимания, если что скажу невпопад... Она пыталась получить от жизни все и сразу. А так не бывает, — попытался объяснить Александр. — Девочка просто надорвалась. За все приходится платить.

— Ты ее любил? — спросил Поремский, продублировав вопрос на бумаге.

— Пожалуй, да.

— Знаешь, Саш, я выполнил твою просьбу. Съездил, куда ты просил. Света всем окружающим твердила, что ты приедешь и заберешь ее. Она ждала до утра. Затем собралась и исчезла...

Поремский протянул Курбатову заранее написанную записку с тем, что произнес. Александр задумчиво сел на кровать. История вновь повторялась. Тогда, на

Сахалине, он ее также потерял, не успев вовремя в ЗАГС из-за непредвиденных обстоятельств.

Внезапно у Владимира зазвонил телефон. Он выслушал два слова и вскочил. Махнув рукой больному, побежал к входной двери.

Предоставлялся предпоследний шанс. Группа захвата, выделенная начальником МУРа Грязновым, уже через полчаса после сигнала летела в сторону Тулы. Сквозь неимоверный грохот и вибрацию Ми-8, меняющую голос до неузнаваемости, Александр Борисович Турецкий ставил задачу. Бойцы, проникшись высоким рангом руководителя операции, внимательно слушали. Слева от Турецкого находился Поремский, справа — Гоша.

Этот бывший подводный диверсант оказался не нужен при разделе наследия Советского Союза ни российскому флоту, ни украинскому. Его уникальное подразделение просто ликвидировали. Парень немного помыкался в качестве цепного пса криминальных структур Крыма и, не найдя себя, отправился в Москву.

Знакомый оперативник привел Гошу к самому Грязнову. Поначалу разговор не клеился. Спеназовец поднял со стола металлическую авторучку «паркер», подарок Турецкого. Тот вечно из Германии привозил несколько десятков ручек и раздаривал налево-направо. Немного поигрался, определяя центр тяжести, и вдруг почти незаметно метнул. Ручка вошла прямо в глаз бывшего президента. Этот портрет оставался на стене еще с незапамятных времен. Въехав в кабинет, Грязнов собирался сменить, однако руки до такой мелочи не доходили. И вот теперь у него из глаза торчал «паркер».

— За Крым, — как бы оправдываясь, произнес немного покрасневший Гоша.

Грязнов покинул свое место, подошел поближе и, встав на стул, проверил, насколько сильно там засел снаряд. Вернулся и протянул еще одну ручку. Гоша ее взял и тут же, не прицеливаясь и не взвешивая, вогнал во второй глаз. Грязнов был в полнейшем восторге. Однако недовольный метатель, оправдываясь, произнес:

— Вторая кривовато вошла. Наверное, в ней паста исписана больше чем наполовину.

Сняв портрет, начальник МУРа в этом убедился сам. Гоше немедленно сделали российское гражданство, и теперь он был одной из легенд московского ОМОНа.

Буквально через неделю Грязнов похвастался самородком перед Турецким. С тех пор парень уже принимал участие в нескольких операциях и равных ему не было. «На что же он способен под водой?» — иногда задавал вопрос Александр Борисович, любуясь работой на земле.

Атаман чувствовал опасность. Она как бы раскрывала его внутренние резервы. Тогда, на зоне, когда пришел на него «заказ» от родственника несчастной жертвы, внешне ничего не случилось, но атмосфера неожиданно сгустилась. Он почувствовал. Не спал три ночи, выжидая наемного убийцу, и дождался.

Сейчас тучи вновь сгущались. Игра со смертью завораживала. Ждать удара приходилось как со стороны друзей, так и врагов. Он шел по самому краю пропасти и поэтому находился в состоянии постоянной готовности.

Атаман позвонил Маркизу и предложил немедленно съездить к умельцу в Тулу. Что делать с выкраденным опытным образцом оружия, никто не знал. Опера добрались до изобретателя раньше, следовательно, они могли опередить и здесь. Маркиз счел аргументы убедительными. Сев в автомобиль, они помчались в Тулу.

Атаман чутко следил за действиями Анатольича, однако тот не проявлял беспокойства. Увидев чертежи, обо всем забыл и погрузился в бумаги. Маркиз, развалившись в кресле, безучастно наблюдал. Он понимал, что от него ничего не зависит. Его выход — в финальной сцене, когда надо будет готовить мешок для денег.

— Интересно... Интересно... — обрадовался мастер. — А знаете, что вы мне привезли?

— Ну? — буркнул Атаман.

— Игрушечную стартовую площадку. Космодром Плесецк в миниатюре. Смотрите. Вот сюда вставляется ракета. Здесь стартовый заряд. Знаешь, чем он отличается от Байконура? — обратился, перейдя на «ты», к Атаману мастер. — Полигон северный, для разгона ракеты требуется дополнительный импульс. Потому старты и оборудуются такими ускорителями. Легче всего с экватора отрываться. Но даже на Байконуре такого не требуется.

Атаман удовлетворенно хмыкнул. Он уже показывал чертежи «специалистам». Однако кроме невнятного бормотания, ничего не получал. Здесь же человек с ходу разобрался в проблеме. Копылов уже принял решение. Сейчас умелец соберет необходимый инструмент, остальное докупим, и, попрощавшись с женой, сядет в автомобиль. Далее Левша будет помещен в мастерскую и станет с подмастерьями ковать образец. Домой он, скорей всего, не вернется никогда.

— Чтобы собрать такое ружье, мне надо три дня. А вот как научить его стрелять? — пробормотал мастер, рассматривая чертежи. — У вас пуля-то есть?

Маркиз безучастно молчал. Атаман выскользнул за дверь и вернулся с завернутым в покрывало полутораметровым свертком. Поставил на стол и развернул.

Анатольич присвистнул. Это был выкраденный из института опытный образец. Затем Атаман сунул руку в карман и высыпал горсть патронов. Умелец взял один из них. Долго рассматривал под тридцатидвухкратной линзой и опять ушел в чертежи.

— Скажите, а устройства для программирования не было? — спросил мастер и, прочтя недоумение на лицах заказчиков, пояснил: — Вот, на чертеже коробочка с отверстием для пули, а с другой стороны «юэсбишный» порт.

Маркиз отрицательно покачал головой. Атаман, вынув лазерный диск, обнаруженный в похищенном чемоданчике, протянул его Анатольичу. Мастер включил компьютер. Вставил диск в считывающее устройство. Проглядел и начал пояснять:

— Денек-два мне нужно, чтобы разобраться с программой. Наверное, паренька одного придется привлечь. Программка примитивная, но без грамотного системщика не разберусь. Ему двести долларов надо будет заплатить.

Маркиз с готовностью кивнул и впервые открыл рот:

— Во сколько вы оцениваете свою работу?

— Тысячу долларов, я думаю, потянете? — неуверенно спросил мастер, выдавая готовность работать и за меньшие деньги.

Атаману даже показалось, что, пригрози он сейчас забрать игрушку, умелец согласится и за бесплатно. Но, определив заранее судьбу человека, Копылов произнес:

— Вот аванс, тысяча. Остальные четыре получите после положительных результатов испытаний. Вам будет предоставлена мастерская, помощники, любой инструмент и материал. Ехать надо немедленно.

Глаза мастера загорелись, и он начал сборы. Атаман подошел к окну. Внезапно по телу прошла тепловая волна. Удушьем сдавило горло.

— Пойду покурю, — произнес он, обращаясь к Маркизу, и вышел на крылечко.

Дверь оказалась незапертой. «Живут себе в своем дворе. Могут расслабиться», — досадливо подумал человек, обрекший себя на жизнь волка. Насторожило то, что он сам не проконтролировал дверь. Подошел к водителю и, закурив, спросил:

— Как? Все спокойно?

— Да. Тишина, как в деревне.

Атаман напряженно вслушался в ночные звуки. Действительно, частный сектор — та же деревня. Без умолку стрекотали сверчки и еще какие-то насекомые. Изредка перегавкивались собаки, орали повздорившие коты, иногда врывался скрип тормозов. Неожиданно на дальнем конце улицы залаяли собаки. У Атамана начали нервно раздуваться ноздри. Собаки утихли и вновь забрехали, но теперь ближе.

Атаман лениво подошел к калитке. Обернулся и произнес:

— Пойду прогуляюсь...

Вертолет сел на ближайшую к району операции площадку. Ею оказался плац войсковой части. Там уже поджидал микроавтобус. Прошло чуть больше часа со времени звонка, а дом тульского мастера был полностью блокирован.

Анатольич оказался грамотным помощником. Окна были плотно зашторены. Но, благодаря хорошему освещению и полупрозрачному материалу, прекрасно просматривалась внутренняя обстановка. Припаркованный «БМВ» седьмой серии красноречиво говорил о высоком статусе гостя. Обычно на таких авто, как и на шестисотых «мерседесах», сами владельцы не ездят. У них хватает средств на персонального водителя. Турецкий невысоко поднял руку. Все замерли. Действительно, через несколько минут появился довольный, словно только что получил облегчение, здоровяк.

Короткий жест руководителя операции, и, едва амбал отключил сигнализацию автомобиля, из темноты метнулась тень, сбившая его с невероятной силой. По стилю работы Турецкий узнал Гошу. Прошло не более двух секунд, а водитель, по совместительству личный телохранитель и слуга, уже лежал с кляпом во рту, наручниками на руках и без пуговиц на брюках. Все черные пояса и мастерские разряды ничего не значили, когда попадался профессионал, не задумывавшийся о спортивных регалиях.

Скользнув вдоль стены, спецназовец легонько толкнул дверь. Она бесшумно открылась. Петли были предварительно обильно смазаны. Щели между половицами, пропитанные льняным маслом, не скрипели. План дома и свой маршрут каждый заучил еще в полете. Следом за первым в помещение проникли все остальные.

Появление людей в комуфляжной форме с автоматами для позднего гостя стало полнейшей неожиданностью. Он упал на пол и попытался произнести несколько фраз. Но они смешались в голове, и мужчина выдал тираду:

— Я обладаю статусом: отвечать на вопросы адвоката, в присутствии ордера на арест. А что? Нельзя к другу на чай? Права не имеете!

Турецкий подошел. Жестом приказал, чтобы подозреваемого посадили в кресло-качалку. Перебрал извлеченные из карманов и барсетки корочки, из которых следовало, что раскачивавшийся перед ним бледный мужчина не кто иной, как помощник депутата Государственной думы Маркизов Антон Тельманович. Он же представитель фармацевтической компании «Баяр». Здесь же было разрешение на хранение и перевозку наркотических лекарственных средств и ядов, удостоверения сотрудника Фонда содействия МВД, корреспондента одного из центральных телевизионных каналов, сопредседатель Роскомспорта. Несколько удостоверений Турецкий даже не стал рассматривать.

— И это один человек? — воскликнул пораженный спецназовец.

Александр Борисович подошел к чертежам. Взял лист и расправил. Это были они. Покойный академик обладал абсолютно нечитаемым, но зато легко узнаваемым почерком.

— Ну что? — спросил Турецкий. — Остается выяснить: заказчик или исполнитель? Сроки разные. Вообще, пожизненное заключение на Соловецких островах дерьмо то еще. Все, поехали. Обдумайте свое поведение.

Несмотря на предупреждение, Маркизов молчал. Однако, когда автомобиль затормозил и его вывели на свежий воздух, ноги вдруг стали подкашиваться и заплетаться. Антон Тельманович увидел вертолет.

Маркизов так и не смог преодолеть своего страха перед полетами, и это сильно помешало карьерному взлету. Он не понимал людей, летающих самолетами, которые каждый день терпят катастрофы. А вертолетчиков иначе как игроками в «Русскую рулетку» не называл.

— Александр Борисович, — произнес один из омоновцев, — похоже, ему удалось чем-то травануться!

— Перестань, — объяснил Поремский, — это обыкновенная боязнь высоты. Правильно, господин Маркиз?

— Везите меня на моем автомобиле! Это быстро и безопасно! — забился в истерике Маркизов.

Турецкий переглянулся с Поремским. Не доходя до вертолета нескольких метров, Владимир остановился и произнес:

— Александр Борисович, у него же нет индивидуального маячка!

— Ну и хрен с ним. Ты что? Падать собираешься? — махнул рукой Турецкий.

— Нет, конечно. Если бы собирался, было бы все равно. А так не могу. Буду вынужден доложить начальству.

— Ну и что с ним делать? — развернувшись, пошел на Поремского начальник. — Везти на автомобиле?

— Кажется, придумал, — ответил Владимир, отбегая.

Внимательно следивший за разговором Маркиз застыл, как гончая, в ожидании. Появившийся Поремский приволок широкий белый брезентовый ремень. Написал фломастером: «Маркизов Антон Тельманович». Затем затянул его вокруг талии и пояснил:

— Если рухнем, его по поясу опознают.

Маркизову стало плохо. Задергавшись, он предпринял отчаянную попытку сопротивления, однако его, сильно не церемонясь, затолкнули в чрево металлоконструкции с медленно вращающимися винтами. Послышался вой набиравшего обороты двигателя. Аппарат завибрировал и мягко взмыл. Спецназовцы тут же достали бутылки с водкой, и воздух в салоне наполнился мерзким запахом рыбных консервов.

Маркизов, посаженный у дверей, был на грани нервного припадка. Поремский, поговорив с Гошей, встал, подошел к двери и распахнул ее. В салон ворвалась грохочущая ночь. Встав у края, Владимир закурил, стряхивая пепел в открытый люк, словно находился на балконе многоэтажки. Сидевшие невольно обернулись к черному провалу. Турецкий кивнул Гоше. Тот подкатился к пленнику и, произведя неуловимое движение, выбросил его в дверной проем...

Однако в последний момент успел схватить за брезентовый ремень, которым тот был обвязан вокруг талии. Казалось, небольшой поворот, легкая воздушная яма или неосторожное движение руки, и он полетит вниз. Антон Тельманович попытался закричать, но, к своему ужасу, обнаружил, что не способен и на это. Изо рта вырывалось только невнятное шипение.

Немного подержав, Гоша втащил его обратно. Поремский невозмутимо докурил и выстрелил бычком. Красная искра, описав дугу, растаяла. Владимир закрыл дверь.

— Хорошо успел! — прокричал в ухо Маркиза спаситель. — Ты уж будь в следующий раз поаккуратней.

— Зря ты рисковал своей драгоценной жизнью, Гоша, — произнес Турецкий, отхлебнув полстакана водки и, не закусывая, протянул остатки арестованному. — Это бесполезный кусок дерьма. А знаешь, как с дерьмом поступают в полете?

Маркиз, судорожно вцепившись в стакан, преодолевая спазмы, сделал несколько мелких обжигающих глотков. Его никто ни о чем не спрашивал. Впрочем, сейчас это было бы преждевременным. Помощник депутата потерял способность соображать. Находясь в компании страшных маньяков, которые думали лишь о своем развлечении, он затравленно озирался.

Далее его взору предстала еще более ужасающее зрелище. Кабина пилота распахнулась. Из нее вывалился в доску пьяный летчик. За штурвалом никого не осталось. Но это его сильно не беспокоило. Подойдя к веселой компании, схватился за бутылку и существенно уменьшил ее содержимое. Затем, оглядев мутными глазами салон, произнес заплетающимся языком:

— Кто порулить хочет?

— Я! — вскочил Гоша.

— Нет! — запротестовал Турецкий. — Без меня. Я жить хочу.

Затем Александр Борисович, обращаясь к спецназовцам, объяснил:

— В прошлый раз брюхо вертушки распорол вершиной горы. Мы и уцелели, потому что просто на нее всех вытряхнуло. А машина через несколько секунд взорвалась и в пропасть рухнула... Вот того, спящего, разбуди.

Пилот пинком поднял с пола спящего крепкого мужчину, по лицу которого можно было понять, что ничего интеллектуальнее «Экспресс-газеты» он не читал. Несмотря на попытки возмущения, загнал его в кабину. Сам же лег и немедленно уснул.

Смену пилота Маркиз почувствовал немедленно. Аппарат бросало в бесконечные ямы, крутило и швыряло из стороны в сторону. Не раз люди буквально скатывались в одну из сторон. Однако, не обращая внимания на такую мелочь, продолжали пьянствовать. «Господи, сколько еще терпеть этот ад? Скорей бы добраться до какой-нибудь власти, в следственный изолятор, куда угодно. Связи, деньги, адвокаты сделают свое дело. А быть может, у них другие планы?» — прокручивал мысли Маркиз.

Высокий блондин встал и вынул сигареты. Маркиза, следящего за его действиями, начала бить крупная дрожь. Поремский вновь распахнул дверь. Пленник вцепился в сиденье. Но невероятная сила вырвала его вновь и бросила к зияющему отверстию. Только теперь он лежал на полу у самого прохода. На нем расположился комок каменных мышц.

Под воздействием вибрации голова Антона Тельмановича все больше и больше высовывалась в казавшееся безвоздушным пространство. И теперь при взгляде в бесконечную тьму все его земные страхи и проблемы приобрели такие мелочные размеры, что стала очевидной их нелепость. Стараясь перекричать грохот собственного сердца, звучавший в ушах сильней рева ужасающей машины, этого исчадия ада, созданного для массового самоубийства, он закричал:

— Карп!

Турецкий тут же подсунул ему под нос диктофон. Помощник генерального прокурора конечно же понимал, что потом этот опытный игрок побеседует с продажными адвокатами, своими хозяевами и откажется от показаний, данных в таких условиях. Да и никакой суд их во внимание не примет. Однако на данном этапе важна была сама информация. И несчастный пленник, находясь в полуобморочном состоянии, не осознавая, что делает, обдуваемый ледяным ветром, начал колоться:

— Карпинский Алексей Николаевич, Карп, он расправляется с конкурентами. Его люди уже везде. Он держит пол-Москвы. Он давал деньги и заказы. А я только передавал Атаману за небольшой процент. Карп сам хотел работать с ним напрямую, но Атаман отказывался. Он очень осторожен. Карпинский расстраивался, когда в работе киллера проскакивал брак. Он узнал о новой разработке Жбановского. Пуля сама находила цель. Моей задачей было войти в контакт с окружением академика. Оказалось, его ненавидят два человека: племянник и заместитель. Обработать их не составило труда. Тур оказался наркоманом, а профессор трусом и завистником. Они сами не поняли, как завязли. По замыслу, Тур должен был раскаяться в письме и повеситься. Однако исчез. Мы не предполагали, что они знакомы да еще и педики. Когда Тур пропал, начали его искать и наделали ошибок...

Турецкий дал команду затаскивать. Маркиз свернулся на полу калачиком. Время от времени он всхлипывал. Спецназовцы внезапно протрезвели. А сидевший за штурвалом наконец освоился и уверенно повел машину к месту посадки.

## Глава 10
## ЖЕРТВОПРИНОШЕНИЕ

Пространство наполнилось шумом пролетающих автомобилей. Лес закончился. Тропинка привела к трассе. Выбежав на дорогу, Мовчан вытянул руку. Ждать пришлось недолго. Затормозили основательно проржавленные «Жигули» с областным номером.

— Тебе куда? — спросил водитель.

— В Москву.

— А в Москве куда конкретно?

— Центр. Большая Никитская. Знаешь?

— И сколько платишь? — вновь спросил автовладелец.

— Двести рублей хватит?

— Двести? Хватит. Только я тебя в Москву не повезу. Боюсь. Я на Кольцевой выброшу.

— Ладно, — произнес Мовчан, влезая в автомобиль. — У тебя мобильник есть?

— Ну... — протянул водитель, задумавшись над ответом.

— Слушай, брателло, если есть, то тебе сильно повезло. Еще заработаешь. Вот сверху стольник плачу. Буквально два слова.

— Да, есть, — наконец решил водитель, доставая огромную раритетную трубку.

— Ого! — воскликнул удивленный Мовчан. — Ты его не в телефонной будке выломал? У тебя что? Би Лайн?

— Эмтээс, — обиженно буркнул водитель.

— Ну и отлично. Я на эмтээс позвоню, — соврал Футболист.

Единственный номер, который он помнил, был домашний Поремского. Остальные хранились в мобильном, аккумуляторы которого благополучно сдохли. Он набрал цифры, молясь, чтобы тот оказался дома.

— Да, слушаю, — ответил знакомый голос.

— Это я. Через час буду на шоссе Энтузиастов, перед Кольцевой со стороны Балашихи. Встречай... Спасибо, выручил очень сильно, — произнес Мовчан, возвращая аппарат.

Подъехав к месту встречи, он издалека увидел соломенную голову Владимира. Расплатившись с частником, Мовчан сел в служебную «Волгу».

— Сколько ты ему дал? — усмехнувшись, спросил Поремский, наблюдавший бурную сцену расставания Мовчана с водителем.

— Сто пятьдесят.

— А договаривался?

— За триста.

— Мовчан, ты бесчестный человек! — воскликнул Поремский.

— Да, — кивнул головой друг, — если бы ты знал, сколько раз мне это говорили женщины!

Прибыв к зданию прокуратуры, Поремский с Мовчаном поднялись в кабинет Турецкого. По пути Мовчан спросил:

— Ты перенес домашний телефон на службу?

— Нет. Есть очень удобная вещь. Небольшое устройство переадресует все звонки на мой мобильный, — ответил Поремский.

— Кстати, чтоб не забыть! — воскликнул Мовчан. — У меня аккумуляторы сдохли. Надо на подзарядку поставить.

Зашли в кабинет Турецкого. Александр Борисович поздоровался с Мовчаном и, кивнув в сторону компьютера, спросил Поремского:

— Володя, сам владеешь? Или пригласить местного хакера?

— Да что там? — махнул рукой Владимир. — Пустяки.

Взяв «зажигалку», он подковырнул заднюю крышку. За ней оказался разъем. Поремский, выдвинув системный блок из-под стола, вставил в его порт устройство. Затем включил компьютер и, введя пароль, скачал всю информацию. После начался просмотр с комментариями.

Поремский без особого труда узнал почти все лица.

— А вот и Атаман! — воскликнул Владимир. — Смотри, Борисыч. Фото сделано вчера вечером, в двадцать сорок пять. А сегодня ночью в ноль пятнадцать он ушел от нас в Туле. Шустрый малый. Сейчас послушаем, о чем он говорит.

Узнав о минировании дома, Турецкий встал. Отошел к окну, проведя рукой по лбу, помассировал вокруг глаз.

— Знаете, мне приходилось встречать множество людей, которые сами не знают, что и зачем они делают. Дачу начнет строить, а она ему на хрен не нужна. Но денег наворовал, вот и вкладывает. Или там, ни разу в руках охотничьего ружья не держал, а дома, на всякий случай, для самообороны, целый арсенал: армию небольшого государства вооружить можно. Так вот, этот товарищ производит впечатление человека, не делающего ничего просто так. Как думаешь, если сейчас осторожно нагрянуть и устроить засаду? Уйдет?

— Обязательно. У него чутье. Такого можно взять, лишь отбив у него нюх, — подтвердил Мовчан.

— Знаю я одно место, где происходит полнейшая атрофия всех навыков выживания, — усмехнулся Турецкий. — Западная Европа называется.

В этот момент зазвонил поставленный на подзарядку телефон Мовчана. Он бросился к аппарату. На дисплее высветилось имя: «Юлька».

— Алло! — ответил Мовчан, несмотря на то что Поремский пытался знаками показать, что Зека уже на том свете. — Привет, Юлька! Че звонишь?

— Просто поболтать. Я тут одна. Скучно.

— А где все? — задал вопрос Мовчан.

— Пока в лесок бегала, собрались в доме. Заперлись. Что-то обсуждают. Я об ворота все кулаки избила.

— Атаман с ними?

— Конечно.

Внезапно Турецкий, разглядывавший картинку на мониторе, вырвал аппарат и спросил:

— Дом с голубой крышей?

— Да, — испугалась она. — Ой, а кто это?

— Это я. Просто конфету за щеку засунул, — произнес Мовчан, производя несколько чавкающих звуков. — Слушай, девочка. Дом заминирован. Я сам его набивал взрывчаткой. Взлетит на воздух в любую секунду. Беги в лес. Глубоко не забредай. Я там тебя через час подберу.

Юлька Зеке верила. Она побежала в сторону зарослей. Неожиданно остановилась, повернулась, приблизилась к ограде и полезла через забор. Подойдя в дому, попыталась открыть дверь. Тщетно. Тогда девочка зашла на веранду и табуретом расколотила окно. Влезла. Осторожно прокралась по коридору. Внезапно услышала шаги. Она побежала назад, дергая за ручки все попадавшиеся двери. Внезапно одна поддалась. Юлька заскочила и огляделась. Это был кабинет Атамана. Стол с переносным компьютером, пара стульев, вешалка, диван. На нем лежало нечто накрытое простыней. В спартанской обстановке было только одно место для игры в «прятки». Юлька сдернула покрывало и прикусила ладонь, чтобы не заорать. Перед ней лежал мертвец. Причем это был труп Атамана. В дверь вставили ключ. Худенькая тринадцатилетняя девочка нырнула под покрывало и прижалась к ледяному твердому телу.

Вошли двое. Они приблизились к столу. Послышался «пик» и затем звук запускаемого компьютера. Голос, принадлежавший уже остывшему Атаману, произнес:

— Все. Я окончательно определился. Хоть мне и не особо нравится, но выбираю это.

— Поверьте, это совсем неплохое лицо. Фотографию сделаем в день отлета. Отек будет менять внешность каждый день. Когда стабилизируетесь, наш человек вылетит для оформления окончательного варианта документов.

Атаман передал неизвестному нечто и, попрощавшись, вышел. Юлька в ужасе вылезла. Дверь оказалась запертой. Она бросилась к столу в надежде найти скрепку. Выдвинула верхний ящик. Там лежала связка ключей. Девочка, схватив их, с третьей попытки подобрала ключ и открыла замок.

Поднялась на второй этаж. Услышав голоса, приблизилась к комнате, где сидели ее друзья. Ворвалась.

Живой Атаман сидел на циновке. Перед ним, в шахматном порядке, расположились подростки. Повисла напряженная тишина. Юлька знала, что делать. Сейчас она своим громким голосом устроит панику. Девочка открыла рот, для того чтобы крикнуть: «Менты, облава!» — но, напоровшись на цепкий взгляд ожившего зомби, не смогла выдавить ни звука. Ей словно перекрыли дыхание. Тогда она подбежала и, сильно пнув Треню, бросилась наутек. Треня вскочил. Но властный голос вернул его на место.

Юлька бежала по тропинке к зарослям, размазывая слезы по щекам. Она ничего не понимала. Добежав до ближайших кустов, упала в них. Ничего не происходило. Понемногу она начала успокаиваться. Самым страшным теперь казалась обида на дружка. Вдруг она увидела, как из ворот выезжает черный джип. Автомобиль, далеко разбрасывая колесами огромные куски грязи, понесся по полю к лесу.

Остановился на краю. Из него выскочил Атаман и побежал по тропинке в глубь леса. Затем вернулся. Прошел вдоль опушки. Замер, вглядываясь в кусты, за которыми пряталась Юлька, пытаясь зажмурить выдававшие ее глаза. Атаман направился прямо к ней. Однако, не доходя буквально трех метров, остановился и присел перед красивым красным мухомором. Аккуратно выкрутил его из земли. И, обращаясь к лесу, позвал тихим, нежным голосом убийцы:

— Юлечка! Где ты, девочка? Иди сюда. Добрый дядя тебе красивый грибок покажет.

Юлька впала в полуобморочное состояние. Ей захотелось встать и идти на голос.

Атаман, взглянув на часы, махнул рукой и бросился к джипу. Повернул замок зажигания. Когда двигатель взвыл, Юлькин телефон разразился длинной трелью. Мужчина выскочил и прислушался. В отчаянье Юлька швырнула аппарат в сторону. Он зазвонил еще раз. Атаман ломанулся на звук. Подобрал трубку. Нажал на ответ и, приложив к уху, замер.

Голос Зеки из загробного мира предупреждал, что через пять минут он будет на месте. Атаман понял, что он будет не один, а с группой захвата. Значит, все дороги блокированы.

Вышвырнул аппарат. Сел в автомобиль и тронулся с места. Через секунду выпрыгнул. Джип с включенным «круиз-контролем» медленно поехал вдоль поля. Атаман прислонился к дереву. Внезапно что-то вспомнив, бросился вдогонку. Вскочил. Вновь покинул автомобиль с чемоданчиком. Побежал, спотыкаясь и падая, к лесу. К дому уже подъезжали пожарные и милицейские автомобили. Рассыпались по округе муравьями омоновцы.

Атаман, спрятавшись за деревом, не мог оторваться от зрелища. Он уставился на секундную стрелку. «Почему они медлят? Не идут на штурм? Какой красивый финал может получиться у этой истории». Ведь труп его двойника с копией фирменного кольца, знакомого

Маркизу, и документами уже лежит в одной из комнат. Внезапно раздался страшнейший взрыв. Затем все заполыхало. Атаман вздрогнул. Ему показалось, он услышал сквозь грохот детский крик. Но времени не осталось совсем. Он бросился по тропинке.

К полыхающим развалинам подлетело несколько пожарных автомобилей. Остатки дома заливались белой пеной.

Юлька, всхлипывая, лежала на траве. Вдруг на ее плечо легла рука. Сердце замерло. Она перевернулась и увидела родное лицо Зеки. На его глазах также были слезы. Он прижал к груди девочку, и она зарыдала.

— Я не смогла. Я хотела предупредить. Но не смогла. У меня пропал голос! И они погибли! Все погибли. Трени больше нет!

— Ничего, ничего. Все кончилось, — произнес Мовчан. — Им уже хорошо.

— А он побежал туда, — махнула рукой Юлька.

— Кто? — встрепенулся Мовчан. — Атаман?

— Да.

К ним бежал Поремский. Мовчан жестом попросил того ускориться. Затем обратился к девочке:

— Иди туда, к микроавтобусу. Расскажешь все, что знаешь. А мы должны поохотиться за этим зверем.

Сказав, подтолкнул девочку и, как в былые курсантские годы, вместе с Владимиром помчался по тропинке. Мовчан, как всегда, был сильнее. Он успевал отбегать, прочесывая местность, влево-вправо, иногда перекидываясь несколькими словами с другом.

— Блин, понимаю, что отморозки, убийцы, ублюдки. А когда поживешь в тесном общении, оказывается, качества человеческие есть у каждого. И сдавать вроде как подло, и сейчас ощущение, словно друзья погибли.

— Знаешь, может, для всех и лучше, что так случилось?

— Знаю. Но этого надо достать.

Однако хитрый враг вновь успел улизнуть. Рассчитывая время взрыва, он предусмотрел практически все. За последние десять минут от платформы отошли три электрички: Две в сторону Москвы и одна в обратном направлении. Объявленный план «Перехват» по железнодорожным станциям результата не дал.

## Глава 11
## ПОСЛЕДНЯЯ ИГРА

Турецкий водил авторучкой по бумажному листу. Круги с буквами внутри обозначали конкретных людей, улики, события. Прямые линии — связи. Одного кружка не хватало.

Раньше он считал себя абсолютно нечестолюбивым. Оказалось, это было потому, что противники попадались слабей. Сейчас же он понял, насколько для него важно взять Атамана. Рядом сидели Курбатов и Поремский. Курбатов порывался начинать доклад, но Турецкий его останавливал. С минуты на минуту должен был появиться Рюрик с материалами дактилоскопии.

Из показаний чудом спасшейся девчонки ничего обнадеживающего не следовало. По всей видимости, Атаман сейчас делает пластическую операцию в подпольной клинике. Два-три дня — и исчезнет из страны. За что ухватиться?

Вошел Елагин. Положил папку на стол и произнес:

— Александр Борисович, есть некоторые результаты. Тот непонятный снимок расшифровали. Это Атаман, когда опробовал зажигалку, непроизвольно сделал снимок своих пальчиков. Это действительно Копылов Сергей Иванович, судимый за убийство по найму. После семи лет отсидки досрочно освобожден как активист партии «Демократический выбор». В девяносто восьмом году умер от туберкулеза в городе Темертау, Башкирия. Кремирован, урна из могилы исчезла. По анализу микрочастиц с руля автомобиля удалось выяснить, почему он нигде не оставлял своих отпечатков. Подушечки пальцев регулярно обрабатывались дакентороном, новым полимером, позволяющим коже дышать. А вот для сравнения его фотографии.

— Совсем другое лицо, — произнес Поремский. — А что говорят криминалисты и патологоанатомы?

— Один человек, — улыбнулся Рюрик, словно ему это было очевидно. — Правда, проведена операция по смене не только внешности, предпринята не совсем удачная попытка сделать из него монголоида.

— Все? — спросил Турецкий. — Давай, Саша.

— Значит, так. Сколько патронов вы изъяли при аресте Атамана? — спросил Курбатов, обращаясь к Турецкому.

— Пять.

— А похищено вместе с образцом было десять. Далее, компьютерный диск, изъятый вами, также не оригинален. Это копия. Вдобавок ко всему, чертежи подвергались ксерокопированию. — Курбатов оглядел присутствующих. — Значит, будет предпринята попытка вывезти материалы и образцы. А теперь главное. На этой партии патронов проводилось испытание электромагнитной системы наведения. Объект облучался определенной частотой и начинал, в свою очередь, сам генерировать, но уже с другой длиной волны. Ладно, не буду загружать ваши гуманитарные головы основами физики магнитоядерного резонанса. Если пулю облучить частотой пятьсот мегагерц, это чуть больше частоты первого телевизионного канала, то она станет сама источником сигнала в шестьсот пятьдесят мегагерц. Причем настолько сильного, что его без труда можно будет уловить на расстоянии в десять метров.

— Сколько времени потребуется на создание подобной установки обнаружения? — спросил Турецкий.

— Степанов, по моему заданию, уже изготовил пятнадцать штук. Еще десять будут сегодня к вечеру. Устройство портативное. Не больше фонарика. Теперь ваш ход.

— Так, давай прикинем, сколько надо. Аэропорты, вокзалы, все выезды из Москвы. Будем сканировать...

Копылов Сергей Иванович по прозвищу Атаман во время быстрой, щадящей операции по смене внешности проиграл все варианты исчезновения из Москвы. Наиболее безопасный способ — наем частника до Рязани, Тулы, Калуги... Затем самолетом или поездом куда-нибудь подальше. Но когда поднялся с операционного стола и подошел к зеркалу, понял, что просто внаглую полетит в Европу из Шереметьева-2. Узнать в кудрявом, светловолосом и голубоглазом прибалте прежнего китайца было невозможно.

Пока он разглядывал себя в зеркало, вошел генеральный директор частного медицинского центра Кушман Роберт Гаррикович и стал позади.

Центр занимал первый этаж элитного дома, принадлежащего управляющему делами Президента Российской Федерации. В то время как государственные мужи принимали судьбоносные, в основном для своего кошелька, решения, ожиревшие половины боролись с избыточным весом, многочисленными болячками, безжалостными морщинами.

В подвальном же помещении была оборудована небольшая процедурная, становившаяся в течение пятнадцати минут операционной. Высокие цены на услуги служили лишь фактором элитарности центра. Однако прибыли практически не давали. Все съедала сумасшедшая арендная плата.

Фактическим владельцем медицинского центра был некто Карпинский Алексей Николаевич по прозвищу Карп. Он уже был близок к созданию огромной преступной империи, соизмеримой по своим возможностям с самим государством. Ему неоднократно предлагали короноваться на «вора в законе», однако он, приводя в пример кавказцев, покупавших это звание, неизменно отказывался. «К чему пожилому человеку корона стоимостью миллион долларов, если он сам не знает, сколько у него миллиардов?» — удивлялся Карп. На самом деле он просто не желал связывать себя обязанностями и формальностями, которые автоматически сваливались. Его ухо не вынесло бы фразы: «Ты такой же, как я».

Атаман вышел на эту клинику через одного из друзей по лагерю. Здесь он уже менял внешность. Однако о том, что ее содержит его тайный босс, не догадывался. Карпинский, внимательно следивший за каждым шагом Атамана, решил немного отпустить поводок. Он умело вывел Копылова на группу русских самородков, осевших в Германии. Теперь Атаман должен был потратить свои средства и энергию на воссоздание супероружия. А Карпинский просто в нужный момент им овладеет, как овладел всем, что имеет.

Кушман оглядел пациента и довольно улыбнулся:

— У нас работают самые лучшие специалисты столицы. Завтра появятся отеки и синяки. Поэтому повернитесь.

Он сделал несколько снимков цифровым аппаратом и продолжил:

— Паспорт и билеты на сегодняшний самолет будут у вас через два часа.

...Турецкий был готов начать грызть ногти. Он чувствовал в своем тренированном теле слишком много энергии, для того чтобы сидеть в кабинете.

Зазвонил мобильный. Докладывал Поремский:

— Александр Борисович! Есть сигнал! Коренастый блондин в черных ботинках. Вылет во Франкфурт-на-Майне через полтора часа!

— Франкфурт?.. Владимир! Самолет задерживается на... — Турецкий посмотрел на часы, — до моего прибытия!

Карп недооценивал противника. Слишком топорно сработали его агенты. Атаман почувствовал, что он под «колпаком», когда наутро после взятия Маркиза похороненный теперь со всеми свидетелями Антон ни с того ни с сего рассказал о талантливых ребятах в Германии, которые угоняют крутые автомобили и переделывают их до неузнаваемости, программируют электронику, вскрывают банковские коды. Мало того, дал наводку, как их найти. А это было именно то, к чему сводились все мысли Копылова. Таких случайностей не бывает.

Атаман прекрасно знал, на кого работает Маркиз. Ему не жалко было огромного посреднического процента. Владеть такого рода информацией было слишком опасно. С ним в любой момент могли поступить, как он с исполнителями. Копылов без проблем перевел большую сумму из банка, контролируемого Карпинским, в Германию и окончательно убедился в своих подозрениях. Он уже знал, как играть.

Легкая волна удушья подступила к горлу, когда по громкоговорителю объявили: «Уважаемые пассажиры, командир корабля и экипаж приносят извинения за вынужденную десятиминутную задержку. Пассажир с места восемнадцать «А» не смог прибыть вовремя и сейчас проходит таможенный досмотр. В аэропорт назначения лайнер прибудет без опозданий». Место восемнадцать «А» было рядом с Атаманом. Затем объявление было повторено на немецком языке. Если наши не проявили ни малейших эмоций, то иностранцы одобрительно закивали.

Через несколько минут влетел опоздавший. Стройный мужчина средних лет, раскланиваясь и принося извинения, добрался до места. Самолет вырулил на площадку и взмыл. Копылов с интересом покосился на соседа. Тот, облегченно расслабившись, откинулся в кресле и вроде как задремал. Однако, когда приблизилась стюардесса, разносившая напитки, мгновенно проснулся и взял с подноса бутылочку коньяку. Вскрыл и выпил почти половину. Оторвавшись, закусил кусочком шоколадки и поделился мыслью с соседом:

— Что русской душе нравится в немецком сервисе, так это бесплатная выпивка.

— И сколько раз можно повторять? — спросил с явным прибалтийским акцентом блондин.

— Сколько влезет. Прошлый раз летел со своим начальником. Выпили по литру.

— Часто летаете? — поинтересовался, открывая бутылку и принюхиваясь к напитку, Копылов.

— Не так часто, как хотелось бы. Но время от времени получается, — немного помолчав, добавил: — Думал, не успею. Важнейшее совещание, а тут проблемы неотложные и вдобавок пробки. Великое дело все же мобильная связь! Позвонил, и согласились подождать десять минут!

— Надо еще знать, кому звонить! — ухмыльнулся Копылов.

— На самом деле важно не кому звонить, а кто звонит, — лукаво улыбнувшись, поделился Турецкий.

— Вы сами подошли к следующему вопросу, — произнес Атаман. — Или это большой секрет?

— Нет, — просто произнес Турецкий. — Я позвонил своему генералу. Он министру. Министр дал распоряжение клерку задержать рейс от его имени.

— А, так вы служите? Все понятно. Интересы Родины! Полковник?

— Генерал, — ответил Турецкий, — сегодня ровно два года.

— Ну это надо обмыть, — произнес, поднимая свою бутылочку, Атаман.

«У вас линза сбилась!» — хотелось произнести Турецкому, однако он пересилил себя и перевел беседу в армейское русло. Подошедшая стюардесса заменила опустевшие бутылочки на новые, получив от моложавого генерала целый букет комплиментов. Похоже, с женщинами он обращался легко.

Зайдя в служебное помещение, стюардесса достала бутылочку спрея и обработала емкости из-под коньяка. Затем, вооружившись лупой, принялась рассматривать проступившие отпечатки. На одной из бутылочек их не было...

Выпив по второй, Копылов запротестовал. Генерал, презрительно глянув на штатского, щелкнул пальцами. Немедленно возникшая красавица с двумя бутылочками радостно кивнула ему, как старому знакомому. Он взял обе сам и больше не доставал соседа своими глупостями.

Голубоглазый, невысокого роста, со слегка припухшим лицом человек с паспортом на имя Петерсона Ивана Игнатьевича прибыл в аэропорт Франкфурта-на-Майне. С небольшим чемоданчиком он спускался по трапу. Ему нравилась западная сдержанность. Прилетает полный самолет. Половину пассажиров встречают. Но делают это незаметно, ненавязчиво и, главное, безо всякой толкотни, суеты, громких восклицаний, моря слез, горячих объятий. Просто кивок головой. Мимолетный поцелуй, рукопожатие и немедленное растворение в толпе.

Однако на сей раз картину портил огромного роста, толстый, похожий на гибрид медведя с гиппопотамом нахал. Он бесцеремонно шел навстречу потоку, заставляя мирных пассажиров обтекать свою фигуру, и, расставив руки, орал:

— Охо-хо! Александр! Как я рад!

— Пит! Дружище! — раздалось позади.

Вероятно, тоже какая-нибудь «деревня» ехала к своему так и не сумевшему «озападиться» родственнику.

Приближаясь к чудовищу с огромными отвисшими щеками, Копылов слегка пригнулся и попытался проскочить под мышкой. Однако сильные руки схватили его за шкирку и, как нашкодившего кота, швырнули в объятия двух полицейских. Атамана бесцеремонно скрутили и, застегнув наручники на запястьях, потащили в сторону полицейского участка.

Бегемот, между тем совершенно не интересуясь объектом проведенного ареста, радостно лапал смутно знакомую фигуру. Наконец тот вырвался из объятий и встретился взглядом с Копыловым. Атаман понял, что это конец...

*Литературно-художественное издание*

Серия
«МАРШ ТУРЕЦКОГО»

Фридрих Евсеевич Незнанский

**УМНАЯ ПУЛЯ**

Редактор *В.Е. Вучетич*
Художественный редактор *О.Н. Адаскина*
Компьютерный дизайн: *И.А. Герцев*
Компьютерная верстка *М.С. Ананко*
Корректор *Р.В. Бардина*

ООО «Издательство АСТ»
667000, Республика Тыва, г. Кызыл, ул. Кочетова, д. 28
Наши электронные адреса:
WWW.AST.RU E-mail: astpub@aha.ru

ООО «Агентство «КРПА Олимп»
121151, Москва, а/я 92.
E-mail: olimpus@dol.ru
Страницу издательства «Олимп»
см. на сайте «www.neznansky.ru»

При участии ООО «Харвест». Лицензия ЛВ № 32
от 27.08.2002. РБ, 220013, Минск, ул. Кульман,
д. 1, корп. 3, эт. 4, к. 42.

Открытое акционерное общество
«Полиграфкомбинат им. Я. Коласа».
220600, Минск, ул. Красная, 23.

**Незнанский Ф.Е.**

Н44 Умная пуля: Роман / Ф.Е. Незнанский. — М.: ООО «Издательство АСТ»: ООО «Агентство «КРПА Олимп», 2004. — 346, [6] с. — (Марш Турецкого).

ISBN 5-17-021910-5 (ООО «Издательство АСТ»)
ISBN 5-7390-1310-0 (ООО «Агентство «КРПА Олимп»)

Прокатывается волна убийств и загадочных исчезновений ученых, имеющих международное признание.

Александр Борисович Турецкий вместе со своими помощниками выясняет, что эти преступления — звенья одной цепи и связаны с изобретением нового поколения оружия. Умная пуля сама находит цель. Шансов у приговоренного нет. Как найти стрелка и самому не стать его мишенью? Только принимая нестандартные решения в непредвиденных обстоятельствах...

УДК 821.161.1-312.4
ББК 84(2Рос=Рус)6-44